남북한 유엔 가입

지지 교섭 1

구주

남북한 유엔 가입

지지 교섭 1

구주

한국학술정보

| 머리말

유엔 가입은 대한민국 정부 수립 이후 중요한 숙제 중 하나였다. 한국은 1949년을 시작으로 여러 차례 유엔 가입을 시도했으나, 상임이사국인 소련의 거부권 행사에 번번이 부결되고 말았다. 북한도 마찬가지로, 1949년부터 유엔 가입을 시도했으나 상임이사국들의 반대에 매번 가로막혔다. 서로가 한반도의 유일한 합법 정부라 주장하는 당시 남북한은 어디까지나 상대측을 배제하고 단독으로 유엔에 가입하려 했으며, 이는 국제적인 냉전 체제와 맞물려 어느 쪽도 원하는 바를 성취하지 못하게 만들었다. 하지만 1980년대를 지나며 냉전 체제가 이완되면서 변화가 생긴다. 한국은 북방 정책을 통해 국제적 여건을 조성하고, 남북한 고위급 회담 등에서 남북한 유엔 동시 가입 등을 강력히 설득한다. 이런 외교적 노력이 1991년 열매를 맺어, 제46차 유엔총회를 통해 한국과 북한은 유엔 회원국이 될 수 있었다.

본 총서는 외교부에서 작성하여 30여 년간 유지한 남북한 유엔 가입 관련 자료를 담고 있다. 한국의 유엔 가입 촉구를 위한 총회결의한 추진 검토, 세계 각국을 대상으로 한 지지 교섭 과정, 국내외 실무 절차 진행, 채택 과정 및 향후 대응, 관련 홍보 및 언론 보도까지 총 16권으로 구성되었다. 전체 분량은 약 8천 쪽에 이른다.

2024년 3월

한국학술정보(주)

| 일러두기

· 본 총서에 실린 자료는 2022년 4월과 2023년 4월에 각각 공개한 외교문서 4,827권, 76만 여 쪽 가운데 일부를 발췌한 것이다.

· 각 권의 제목과 순서는 공개된 원본을 최대한 반영하였으나, 주제에 따라 일부는 적절히 변경하였다.

· 원본 자료는 A4 판형에 맞게 축소하거나 원본 비율을 유지한 채 A4 페이지 안에 삽입하였다. 또한 현재 시점에선 공개되지 않아 '공란'이란 표기만 있는 페이지 역시 그대로 실었다.

· 외교부가 공개한 문서 각 권의 첫 페이지에는 '정리 보존 문서 목록'이란 이름으로 기록물 종류, 일자, 명칭, 간단한 내용 등의 정보가 수록되어 있으며, 이를 기준으로 0001번부터 번호가 매겨져 있다. 이는 삭제하지 않고 총서에 그대로 수록하였다.

· 보고서 내용에 관한 더 자세한 정보가 필요하다면, 외교부가 온라인상에 제공하는 『대한민국 외교사료요약집』 1991년과 1992년 자료를 참조할 수 있다.

| 차례

정 리 보 존 문 서 목 록

기록물종류	일반공문서철	등록번호	2020080037	등록일자	2020-08-20
분류번호	731.12	국가코드		보존기간	영구
명 칭	남북한 유엔가입, 1991.9.17. 전41권				
생 산 과	국제연합1과	생산년도	1990~1991	담당그룹	
권 차 명	V.9 한국의 유엔가입 지지교섭 : 구주지역 I				
내용목차	1. 프랑스 2. 영국 3. 독일 4. 호주				

0001

1. 프랑스

0002

관리번호	91-638

원 본

외 무 부

종 별 :

번 호 : FRW-0780 일 시 : 91 0307 1640

수 신 : 장관(국연,구일)

발 신 : 주 불 대사

제 목 : 유엔교섭

대:EM-0005,0004

본직은 3.26. 외무성 LAFON 유엔국장외 유엔업무 실무간부진을 오찬에 초재, 대호건을 교섭할 것임을 보고함. 끝.

(대사 노영찬-국장)

예고:91.12.31. 일반

검토필(1991.6.30)

국기국 구주국

PAGE 1

91.03.08 03:53

외신 2과 통제관 CW

0003

관리 번호	91-648

	분류번호	보존기간

발 신 전 보

번 호 : WFR-0449 910308 1514 DN 종별 :

수 신 : 주 불 대사. ~~/총영사~~

발 신 : 장 관 (국연)

제 목 : 유엔 고섭

대 : FRW-0780

연 : EM-0004, 5

WFR-0345

1. 대호관련, 연호 통보내용은 주재국과 고섭할 사항이 아니며, 특히 주재국은 핵심우방국 멤버로서 최근 북한태도 및 중국측 동향에 관해 2.20. 회의시(WFA-0345) 의견고환이 있었음을 참고바랍.

2. 대호 오찬시 ~~금후 타전될 전기침 외상의 구주순방 결과를 참고하여~~, 중국측의 태도변화 유도를 위한 주재국측의 적극적인 협조를 확보하는데 노력 바랍. 끝.

19 예고 : 1991.12.31. 일반 .

국제기구국장 ~~(차 관~~ ~~유종하)~~

검토필(1991.6.30)

보 안 통 제	

앙 고 재	91년 3월 8일	유엔과	기안자 성 명		과 장		국 장		차 관	장 관
			김성철							

외신과통제

0004

관리번호	91-882

외 무 부

종 별 : 지 급

번 호 : FRW-0884 일 시 : 91 0320 1910

수 신 : 장관(구일,의전),사본:총리비서실장

발 신 : 주 불 대사

제 목 : 한.불 관계(ROCARD 수상 공식 방한)

연:FRW-0798

대:WFR-0438

1. 당관 박참사관은 금 3.20 오후, 외무성 MEUNIER 극동부국장의 요청으로, 동인과 면담을 갖었는바, 동 면담시 거론된 표제건에 관해 하기 보고함.

가. 불정부는 한. 불 양국간 정치, 외교, 경제, 문화등 제부문의 협력을 가일층 증진시키기 위해 ROCARD 수상의 방한을 결정하였으며, 동 시기로 91.5.9(목)-10(금) 양일간을 제의하는바

한국측의 동의 여부를 알려주기 바람.(본건 조속 회시 바람)

나. 상기 방문시 ROCARD 수상은 뉴질랜드도 함께 방문(5.7-8 간) 예정(답방)이나, 금번 수상의 아주 순방에는 한국에 더욱 큰 중요성을 부여함.

다. 방한 원칙이 결정되면 부인 동반 여부 및 수행원등 제반 의전사항을 협의, 결정할것임(ROCARD 수상은 해외 공식 방문시 부인 동반 경우가 적다함)

라. 방한중 주요 의제로 양자 관계외에 국제정세 평가(걸프전후 세계 질서,소련, 동구 정세등)및 특히 한국의 유엔 가입을 위한 중국 설득 지원 문제가 중점적으로 다루어질것이라함.

2. 상기 부국장과의 면담시 파악한 걸프전후 중국 외교 방향, 아국의 UN 가입 관련한 불정부의 중국 입장 분석등은 별전 보고할것임.끝

(대사 노영찬-장관)

19 . . 에 예고문에 의거 일반문서로 재분류 예고:91.12.31 일반

검토필(1991.6.30)

구주국	장관	차관	1차보	2차보	의전장	총리실	청와대

PAGE 1

91.03.21 04:56

외신 2과 통제관 DO

0005

원 본

관리번호 91-965

외 무 부

종 별 :

번 호 : FRW-0916　　일 시 : 91 0326 1800

수 신 : 장관(국연,아이,구일)

발 신 : 주 불 대사

제 목 : UN 교섭

연:FRW-0780

대:WFR-0449

본직은 금 3.26. 외무성 LAFON 유엔국장, CUNY 유엔 정무부국장 및 MICHELLANGELI 유엔 아주담당관을 오찬에 초대, 아국의 유엔가입 문제를 협의하였는 바,동 불측 반응을 하기 보고함.

1. 불란서는 한국의 유엔가입이 유엔의 보편성 원칙에 부합하는 동시에 4,500 만의 인구로 국제사회에서 주요한 역할을 담당하는 한국의 유엔가입은 당연한 요청이므로, 이를 전적으로 지원할 것임.

2. 동 가입에 가장 중요한 요소인 중국의 태도완화를 위해 유엔, 파리, 북경 3 개 창구를 공히 활용, 중국설득에 진력할 것임.

3. 중국은 각종 국제회의 표결시 최종순간에 입장을 결정하여 왔으므로 사전에 진의를 파악키는 어려우나, 최근(걸프전 관계 안보리 표결등) 경향을 보면,대서방 공동입장에 대해 예상보다 호의적인 태도를 보인 점으로 보아, 오로지 북한을 옹호하는데는 다각적인 고려를 요할 것으로 보임.

4. 이붕등 중국 원로 지도층의 김일성과의 개인관계가 한국가입에 장애요소임에는 틀림없으나, 최근 중국 지도부가 국내, 외적으로 온건한 자세를 보이고 있으므로, 지속적인 설득으로 한국가입을 지원한다는 것이 불란서의 기본 방침임.끝.

(대사 노영찬-국장)

19 . 의거 일반문서로 재분류

예고:91.12.31. 일반

검토필(1991.6.30)

국기국　장관　차관　1차보　2차보　아주국　구주국

PAGE 1　　91.03.27　06:22

외신 2과　통제관 CH

0006

관리번호	91 — 982

원 본

외 무 부

종 별 :

번 호 : FRW-0924 일 시 : 91 0327 1450

수 신 : 장관(국연,아이,구일)

발 신 : 주 불 대사

제 목 : 유엔가입 (중국태도)

연:FRW-0886

1. 본직은 3.26. PRAGUE 신임 주한대사를 위한 만찬을 개최하였는 바, 동 만찬에 참석한 LEVITTE 외무성 아주국장은 연호 CE BEAUCE 국무상의 방중시 수행, 표제건 관련 중국 입장을 타진한데 대해 하기 언급함.

가. 국무상은 전기침 외상을 위시한 주요인사(부수상) 면담시, 한국의 유엔가입을 전적으로 지지하는 불측입장(기보고)을 중국측에 설명함.

나. 이에대해 중국측은 우선 당황해 하는 기색을 보이면서 동 문제는 남북한간의 협의에 의해 해결되는 것이 바람직하다는 종래의 입장을 되풀이 하였다 함.

2. 참고사항

-주재국 DUMAS 외무부수상은 금년 하반기중 중국을 방문할 예정(일자 확정시 추보)이라 하는바, 불측은 이기회에도 계속 본건에 관해 중국을 설득코자 한다 함. 끝.

(대사 노영찬-제1차관보)

19 .예고:91.12.31. 일반
의거 일반문서로 재분류됨

검토필(1991.6.30)

국기국 차관 1차보 2차보 아주국 구주국 청와대 안기부

PAGE 1 91.03.28 00:53

외신 2과 통제관 CF

0007

관리 번호	91 -1083

외 무 부

종 별 :

번 호 : FRW-0936 일 시 : 91 0329 1030

국기국장

이러한 문서에 첨부하여 관련되는 사본을 작성할 것

수 신 : 장관(구일,국연)

발 신 : 주 불 대사

제 목 : 한.불 관계

대:WFR-0625

연:FRW-0924

당관 박참사관은 3.28 1800 외무성 MEUNIER 극동부국장의 요청으로 동인과면담을 갖고 표제건에 관해 협의하였는 바, 동 내용을 하기 보고함.

1. 수상방한 의의

- ROCARD 수상의 5 월 방한은,89.11. 노대통령의 국빈방불을 계기로 필요성이 입증된 양국간 정치대화(DIALOGUE POLITIQUE)를 활성화하는데 주목적이 있음.

- 지속적인 경제성장 잠재력, 확고한 민주화 기반, 대소 동구권 수교, 대중관계 개선등으로 국제사회 열강의 협의대열(CONCERTATION DES GRANDS)에 진입한한국의 현위상으로 볼때, 상기 정치대화는 양국간 경협을 초월한 더욱 중요한의미를 지님.

- 따라서 금번 방한시 한반도 및 동북아 정세 전망, 한국의 유엔가입 문제외에 소련정세 및 신중동질서 전망등 주요 국제문제가 광범위하게 다루어질 것임.

- 이와관련, 주재국 SCHEER 외무차관은 3.28 오전 PRAGUE 신임 주한대사에게 경협뿐아니라 특히 정치협력 강화 필요성을 각별 주지시켰다 함.

2. 수상 및 외상 방중설

- 수상의 금번 아주순방시 중국을 방문할 계획은 없으며, DUMAS 외무부수상이 8월이전 방중예정이나, 일자는 현재 결정되지 않았다 함. 동 외상은 방중을전후, 홍콩서 아주지역 불 공관장회의도 주재할 것이라 함.

3.DE BEAUCE 국무상 방중과 한국의 유엔가입

- 동 국무상의 방문은 DUMAS 외무부수상의 방중을 위한 사전준비의 성격을띄었으며, 방중 중, 양국간 공통관심사인 정치대화 재개, 경제협력 활성화, 걸프전후 신중동판도 및 캄보디아 문제등에 대해서는 상당한 의견의 접근이 있었음.

구주국	장관	차관	1차보	2차보	국기국	청와대	안기부

PAGE 1

91.03.29 20:59

외신 2과 통제관 DG

0008

공 란

관리 번호	91 -1085

분류번호	보존기간

발 신 전 보

번 호 : WFR-0661 910401 1809 FL 종별 :

수 신 : 주 불 대사.총영사

발 신 : 장 관 (국연)

제 목 : 국무상 방중시 유엔가입 문제 거론

대 : FRW-0936

귀주재국 De Beauce 국무상이 방중시(3.20-21) 전기침 외상에게 대호와 같이 아국의 유엔가입문제를 적극 제기, 불란서측의 지지입장을 전달해 준데 대해 적절한 기회에 아측의 감사 표명바람. 끝.

19 예고 : 91.12.31 일반
의거 일반문서로 재분류

검토필(91.6.30)

(국제기구조약국장 문동석)

보안 통제	

앙 고 재	91년 4월 1일	유엔과	기안자 성명 김성진	과장		국장 전결		차관	장관

외신과통제

0010

관리 번호	91 —2165

원 본

외 무 부

종 별 :

번 호 : FRW-1009　　　　　일 시 : 91 0408 1120

수 신 : 장관(국연,구일)

발 신 : 주 불 대사

제 목 : 유엔가입

대:WFR-0661

연:FRW-0936

1. DE BEAUCE 국무상의 방중시 표제건 지원에 대한 아측 사의는 외무성 아주국에 적의 전달함.

2. MEUNIER 극동부국장은 본건에 관해 불정부는 향후 외상방중등 계기가 있을때마다 중국측에 아측입장 지지를 계속 표명하고 필요한 설득노력도 병행할 것이라고 다짐함. 끝.

(대사 노영찬-국장)

예고:91.12.31. 일반

검토필(1991.6.30)

국기국　장관　차관　1차보　2차보　구주국　청와대　안기부

PAGE 1　　　　91.04.08　23:15

외신 2과　통제관 CH

0011

관리 번호	91 —2248

외 무 부

종 별 : 지 급

번 호 : FRW-1019 일 시 : 91 0409 1040

수 신 : 장관(구일,의전)

발 신 : 주 불 대사

제 목 : 불 수상방한

연:FRW-1013

본직은 4.8. 오후 외무성 LEVITTE 아주국장의 요청으로 아주국 실무진과 당관과의 표제건 협의를 갖었는 바, 동 요지를 하기 보고함.(PRAGUE 주한대사, MEUNIER 극동부국장, BOISSY 한국담당관박참사관, 정서기관 동석)

1. 수상방한 목적

- 2000 년대 개막을 앞둔 한. 불 관계에 정치적 대화의 PARTNERSHIP 전통을수립, 명실상부한 상호 보완적인 동반자 관계로 격상시키는데 목적이 있음을 재차 강조함.

- 이는 불란서가 한국이 국제사회에서 점하는 정치, 경제적 제반 중요성을 깊이 인식한데 연유함.

2. 공동발표 일시

- 불측이 기제의 한대로 4.26(금) 17:00(파리시간),10:00(서울시간) 양국 수도에서 공동발표하는데 대한 아측 동의여부를 회시해 주시기 바람.

- 불측관행은 간략한 개관적 사실만을 취합한 문안을 발표당일 수상실 FAX 로 AFP 에 타전하고, 동일 외무성 공보관이 출입기자단 및 외신기자단에 대한 배경 브리핑을 한다함.

3. 수상 방한시 아국 주요인사와의 면담의제

가. 국제정세 의견교환

- 아측 설명

. 동북아 정세

. 한반도 및 남북한 문제

. 아국의 대중국, 소련, 일본 관계

. APEC

구주국	장관	차관	1차보	2차보	의전장	청와대	총리실	안기부

PAGE 1 91.04.10 07:29

외신 2과 통제관 BW

0012

- 불측 설명

. 걸프전 종전후 신중동 판도

. 소련, 동구정세

. EC 확대통합

. 기타 국제문제(캄보디아등)

나. 양자관계

- 정무사항

. 한국의 UN 가입과 불지원

. MITTERRAND 대통령의 국빈방한 초청 재확인

- 경제사항

. 경제, 통상, 기술협력 증진

. 방산협력

- 문화교류 증진

4. 수상 기자회견

- 공동 또는 단독 회견여부는 선발대 방문시 협의, 결정

5. 수상 방한 일정 및 의전사항

- 산업시찰, 훈장교환 문제는 선발대 방문시 협의, 결정

6. 상기 발표일자 및 의제관련, 아측입장 조속 회시바람. 끝.

(대사 노영찬-국장)

19 예고:91.12.31. 일반
에 의거 일반문서로 재분류 됨

검토필(1991.6.30)

관리 번호	91-2201

원 본

외 무 부

종 별 : 지 급

번 호 : FRW-1020 일 시 : 91 0409 1040

수 신 : 장관(국연,구일,아이),사본:주유엔대사-본부중계필

발 신 : 주 불대사

제 목 : 불 외상 방중

연:FRW-1019

1. 연호 본직의 외무성 아주국장과의 면담시 동 국장은 DUMAS 외무 부수상이 4.29-30 간 중국을 공식 방문하고,5.1-2 홍콩서 아주지역 불 공관장회의를 주재할 것이라고 말함.

2. 동 국장은 이어 부수상의 방중시도 지난번 DE BEAUCE 국무상과 같이 한국의 UN 가입과 관련한 불 입장을 중국 정부측에 설명하고, 중국을 적극 설득할 것이라 하며, 동 결과는 적절한 경로(가능한한 수방 방한시)로 추후 아측에 알려줄 것이라 함. 끝.

(대사 노영찬-국장)

19 의거 일반문서로 재분류됨 예고:91.12.31. 일반

검토필(1991.6.30)

국기국 장관 차관 1차보 2차보 아주국 구주국

PAGE 1

91.04.09 19:10

외신 2과 통제관 BA

0014

관리 번호	91 -2190

	분류번호	보존기간

발 신 전 보

번 호 : WUN-0819 910409 1707 CO 종별 :

수 신 : 주 유엔 대사.총영사

발 신 : 장 관 (국연)

제 목 : 불란서 수상방한 예정

불란서 M. Rocard 수상이 아주 국무총리 초청으로 5.9-10간 방한 예정임을 참고바람. 끝.

예고 : 91.6.30 일반 이거 일반문서로 재분류됨

(국제기구조약국장 문동석)

보안 통제	

앙 고 재	91년 4월 9일	유엔과	기안자 성명		과 장		국 장		차 관	장 관
							전결			

외신과통제

0015

공 란

관리 번호	91 -2338

외 무 부

종 별 :

번 호 : FRW-1049 　　　　일 시 : 91 0411 2120

수 신 : 장관(구일,국연,동구일)

발 신 : 주 불 대사

제 목 : 대통령 외교특보 면담

대:WFR-0731(국연)

대호관련, 본직은 금 4.11 오후 PIERRE MOREL 대통령 외교특보(전 외무성 정무총국장, 전 주제네바 군축대표부 상주대표)와 면담을 갖었는바, 동 면담시 주요 대화요지를 하기 보고함.

1. 한국의 유엔가입

- 남북한 동시 또는 남한 단독 유엔가입 지지에 대한 불란서의 입장은 확고하므로, 이제는 중국을 설득시키는 것이 가장 중요한 사항인 바, 이에대해 최선을 다할 것임

-지난번 DE BEAUCE 국무상과 같이 DUMAS 외무부수상의 방중(기보고)시에도 중국 외상을 비롯 고위인사에게 상기 입장을 설명, 중국을 설득할 것임.

2. 수상 방한

- ROCARD 수상의 방한에 대해 불정부는 커다란 중요성을 부여하고 있으며, 특히 금번 방한이 양국간 정치적인 대화를 통한 보완적인 협력관계 강화를 위한 양측의지 재확인이란 측면에서 특별한 의미를 부여코자 함.

3. 한. 소 정상회담

- 4.19 제주 한. 소 정상회담은 불측의 커다란 관심사인바, 동 회담이 동북아 안정과 번영을 위한 주요한 계기가 될것임을 확신하므로 동 회담 주요내용을 적시에 불측에 알려주면 고맙겠음.

4. 주요 국제문제에 대한 불 평가

가. 소련 정세

- 소련이 금일 직면한 위기는 특정 지도자의 능력과는 무관한,70 년 이상 계속된 전체주의 구제도의 모순과 결함이 일시에 표출된 것임.

- 현재 GORBACHEV 와 YELTSIN 의 대결이 첨예화 한 것으로 보도되고 있으나,양인

구주국 장관 차관 1차보 2차보 구주국 국기국 청와대 안기부

PAGE 1 　　　　91.04.12 08:02

외신 2과 통제관 CA

0017

모두 각자의 유리한 카드가 있으므로 체제의 전면괴멸 위험까지 감수하며대립하지는 않고 적절한 선에서 타협이 이루어질 것으로 보임.아울러 양인의 대결도 다른 측면에서 보면 소련 민주화 가도의 시험적인 성격도 있으므로 다소 긍정적인 측면이 있음.

- 정권위기에 몰린 GORBACHEV 와 측근 주변인사가 전보다 경직된 인상을 주는 것은 사실임.또한 현 소체제로 볼때 "연방개혁안" 시행이전 발트등 제공화국의 산발적인 독립움직임이 가속화 되면, 연방붕괴라는 대혼란 외에 독립한 각국도 정치, 경제적인 좌표를 상실케 되므로, 연방개혁 작업의 테두리내에서 서서히분리운동이 추진되는 것이 바람직함.

- 따라서 불란서는 GORBACHEV 중심의 페레스트로이카가 계속 추진될 것으로보며, 동 개혁이 성공하도록 계속 지원할 것이며, 이와 병행하여 다원적인 대소 대화차널(각 공화국)도 구축코자 하나, 현재 GORBACHEV 가 이에 대해 신경이 예민해져 있으므로 시행에는 신중을 요함.

나. 걸프전과 불 입장

- 사태 초기 불란서는 평화적 해결을 위한 제반노력을 경주하였으나 SADDAM이 이를 도외시 하였으므로, 부득이 미국주도의 힘에 의한 해결에 적극적으로 참여케된 것임.

-그러나 전쟁이 종결된 현 과도기에는 팔레스타인 문제를 포함한 오랜 지역분쟁의 해결 적극화를 통한 평화구축과 쿠루드등 소수민족의 생존등 인도적인 문제에 각국이 보다 많은 관심을 갖어야 하며, 이러한 맥락에서 불란서는 최근 관련 유엔안보리 결의안 채택에 주도적 역할을 경주한 것임.

다. 유고 정세

-유고의 사태를 피상적으로 보면 연방와해위기에 몰린 것으로 이해할수 있으나, 사실은 붕괴 움직임과 또한 동일한 강도의 연방유지 움직임이 공존하고 있으므로, 불안하나마 균형이 이루어지고 있음.

- 유고는 과거 대외적으로는 개방, 대내적으로는 경직된 체제라는 상호 상충되는 체제를 유지하다 전반적인 동구개혁 와중에서 국민의 각종 욕구가 일시에분출된 필연적인 위기를 맞고 있으므로, 서방각국은 동국의 안정을 위해 도움을 아끼지 말아야할 것임.아울러 이기회에 동구뿐 아니라 주변 각국이 공통적으로 당면한 소수민족 문제에 대해서도 해결방안을 도출함이 절실함. 이는 구주 신질서와 지역안정과 공동번영을 위해 필요불가결한 요청임.

PAGE 2

0018

라. 북한의 미기수출

- 걸프전의 교훈인 국제무기 수급통제 분위기에 역행, 북한이 전쟁와중에서무기수출을 기도한 것은 매우 우려되는 바 큼. 끝.

(대사 노영찬-국장)

예고:91.12.31. 일반

관리번호 91-2315

외 무 부

종 별 : 지 급

번 호 : FRW-1050 일 시 : 91 0411 2130

수 신 : 장관(구일)

발 신 : 주 불 대사

제 목 : 불 수상 방한

대:WFR-0728

연:FRW-1019

표제건 관련, 주재국과 협의한 사항을 하기 보고함.

1. 공동발표 일시

- 뉴질랜드측이 돌연 조기발표를 불측에 제의한 관계로 금 4.11 RIPERT 수상 외교특보는 현재 체한중인 COLMOU 불 선발대 단장에게 명 4.12 파리시간 12:00 에 공동발표(아측 발표시간은 아측 임의조정) 하는데 대한 아측입장을 문의토록 지시한바 있다 하니, 불측 문의시 방침을 결정, 당관에 회시해 주시기 바람.

2. 회담 의제

- ROCARD 수상은 정해진 의제대로 회담하는것 보다는 자연스러운 분위기에서 의견교환을 갖는 것을 선호하므로, 대체로 연호 의제범주에서 회담이 진행될 것임.

- 불측이 특별히 거론할 가능성이 있는 추가 의제는 없으나, 새로운 사항인4.19. 한.소 정상회담에 대한 아측설명을 청취코자 함.

- 또한 수상은 간혹 외국 고위인사와의 면담시 GATT(URUGUAY ROUND)에 관해서도 의견교환을 갖는다 하니, 참고바람.

3. 아측 제기 가능사항

- 불측은 최근 동구권 및 소련 합작진출 협력용의를 표명한바 있음. 이는 동 지역에 대한 주재국의 진출에 전통이 있고, 각국 사정을 비교적 소상히 파악하고 있는데 기인하는바, 이에 대해 아측이 필요하다고 판단할 경우, 본건을 추가 거론토록 함.

4. 문제별 불측입장

- 자료량을 감안, 차 정파편 송부할 것이나 기송부한 공관장회의 자료 및 기타

구주국 장관 차관 1차보 2차보 의전장 국기국 경제국 정문국
정특반 청와대 총리실 안기부

PAGE 1 91.04.12 05:25
외신 2과 통제관 BS

0020

전문보고를 우선 참고해 주시기 바람. 끝.

~~(대사 노영찬-국장)~~

19 . . . 에 예고문에
의거 예고: 91. 12. 31. 일반

검토필(1991. 6. 30)

PAGE 2

0021

관리번호	91-2379

원 본

외 무 부

종 별 :

번 호 : FRW-1051 일 시 : 91 0412 0930

수 신 : 장관(국연,구일,사본:주유엔대사-중계필)

발 신 : 주 불 대사

제 목 : 유엔교섭(불 외상 방중)

대:WFR-0731

당관 박참사관은 4.12. 오후 외무성 MEUNIER 극동부국장과 면담을 갖고 표제건에 대한 대호 아측입장을 전달하였는바, 이에대한 불측반응을 하기 보고함.

1. DUMAS 외상 방중시 중국측과의 협의의제에 한국의 유엔가입 문제가 포함되도록, 현지 공관에 기지시한바 있으며, 의제 포함여부에 불구 DUMAS 외상은 이를 중국측에 반드시 제기할 것임.

2. DUMAS 외상은 방중시 전기침 외상외에 강택민, 이붕등과도 면담토록 현재 교섭이 진행되고 있다 하는바, DUMAS 외상은 각급 중국 고위인사 면담시 마다 한국의 유엔가입 문제를 제기할 것이라 것이며, 중국측을 계속 설득할 것이라함.

3. 또한 외상의 방중은 시기적으로 이붕의 북한방문 직후라는 점에서 북한측의 태도변화 여부를 문의할 수 있는 좋은 기회가 될것임.

4. 상기 외상방중시 LEVITTE 아주국장과 MEUNIER 부국장이 수행함. 방중후 국장은 외상과 함께 불 아주지역 공관장회의에 참석하고, MEUNIER 부국장은 별도 방한, 외상 방중 면담내용을 동 시기에 방한하는 ROCARD 수상에게 보고, 수상이 이를 아측에 설명할 것이라 함. 끝.

(대사 노영찬-국장)

19 . . 에 예고문에 의거 예고: 91.12.31 일반

검토필(1991.6.30)

국기국 장관 차관 1차보 2차보 구주국 청와대 안기부

PAGE 1

91.04.13 07:03

외신 2과 통제관 DO

0022

관리 번호	91 -2383

외 무 부

종 별 :

번 호 : FRW-1052 일 시 : 91 0412 0930

수 신 : 장관(동구일,정일)

발 신 : 주 불 대사

제 목 : GORBACHEV 대통령 방한

대:WFR-0735

1. 주재국 외무성 MEUNIER 부국장은 표제건에 관해 하기와 같은 사견을 피력함.(주재국 관례는 회담후 공식 논평함)

가.4.19. 한. 소 정상회담은 국제적으로 한국의 위상을 확고히 한다는 일차적인 고찰보다는, 한반도 문제 해결촉진과 한국의 유엔가입을 위한 긍정적인 결과를 갖어올 것으로 기대되므로 이를 환영함.

나. 형식면에서 제주도가 회담장소로 선택된 것은 북한을 상호 의식한 것이아닌가도 보여지나, 이는 의전적인 고려를 생략하고, 실질적인 문제를 정상간 알차게 협의한다는 근대외교의 새로운 PATTERN 과도 일치하는 면이 있으므로 좋은 성과를 기대하며, 주요 회담내용을 추후 불측에도 알려주기 바람.

2. 언론계, 학계등 반응은 수집되는 대로 수시 추보할 것임.끝.

(대사 노영찬-국장)

19 예고:91.12.31 일반

검토필(1991.6.30)

구주국 장관 차관 1차보 2차보 정문국 청와대 안기부 의전장 국기국

PAGE 1

91.04.13 00:32

외신 2과 통제관 BW

0023

관리번호	91-2368

원 본

외 무 부

종 별 :

번 호 : FRW-1065 일 시 : 91 0412 1700

수 신 : 장관(국연,구일,정이,해신)

발 신 : 주 불 대사

제 목 : 유엔가입 홍보활동

대:WFR-0756

1. 당관 박참사관은 금 4.12. LE MONDE 지 PATRICE DE BEER 아주담당 외신차장(2회 방한 ROCARD 수상 방한시 동행예정)을 오찬에 초대, 대호 사항에 대해설명하고, 협조를 요청함.

2. 동 차장은 ROCARD 수상 방한 전후해서 LE MONDE 지는 한반도 문제(한국의 유엔가입 포함)에 관한 기획기사를 구상중이라 하며, 이를 위해 현재 서울을(494)COVER 하는 동지 동경주재 PONS 특파원(한. 소 정상회담 및 수상방한 사전 분석기사 담당)과 협조할 것이라 함.

3. 동 차장은 이어 중국의 태도가 현재 불부명하고 또한 이붕의 방북이 한국의 유엔가입 관련 긍정적 또는 부정적 요인을 내포하고 있긴 하나, 북한이 금추까지 도발적인 행위를 감행치 않는 한 시간이 가면 갈수록 중국의 태도가 한국의 유엔가입 묵인 형태로 발전할 가능성이 농후한 것으로 보인다고 말함.

4. 동 차장은 수상도 방한중 별도로 외무부 유엔관계 책임자와의 접촉을 희망한다 하니 수상일정을 보아 가능하면 제 1 차보 또는 국기국장 면담(수상 산업시찰 시간등 활용)을 주선해 주실것을 건의함. 끝.

~~(대사 노영찬-국장)~~

19 . . 에 예고문에 의예고:91. 12. 31 일반

검토필(1991.6.30)

국기국 차관 1차보 구주국 정문국 청와대 안기부 공보처

PAGE 1

91.04.13 01:56

외신 2과 통제관 BW

0024

"미셸 로까르" 프랑스 首相 訪韓 日程(案)

5. 1 (수)

18:00	· 서울공항 도착
	· 환 영 식 (서울공항)
18:20	· 서울공항 출발
18:45	· 숙소(롯데호텔) 도착
20:00-23:00	· 비공식 만찬 (롯데호텔, 36층, 칼튼+버클리룸)

5. 2 (목)

09:15	· 숙소 출발
09:25	· 국립묘지 도착
09:25-09:35	· 국립묘지 헌화
09:35	· 국립묘지 출발
09:50	· 정부종합청사 도착
09:50-11:20	· 총리예방 및 총리회담 - 예방 및 단독회담 : 30분(소접견실) 확대회담 : 1시간 (대접견실)
11:23	· 정부종합청사 출발
11:28	· 청와대 도착 - 방명록 서명

0025

11:30-12:00	· 대통령 내외분 예방	(청와대 본관)
	- 기념촬영, 수행원 및 배석자 소개 : 대접견실	
	- 대통령-수상 환담 : 소접견실	
	- 영부인-수상부인 별도 환담 : 영부인 접견실	
12:00-13:30	· 대통령 내외분 주최 오찬	(청와대 본관)
13:30	· 청와대 출발	
13:40	· 숙소 도착	
14:30	· 숙소 출발	
14:50	· 서울대학교 도착 총장과의 환담 (총장실)	
15:00-16:15	· 수상연설 및 질의응답	(문화관)
16:20-16:40	· 반도체 연구소 시찰	(연구소)
16:40	· 서울대학교 출발	
17:00	· 주한 대사관저 도착	
17:00-17:45	· 재한 프랑스 교민과의 리셉션	
17:45	· 주한 대사관저 출발	
18:00	· 숙소 도착	
18:50	· 숙소 출발	
19:00	· 총리공관 도착	
19:00-21:00	· 국무총리 내외 주최 공식 만찬 → (총리내외, 수상내외 각측, 15명, 통역: 최정화.)	
21:00	· 총리공관 출발	
21:10	· 숙소 도착	

0026

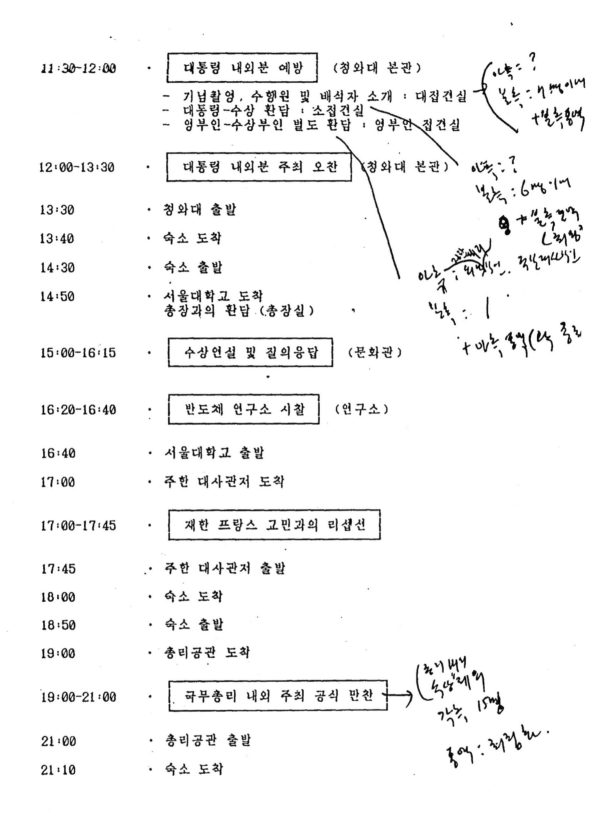

5. 3 (금)

08:00-09:00	· 한·불 최고경영자 클럽회원들과의 조찬 (숙소, 샤를롯데룸)
09:20	· 숙소 출발
09:30	· 국회 도착
09:30-10:40	· 국회의장 예방
10:45	· 국회출발
10:55	· 숙소 도착
11:15-12:00	· 기자회견 (숙소, 크리스탈볼룸)
12:30-14:00	· 경제4단체장 주최 오찬 (숙소, 사파이어볼룸)
14:50	· 숙소 출발
15:00	· 창덕궁 도착
15:00-16:00	· 창덕궁 관람
16:00	· 창덕궁 출발
16:10	· 숙소 도착
17:20	· 숙소 출발
17:45	· 서울공항 도착
17:45-17:55	· 환 송 식
18:00	· 이 한

0027

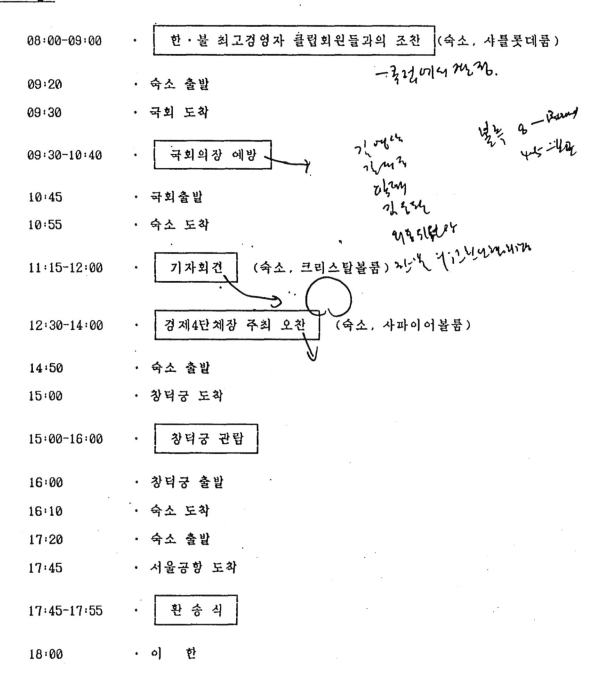

공　　　란

공 란

공 란

관리번호 91-2619

원 본

외 무 부

종 별 :

번 호 : FRW-1143 일 시 : 91 0422 1940

수 신 : 장관(국연,구일,사본:노영찬 주불대사)

발 신 : 주 불 대사대리

제 목 : 유엔가입

대:WFR-0826, WECM-0022

연:FRW-1127,1142

연호 MEUNIER 부국장과의 면담서 논의된 유엔관계 사항을 하기 보고함.

1. 박참사관은 먼저 중국 이붕의 방북직전 DUMAS 외상의 방중이 있게 되므로 시기적으로 매우 중요한 의미를 지님을 강조하고 대호(WFR-0826, 제 4 항)에 관해 재차 지원을 요청한 바, 동 부국장은 불측도 이점에 착안, 대 한국지원을 적극화하려 하는 것이므로 연호와 같이 최선을 다할 것임을 다짐함.

2. 대호 1 항 관련 미측 태도설명에 관해 동 부국장은 이는 3 개 서방 안보리 상임이사국의 일치된 자세 견지라는 점에서 전적으로 동감을 표시하며, 연호 첩보는 미확인된 비관변 정보이므로 불측은 이를 개의치 않고, 아국지원과 중국설득에 적극적인 자세로 임할 것이라고 말함.

3. 비동맹권 설득문제도 한국측이 대상국가를 선정, 통보해 주면 필요한 조치를 취할 것이라고 부언함.

4. 지난번 DE BEAVCE 국무상의 방중이나 금번 DUMAS 외상의 방중이 모두 고위정책 협의회 성격을 띄우므로 별도 중국과의 정책협의회 개최 계획은 없다함. 끝.

(대사대리 김성식-국장)

예고:91.12.31. 일반

검토필(1991.6.30)

국기국	장관	차관	1차보	2차보	구주국	구주국	청와대	안기부

PAGE 1 91.04.23 06:13

외신 2과 통제관 CE

0031

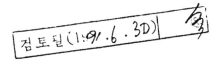

면 담 요 록

(한·프랑스 총리회담 단독회담)

1. 일 시 : 1991 년 5 월 2 일 (木) 09:50 ~ 10:50

2. 면담장소 : 국무총리실 소접견실

3. 면 담 자 :

o 한 국 측 : 노재봉 국무총리
권영민 외무부 구주국장
박재선 주프랑스 참사관(통역)

o 프랑스판서측 : ROCARD 수상
RIPERT 수상 외교특보
최정화 외대교수(통역)

4. 면담내용 :

총 리 :

o 금번 수상의 방한으로 본인으로서는 수상을 두번째로 만나게 됨. 지난번 노대통령 방불시 정치특보 자격으로 대통령을 수행, 수상을 만난 기억이 있음. 노대통령 방불 후 양국관계는 획기적으로 발전하여 동반자 관계가 심화되고 있는 데 대해 만족하며 귀국이 국제무대에서 한국의 입장을 지지해 주고 있는데 대해서도 이자리를 빌어 사의를 표함.

로까르 수상 :

o 본인 역시 재회를 기뻐하며, 언급하신 바와 같이 양국관계가 돈독해지고 있는 것에 만족하고 있음. 한국의 UN 가입에 대한 프랑스의 확고한 지지 입장은 변함이 없음. 금번 방한 목적은 양국간 정치적인 협력뿐 아니라 경제, 문화등 제분야에서도 협력을 더욱 활성화시키기 위한 것임.

/ 계속....

0032

총 리 :

o 동감임. 본인은 귀국과 개인적인 인연을 가지고 있음. 19세기 유명한 사상가 또끄빌 연구를 통하여 프랑스 역사와 저력 등을 잘 알고 있음.

로까르 수상 :

o 총리께서 또끄빌을 연구하셨다니 미국뿐 아니라 아국에 대해서도 많은 것을 좋아하시리라 생각함. 본인도 또끄빌에 대해 많이 알고 있습니다만 프랑스 정치 사상은 국제적으로 잘 알려져 있는 것으로 보임.

총 리 :

o 파스칼, 몽테스큐, 몽테뉴로부터 또끄빌까지 이어지는 프랑스 사상가의 전통에서 많은 것을 배워, 한국사회와 한국의 위치를 새로운 방향으로 발전시키고 있으며, 이는 아국의 민주화와 개방화 추진에도 원용되고 있음.

로까르 수상:

o 총리께서 아국에 대한 해박한 지식을 갖고 계심에 감명을 받음. 본인 역시 한국과는 친분이있음. 총리께서도 아시다시피 6.25 당시 프랑스는 한국에 파병하였고, 이후 참전용사회 기념식에 참석하여 한국에 대해 많은 인식을 가져야 함을 느끼게 되었고, 많은 프랑스 국민들도 한국전 참전결과 한국에 대해 많은 관심을 갖게 되었다고 할 수 있음. 우리는 한국의 민주화와 다당 체제의 발전을 관심깊게 주시하고 있음.

총 리 :

o 수상께서는 수상실 산하에 CLUB-COREE를 창설, 양국협력에 지대한 관심을 갖고 있음을 경하함.

로까르 수상 :

o 총리께서 CLUB-COREE 까지 아신다니 매우 기쁨. 동 클럽의 회장인 DE ROYERE 씨는 현재 미국회사와 구매계약을 체결중이므로 이번에 동행치 못했으나, 대신 많은 유력 기업인이 본인을 수행하여 방한함.

총 리 :

o 한국의 민주화는 내부적으로 뿐만 아니라 외부적으로도 동시에 추진 되어야 할 과제로 사료됨. 구체적으로 말씀드린다면 한국사회의 완전한 민주화 성취의 장애요인은 남북분단이라고 할 수 있음. 한반도는 냉전 체제의 최후 보루인 바, 이를 제거시켜야만 한국의 민주화가 완성될 수 있을 것으로 생각함. 한국정부는 유엔을 위시한 국제사회에서 보편성의 원칙에 입각하여 북방외교를 추진해 왔는바, 이는 한반도의 긴장완화는 물론 북한을 국제사회에 개방시키기 위한 목적도 있음. 북한사회의 내부개혁을 위해서도 우리는 줄기차게 노력하고 있음. "한국정부로서는 우선 평화정착이 가장 중요하며, 유엔가입을 평화보장의 확실한 방법중 하나라고 생각함. 이를 위해 귀국의 협력과 지원이 요망됨. 북한이 남북한의 유엔 동시가입을 민족분단 획책이라고 주장하고 있는 것을 안타깝게 생각하고 있으며, 남북한 총리회담도 그동안 세차례나 개최 되었으나 상금 구체적인 결실이 없는 상태에서 중단되었음을 애석하게 느끼고 있음.

로까르 수상

o 프랑스 정부는 한국정부가 소련뿐 아니라 동구권 다수국과 수교함으로써 북방외교를 성공적으로 수행한 한국의 외교 치적을 치하코자 함. 한국과 중국도 그동안 경제분야등 관계가 긴밀해지고 있는 것으로 알고 있음. "듀마 외무장관"이 어제까지 중국에 머무는 동안 여러 중국 지도자들과 면담하면서 중국의 민주화를 강조하였는 바, 분위기는 다소 냉랭했다고 할 수 있겠으나, 불·중 관계는 전통적으로 양호한 수준임. 한국의 유엔가입에 관해서도 중국이 영향력을 행사해 줄 것을 요청하였음. 듀마장관이 중국 지도자들에게 강조한 바를 중국은 북한측에 설명한 것으로 보이며, 북한으로 하여금 한국과 대화를 재개토록 설득할 것으로 봄. 중국 지도층은 상금 명확한 의견표명은 하지 않았으나 북한의 단일의석 가입안에 대해 잘 알고 있었고, 한국의 유엔가입에 대해

명확한 답변은 없었으나 명백한 반대도 표명하지 않았으며, 북한으로 하여금 한국과 대화를 계속하도록 북한측에 권유할 것이라고 말함.

총 리 :

o 귀국은 안보리 상임이사국이며 세계의 주도국으로서 한국의 유엔가입을 위해 듀마 외무장관을 위시, 귀국정부가 계속 노력해주고 있는 데 대해 사의를 표명하고자 함. 이를 계기로 한·불간의 정치적 협력관계는 더욱 돈독해질 것으로 생각함.

로까르 수상:

o 한·불간 관계증진을 기대하는 총리의 말씀은 프랑스측의 희망이기도 함. 유엔은 모든 국가가 참여하여 세계 평화를 보장하기 위해 더욱 강력한 역할을 수행해야 한다는 점도 프랑스정부의 확고한 입장임. 유엔은 한국문제뿐만 아니라 인도차이나문제에 대해서도 더욱 강력한 역할을 하기를 희망함. 오늘 특별히 말씀드리고 싶은 것은 양국간의 만족할 만한 정치적 협력관계가 경제협력으로 더욱 보완될 필요가 있다는 것임. 양국간에는 경제적으로 다소의 난제가 있는 것이 사실임. 2년전부터 특히 작년부터는 프랑스측이 한국으로부터의 수입에 적용해오던 제재조치를 해제하였는 바, 즉 시계류, 가전제품 등 품목임. 경제적 장벽 관련, 쌍무차원에서는 많이 풀었지만 EC 차원에서 제거하는 데는 한계가 있음. 프랑스는 한국측이 자동차시장 개방 문제와 관련, 불만을 갖고 있다는 것도 알고 있음. 프랑스도 한국이 프랑스산 자동차에 과도한 수입관세를 부과하고 있는 것에 대해 불만을 갖고 있음. 그러나 양국 모두 대화를 통해 자동차 수입 제한조치를 상호 완화해 나가기를 희망하고 있음. 총리께서 또끄빌 연구로 프랑스에 특별한 애착을 갖고 계시는 것으로 알고 있습니다만 양국간에는 지적소유권 보호문제, 의약품 등 특허권 보호 문제 등에서 다소간의 마찰이 있으며, 한국의 위조상품이 문제가 되고 있기도 함. 프랑스는 EC 법주내에서 더욱 노력하여 좋은 해결책이 나오기를 희망하고 있음.

총　　리 :

o 경제 분야에서 다소간의 문제가 있다는 것도 잘 알고 있으나 상호 보완적인 입장에서 협력할 필요가 있다고 생각함. 한국은 프랑스가 유럽에서 제 3의 교역국이라는 것을 알고 있고 또한 프랑스가 수상께서 말씀하신바와 같이 수입 제한을 완화하기 위해 노력해온 것을 감사히 생각하고 있음. 자동차 문제와 관련해서는 승용차도 아닌 미니버스이며, 프랑스산 자동차와의 경쟁관계에 있지도 않은 제품이 제재대상이 되고 있는 데 대해 논란이 있으나 협의를 통해 잘 풀려 나가기를 희망함. 소비재 부문에 있어서도 상호간에 개선 노력을 계속 하여 프랑스측 소비재가 더욱 많이 수입 되기를 기대함. 꼬냑같은 주류에서 프랑스가 다소 불만을 갖고 있는 것으로 알고 있는 바, 꼬냑에는 위스키 보다도 낮은 관세가 부과되고 있으나 (30%) 앞으로 국내 주류업계와의 관계도 고려하여 여건이 호전되면 수입이 더 용이해질 수 있도록 개선해 나가고자 함. 소비재 이외에도 지적소유권, 금융시장개방, 방위산업, 교통, 환경 분야 협력에서도 한국은 아무런 편견없이 프랑스를 포함한 모든 나라에 공평한 기회를 부여하면서 협력해 나가려고 생각하고 있음.

로까르 수상 :

o 총리께서 상세히 설명해 주신 데 대해 감사함. 한국이 편견없이 모든 나라에 공평하게 대접해 주겠다고 하신 데 대해서는 양국간에 상호 신뢰 하는 분위기가 구축되어 있음에 비추어 하등의 의구심이 없음. 미니버스 수입문제라든지 지적 소유권 보호 등 많은 문제를 패키지로하여 호혜 정신에 입각, 양보한다면 문제가 해결될 것으로 생각함.

총　　리 :

o 전적으로 동감임.

로까르 수상

o 확대회담 전에 한두가지만 더 말씀드리고자 함. 방위산업 분야 협력과 TGV에 관해서 간단히 말씀드리겠음. 방산분야 협력과 관련 초계기(ATL -2)를 구입하지 않기로 결정한 것은 유감이었음. 프랑스산 초계기를 구입해

- 5 -　　0036

주지 않았다는 사실 자체는 큰 유감이 아니나 양국간의 안보분야 협력이 위축되었다는 것은 유감임. 앞으로 유엔의 역할이 더욱 증대될 것이고 한국과 프랑스는 평화 애호국으로서 안보분야에서의 협력도 중요하다고 생각함. 프랑스는 MISTRAL 지대공 미사일에 지대한 관심을 갖고 한국의 결정을 주시하고 있음.

총 리 :

o 초계기 문제에 관해서는 본인이 깊이 관여하기 이전이므로 상세히 모르고 있으나 결정 과정에서 오해가 있었던 것은 알고 있음. 양국이 방산협력과 관련 협력각서를 교환하기로 되어 있으므로 향후 협력이 잘 되어나갈 것으로 생각함. 조금 전에도 말씀드렸지만 한국에서는 민주화 과정에서 여러가지 욕구가 폭발하여 어려움을 겪고 있고, 이로 인해 경제분야에서도 많은 에너지를 낭비하고 있으며, 무기체제 관리 면에서도 여러가지 문제를 안고 있어 앞으로 재조정해 나가려고 생각하고 있음.

로까르 수상:

o 방산분야 협력과 관련한 양해각서 교환으로 전문가들 사이에 많은 협의가 있을 것으로 기대함. 시간이 부족하지만 TGV에 관해 간략히 부언하고자 함. 서울 - 부산간 초고속 전철은 연간 인력수송 능력이 1억 2천만명으로 예상된다는 전문가의 지적을 감안한다면 지구상에서 가장 효율이 높은 노선이라고 생각됨. 재정 조달측면을 본다면 한국의 예산으로 건설하지 않고 국제 자본시장에서의 차관으로 건설하는 것도 가능하다고 생각함. 한국측이 이 문제를 결정하는데 있어서 기술적인 측면을 많이 고려하기를 희망함. 경합하고 있는 신간선, ICE는 기존 노선을 활용하므로 철로를 신설하지 않는다는 이점이 있을지는 모르나 현 상황에 안주함으로써 기술적인 도약을 가져올 가능성은 없어짐. 그러나 TGV의 경우 기존 노선뿐만 아니라 노선을 신설함으로서 새로운 수요에 부합할 수 있는 속도(상업속도 300Km, 기록속도 513Km)를 얻을 수 있음. TGV를 선택

한다면 미래의 기술 개발과 기술 이전도 함께 이루어 나갈 수 있을 것으로 생각함. 바로 지금 생각난 것이지만 재정적인 측면에서도 국제 금융으로써 한국측의 부담을 덜 수 있을 것으로 보며, 참고로 프랑스 엥도스 에즈 은행이 금융지원을 하겠다고 약속한 바 있음을 알려드림. 이를 감안한다면 기술적인 측면에서 뿐만 아니라 금융면에서도 큰 발전이 있을 것임.

총 리 :

o 고속전철 관련 한국은 원대한 계획과 구상을 가지고 있음. 고속전철은 우선 서울-부산구간에 건설되겠지만 통일이 되면 북한에까지 연결되고 장차 유라시아를 통해 유럽에까지도 연결시키는 것을 구상할 수 있음. 본인 개인적으로는 신간선은 물론 TGV에도 승차해 보았기 때문에 나름대로 비교 감각은 갖고 있음. 그러나 문제는 기술, 기술이전, 금융문제 등인 바, 수상께서 언급하신 금융문제에 대한 제안은 관계장관으로 하여금 검토토록 하겠음. 이 문제와 관련 금년 상반기중 관련국에 기술제의서를 제출토록 요청할 것임. 기술 제의서 결과를 검토하여 귀국을 위시한 모든 관련 경쟁국에 공평한 기회를 부여할 것임.

로까르 수상 :

o 말씀에 감사함. 끝.

Oh

면 담 요 록

(한 · 불 총리회담 확대회담)

1. 일　시 : 1991 년 5 월 2 일 (木) 10:50 ~ 11:25

2. 면담장소 : 총리실 대접견실

3. 면 담 자 : 국무총리, 로까르 프랑스수상

4. 배　석 :

(아측) : 교통부장관, 외무장관대리, 상공장관대리, 주불대사
총리 비서실장, 총리 행조실장, 외무부 제2차관보
대외경제조정실장, 공보비서관, 의전비서관, 외무부
구주국장, 박재선 주불참사관(통역)

(불측) : Fauroux 산업 및 국토개발장관, Avice외무부 아주담당장관,
Dreyfus수상실 국무상, Prague주한대사, Ripert외교보좌관,
Lafont대통령실 경제보좌관, Cottin수상 통상보좌관,
de Nayves아주담당장관 비서실장, Charconac산업장관 보좌관,
Meunier외무부 극동과장, 최정화 외대교수(통역)

5. 면담내용 :

총　리 :

o 수상을 만나뵙게 되어 영광스럽게 생각함. 나로서는 두번째 뵙는 것이나 수상은 첫번째 방한으로 알고있음. 89년 11월 노대통령의 국빈 방불이후 한불 관계가 발전하고 있는것을 환영하며, 금번 수상 방한은 미래의 발전을 상징하는 것으로서 다시한번 방한을 깊이 환영함. 또한 바쁜 일정에도 불구하고 시간을 내어 한국을 방문해 주셔서 감사함.

0039

수 상 :

o 친절하신 환영의 말씀에 감사드림. 89년 노대통령의 방불시 모든 일정이 순조롭게 진행되었으며, 양국 관계를 돈독히 하였음. 이번에 본인의 방문이 한국을 알 수 있는 기회가 되기 바라며, 통상관계등 양국 관계의 발전 가능성에 대한 희망을 갖고 한국에 왔음.

총 리 (아측 대표단 소개)

수 상 (불측 대표단 소개)

총 리 :

o 한국은 현재 두가지의 임무가 있음. 먼저 대내적으로 민주주의의 정착이며, 대외적으로는 국제사회에서 당당한 의무와 책임을 다할 수 있는 기회를 모색하고 있음. 한·불 양국관계는 거의 200년에 가까운 역사를 갖고 있으며, 특히 한국전쟁을 통하여 맺어진 양국관계는 가히 혈맹 관계라고 말할수 있음. 이 연장선상에서 그동안 프랑스가 우호적인 협력을 해준데 대하여 감사드리며, 이것을 토대로 국제사회에서 역할과 의무를 다하기 위한 유엔가입과 관련, 유엔 안보리 상임이사국인 프랑스의 지지에 감사드림.

o 역사적인 우연인지 운명인지 모르겠지만 전통적인 한국사회의 근대화의 불을 당긴것이 프랑스였음. 이제 한국의 근대화를 종결시키는 것에 프랑스가 큰 역할을 한다는 것은 커다란 의의가 있음.

수 상 :

o 총리의 높은 평가에 감사드림. 본인은 여러 선거를 통한 한국의 민주화 노력에 대해 감명을 받았으며, 또한 6공화국 헌법등을 통하여 민주주의가 정착되고 있음을 주시해 왔음. 또한 한국이 이 지역 및 국제사회에서 차지하고 있는 위치를 잘 알고 있으며, 이것이 본인이 방한한 동기임.

0040

- 2 -

프랑스는 단독회담에서 말씀드린바와 같이 한국의 유엔가입을 적극 지지함. 며칠전 우리의 듀마 외무장관이 중국을 방문하였는바 캄보디아 사태등 많은 문제를 토의했음. 또한 한국 문제도 많이 협의했는데 중국은 듀마 외무장관에게 북한이 단일의석 가입안이 바람직한 것이 아니며 남북간에 합의가 이루어지는것을 지지한다고 밝혔음. 이와같은 프랑스의 한국입장 지지는 계속 될 것이며, 한국전쟁 당시 불란서 참전 용사들이 동일한 목적을 위하여 참전했음. 총리께서 19세기 말에 프랑스가 한국의 근대화에 의미있는 기여를 했다고 말씀하셨는데 앞으로도 상호 협력관계가 계속되기를 바람.

총 리 :

o 한·불 정치협력 관계는 매우 훌륭한데, 앞으로는 EC 차원에서도 협력이 확대되기를 바람. 그러기 위해서는 모든 면에서 협력과 교류가 심화될 필요성이 있음. 불란서는 유럽에서 아국의 제 3의 교역국이며, 불란서로서는 아국이 아시아 지역에 있어서 제 2의 교역국의 위치에 있다는 것을 잘 알고있음. 보통의 한국사람들은 불란서를 문화와 관련지어 생각하는 경향이 있음. 프랑스가 첨단산업기술, 과학 분야 등에서 유수의 국가라는 사실을 일반 국민은 잘 인식치 못하고 있음. 앞으로는 이런 방향에서 계속 노력해야 한다고 생각함. 이브몽땅의 고엽이라는 가요는 모두 알고있으나 TGV 같은 고도의 철도 기술은 모르고 있음.

수 상 :

o 정확한 평가라고 생각함. 보통 프랑스를 문화적인 시각으로만 바라보는 경향이 있는것도 사실임. 프랑스 하면 샹송, 샴페인, 오페라등만을 생각하고 있는데 실재로 프랑스는 원자력, 철도, 우주, 항공 그리고 특히 많은 문제점이 있는 환경문제 해결을 위한 상하수도 처리등에 있어서 세계

0041

최고의 기술을 가지고 있음. 한·불 관계는 노 대통령의 방불이래 정치협력면에서 도약단계에 이르렀으며 교역도 계속적인 발전을 하고 있음. 총리께서는 프랑스가 한국의 3번째 구주 교역국이라고 말씀하셨는데 전 세계적으로 따진다면 11위 정도에 그칠것임.

o 제가 지금 말씀드리는 것은 비판이 아니며, 단순히 몇가지 사실을 지적하고 싶음. 3년전부터 몇가지 섭섭한일이 있었는데 한국의 원자력 분야에서 우리의 기술이 우수했음에도 불구하고 미국과 카나다에 패배하였으며, 대구 지하철 건설은 경쟁단계에서 제외되었고, 서울공항 건설도 미국 회사(vechtel)가 맡게 되었고, 해상 초계기 선정에 있어서도 결국은 미국이 선정되었음. 물론 자유무역 원칙에 따른 결정이지만 프랑스는 불행의 연속을 감수하였음. 결국 양국간의 분위기가 중요한데 양국 경영인들이 의욕을 상실함이 없이 적극적으로 일할 수 있도록 호의적인 분위기를 조성해야 할 것임. 앞으로 예정된 사업에서 이러한 점이 잘 고려되기를 바람.

총 리 :

xx

o 우리나라는 미국과 일본 양국과의 협력을 선호치 않을 수 없는 역사적인 이유가 있는바, 수상께서 이를 이해해 주시기 바람. 이제는 한국도 세계적 시각에서 경제활동을 추구해 나갈 예정이며, 교역의 장을 더욱 넓혀가는 정책을 추진하고 있음. 예를 하나 들자면 불란서와의 교역량이 노대통령의 방불 이후 크게 증대되어 금년에 23억불에 이르렀음. 물론 총규모가 미국의 10분의 1도 미치지 못하겠지만 향후 우리의 교역정책과 한국의 국제적 위상을 고려할 때, 급격히 확대될 것으로 확신하고 있음.

0042

수 상 :

o 설명에 감사드림. 한국의 입장을 잘 알고있음. 이제는 양국간의 미래를 위해 상호간 장애가 해소되고 균형된 협력이 필요함. 예를들어 한국의 베스타 미니버스 수입문제는 향후 검토하여, 호의적인 방향으로 고려코자 함. 한국측으로서도 수입되는 프랑스 자동차에 191%의 관세를 부과하고 있는바 이러한 보호주의의 정책이 상호해소되어야 할것임. 또한 지적소유권 특히, 불란서 고급제품과 의약품의 무단 생산도 문제가 있음.

총 리 :

o 양국은 향후 많은 협력의 기회를 잘 활용해야할 것임. 또한 양 국민간의 상호 이해가 중요한데 한국에서는 불어를 말할수 있는사람이 많지 않음. 양국간 경제협력관계의 증진을 위해서도 문화관계의 중요성은 점증되고 있는 바, 이러한 의미에서 주한 불란서 문화원이 훌륭한 역할을 하고 있는것을 높이 평가함.

수 상 :

o 곧이어 대통령 각하를 예방해야 하므로 시간이 없어서 유감임. 오늘 여러가지 말씀에 감사드림. 끝.

0043

관리 번호	91 -2927

원 본

외 무 부

종 별 :

번 호 : UNW-1123 일 시 : 91 0503 1239

수 신 : 장관 (국연,구일)

발 신 : 주 유엔 대사

제 목 : 불 수상 방한결과

본직은 91.5.6(월) 오후 신임 주유엔 불란서대사와 면담 예정인바, 동 면담시 참고코자 하니 ROCARD 수상 방한결과 요지를 당관에 통보바람. 끝

(대사 노창희-국장)

19 .예고:91.12.31. 일반
의거 일반문서로 재분류됨

검토필(1991.6.30)

국기국 구주국

PAGE 1

91.05.04 06:26
외신 2과 통제관 CH

0044

관리번호	91-2924

	분류번호	보존기간

발 신 전 보

번 호 : WUN-1201 910504 1420 DU 종별 : 외신

수 신 : 주 유엔 대사. 총영사//

발 신 : 장 관 (국연)

제 목 : 불수상 방한결과

대 : UNW-1123

대호, 불수상 방한결과 하기 통보함.

1. 불수상 일행 : Fauroux 산업 및 국토개발장관, Avice 외무부 아주담당 장관, Dreyfus 수상실 국무상, Prague 주한대사, Ripert 수상 외고보좌관, Lafont 대통령실 경제보좌관, Cottin 수상 통상보좌관등

2. 방한일정
   - 5.1(수) 18:00 서울 착
   - 5.2(목) 한불 총리회담, 대통령 예방 및 대통령주최 오찬, 총리주최 만찬
   - 5.3(금) 국회의장 예방, 기자회견후 이한

3. 대통령예방 및 오찬시 언급요지

   가. 대통령
   - 유엔가입 및 중국설득 노력에 대한 사의표명
   - TGV를 위시한 주요대형 현안 경협사업 선정 기본원칙 설명
   - 한.소 정상회담 설명
   - 문화교류확대 특히 과학기술분야, 한국유학생 증가를 위한 ~~불측의 홍보노력 촉구~~ 계속 :

보안통제	안 제	(서명)

앙고재	91년 5월 4일	과	기안자 성명		과 장		국 장		차 관	장 관
			(서명)		(서명)		전결			(서명)

외신과통제

0045

나. 불 수상

o 유엔가입문제에 관한 아측입장 지지 재천명(듀마 외무장관 방중 내용 설명)

- 중국은 북한의 단일의석 가입안이 실현가능성이 없는 것으로 보고 있으며,
- 대화를 통한 남북한 합의를 희망한다는 기존입장을 반복함.

4. 한.불 총리회담 요지

가. 아 측

o 아국의 민주화 및 북방외교정책 설명
o 유엔가입문제에 있어 불측 지원에 사의 표명
o 호혜적인 경제관계 및 문화관계 심화 희망

나. 불 측

o 유엔가입문제에 관한 아측입장 지지 재천명(듀마 외무장관 방중내용 설명)

- 듀마장관은 한국의 유엔가입에 관하여 중국이 영향력을 행사해 줄 것을 요청한 바, 중국은 이를 북측에 설명한 것으로 보이며 북한으로 하여금 한국과 대화를 재개토록 설득할 것으로 봄.
- 중국측은 북한의 단일의석 가입안이 바람직한 것이 아니며 남북한간에 합의가 이루어지는 것을 지지한다고 밝힘.
- 또한 한국의 유엔가입에 대해 명확한 답변은 없었으나 명백한 반대도 표명하지 않았음.

/ 2....

0046

o 기타 고속전철 사업에의 참여 희망 표명 및 무역장벽 제거를 위한 상호노력 필요성등 언급

5. 개별 각료회담 개최(5.3)

o 동자부장관, 경제기획원차관 - Fauroux 장관

o 통일원장관, 외무차관 - Avice 장관

o 국방장관 및 김종휘 외교안보보좌관 - Dreyfus 국무상. 끝.

19 . . 에 예고문에 의거 일반문서로 재분류됨 1991.12.31. 일반

(국제기구조약국장 문동석)

검토필(1991.6.30)

0047

관리 번호	91 - 2985

원 본

외 무 부

종 별 :

번 호 : UNW-1155　　　　일 시 : 91 0506 1800

수 신 : 장관(국연,기정)

발 신 : 주 유엔 대사

제 목 : 불란서대사 면담

연:UNW-1123,1135

1. 본직은 금 5.6.(월) MERIMEE 신임 불란서 대사를예방, 불란서측이 그간 핵심우방국회의(CG)참여등을 통해 아국의 유엔가입노력을 적극 지원해주고 있음과 특히 최근 고위인사 방중기회에 대중국 설득노력을 강화하고 있음에 사의를표한후, 앞으로도 불란서측의 계속적인 지원을 당부하였음. 또한 본직은 아국가입 문제에 대한 EC 의 공동지지입장이 조기에 표명될경우 타지역 그룹의 지원확보에도 크게 기여할 것임을 강조한후, 이러한 아측의 희망이 각국 수도를 통해서도 전달될 것이지만 이곳 현지대표부에서도 본부에 적극 건의해줄것을 요망하였음.

2. MERIMEE 대사는 불란서로서는 아국가입 지원노력을 계속해 나갈것이라고언급하고, EC 의 공동지지입장 유도는 좋은생각(GOOD IDEA) 으로 본다고하면서 본부에도 건의하겠다고 말함.

3. 본직은 동대사가 부임한지 얼마안되었음과 명일 박길연 북한대사와의 면담예정임을 염두에 두고 아국가입문제에 대한 최근 중국및 북한의 태도와 관련 동향을 상세히 설명해준후 향후 동대사가 북한측의 동향, 특히 동시 가입문제에 대한 태도변화조짐 등을 파악하는대로 당관에도 알려줄것을 요망함.

4. 동대사는 본직의 소상한 설명에 사의를 표하면서 양대표부간에 계속 긴밀히 협조해 나가자고 언급하였음. 끝

(대사 노창희-국장)

예고:91.12.31. 일반
의거 일반문서로 재분류됨

검토필(1991.6.30)

국기국　장관　차관　1차보　2차보　구주국　청와대　안기부

PAGE 1　　　　91.05.07　07:59
외신 2과　통제관 BS

0048

분류기호 문서번호	구일202- 624	협조문용지 ( )	결재	담 당	과 장	국 장
시행일자	1991. 5. 7.					
수 신	수신처 참조	발 신	구주국장 (서명)			
제 목	불수상 방한 결과 후속조치					

1. 프랑스 Michel Rocard 수상의 91.5.1-3간 방한을 계기로 개최된 한.불 총리회담시 협의내용을 별첨 송부하니 업무에 참고하시기 바랍니다.

2. 귀국 소관 불측 관심사항에 대한 진전동향 있을시 이를 당국으로 수시 통보하여 주시기 바랍니다.

첨부: 1. 프랑스측 주요관심사항

2. 한.불 총리회담(단독 및 확대) 협의내용. 끝.

수신처: 국제기구조약국장, 국제경제국장, 통상국장, 정보문화국장

0043

프랑스측 주요 관심사항

1. 경제협력 관계

o 고속전철 분야에 참여

o 프랑스의 원자력, 철도, 우주, 항공, 환경 관련시설 (상하수도 처리 시설등)의 우수성 강조

* 원전, 지하철 건설, 신공항 건설, 해상초계기 사업등에 대한 불측의 연이은 사업참여 실패에 실망감 표시

o 방산 협력

- MISTRAL 지대공 미사일 사업 수주 기대

2. 통상 문제

o 무역장벽 제거를 위한 상호노력 필요성 강조

- 자동차 수입관세(191%) 하향조정 희망
- 지적소유보호 특히 프랑스 고급제품과 의약품의 무단복제 생산 문제

0050

면 담 요 록

(한·프랑스 총리회담 단독회담)

1. 일 시 : 1991 년 5 월 2 일 (木) 09:50 ~ 10:50

2. 면담장소 : 국무총리실 소접견실

3. 면 담 자 :

   o 한 국 측 : 노재봉 국무총리
   권영민 외무부 구주국장
   박재선 주프랑스 참사관(통역)

   o 프랑스측 : ROCARD 수상
   RIPERT 수상 외교특보
   최정화 외대교수(통역)

4. 면담내용 :

총 리 :

o 금번 수상의 방한으로 본인으로서는 수상을 두번째로 만나게 됨. 지난번 노대통령 방불시 정치특보 자격으로 대통령을 수행, 수상을 만난 기억이 있음. 노대통령 방불 후 양국관계가 획기적으로 발전하여 동반자 관계가 심화되고 있는 데 대해 만족하며 귀국이 국제무대에서 한국의 입장을 지지해 주고 있는데 대해서도 이자리를 빌어 사의를 표함.

로까르 수상 :

o 본인 역시 재회를 기뻐하며, 언급하신 바와 같이 양국관계가 돈독해지고 있는 것에 만족하고 있음. 한국의 UN 가입에 대한 프랑스의 확고한 지지 입장은 변함이 없음. 금번 방한 목적은 양국간 정치적인 협력뿐 아니라 경제, 문화등 제분야에서도 협력을 더욱 활성화시키기 위한 것임.

/ 계속....

0051

총 리 :

o 동감임. 본인은 귀국과 개인적인 인연을 가지고 있음. 19세기 유명한 사상가 또끄빌 연구를 통하여 프랑스 역사와 저력 등을 잘 알고 있음.

로까르 수상 :

o 총리께서 또끄빌을 연구하셨다니 미국뿐 아니라 아국에 대해서도 많은 것을 좋아하시리라 생각함. 본인도 또끄빌에 대해 많이 알고 있습니다만 프랑스 정치 사상은 국제적으로 잘 알려져 있는 것으로 보임.

총 리 :

o 파스칼, 몽테스큐, 몽테뉴로부터 또끄빌까지 이어지는 프랑스 사상가의 전통에서 많은 것을 배워, 한국사회와 한국의 위치를 새로운 방향으로 발전시키고 있으며, 이는 아국의 민주화와 개방화 추진에도 원용되고 있음.

로까르 수상:

o 총리께서 아국에 대한 해박한 지식을 갖고 계심에 감명을 받음. 본인 역시 한국과는 친분이 있음. 총리께서도 아시다시피 6.25 당시 프랑스는 한국에 파병하였고, 이후 참전용사회 기념식에 참석하여 한국에 대해 많은 인식을 가져야 함을 느끼게 되었고, 많은 프랑스 국민들도 한국전 참전결과 한국에 대해 많은 관심을 갖게 되었다고 할 수 있음. 우리는 한국의 민주화와 다당 체제의 발전을 관심깊게 주시하고 있음.

총 리 :

o 수상께서 수상실 산하에 CLUB-COREE를 창설, 양국협력에 지대한 관심을 갖고 있음을 경하함.

로까르 수상 :

o 총리께서 CLUB-COREE 까지 아신다니 매우 기쁨. 동 클럽의 회장인 DE ROYERE 씨는 현재 미국회사와 구매계약을 체결중이므로 이번에 동행치 못했으나, 대신 많은 유력 기업인이 본인을 수행하여 방한함.

- 2 -

0052

총　리 :

o 한국의 민주화는 내부적으로 뿐만 아니라 외부적으로도 동시에 추진 되어야 할 과제로 사료됨. 구체적으로 말씀드린다면 한국사회의 완전한 민주화 성취의 장애요인은 남북분단이라고 할 수 있음. 한반도는 냉전 체제의 최후 보루인 바, 이를 제거시켜야만 한국의 민주화가 완성될 수 있을 것으로 생각함. 한국정부는 유엔을 위시한 국제사회에서 보편성의 원칙에 입각하여 북방외교를 추진해 왔는바, 이는 한반도의 긴장완화는 물론 북한을 국제사회에 개방시키기 위한 목적도 있음. 북한사회의 내부개혁을 위해서도 우리는 줄기차게 노력하고 있음. 한국정부로서는 우선 평화정착이 가장 중요하며, 유엔가입을 평화보장의 확실한 방법중 하나라고 생각함. 이를 위해 귀국의 협력과 지원이 요망됨. 북한이 남북한의 유엔 동시가입을 민족분단 획책이라고 주장하고 있는 것을 안타깝게 생각하고 있으며, 남북한 총리회담도 그동안 세차례나 개최 되었으나 상금 구체적인 결실이 없는 상태에서 중단되었음을 애석하게 느끼고 있음.

로까르 수상

o 프랑스 정부는 한국정부가 소련뿐 아니라 동구권 다수국과 수교함으로써 북방외교를 성공적으로 수행한 한국의 외교 치적을 치하코자 함. 한국과 중국도 그동안 경제분야등 관계가 긴밀해지고 있는 것으로 알고 있음. 듀마 외무장관이 어제까지 중국에 머무는 동안 여러 중국 지도자들과 면담하면서 중국의 민주화를 강조하였는 바, 분위기는 다소 냉랭했다고 할 수 있겠으나, 불·중 관계는 전통적으로 양호한 수준임. 한국의 유엔가입에 관해서도 중국이 영향력을 행사해 줄 것을 요청하였음. 듀마장관이 중국 지도자들에게 강조한 바를 중국은 북한측에 설명할 것으로 보이며, 북한으로 하여금 한국과 대화를 재개토록 설득할 것으로 봄. 중국 지도층은 상금 명확한 의견표명은 하지 않았으나 북한의 단일의석 가입안에 대해 잘 알고 있었고, 한국의 유엔가입에 대해

명확한 답변은 없었으나 명백한 반대도 표명하지 않았으며, 북한으로 하여금 한국과 대화를 계속하도록 북한측에 권유할 것이라고 말함.

총 리:

o 귀국은 안보리 상임이사국이며 세계의 주도국으로서 한국의 유엔가입을 위해 듀마 외무장관을 위시, 귀국정부가 계속 노력해주고 있는 데 대해 사의를 표명하고자 함. 이를 계기로 한·불간의 정치적 협력관계는 더욱 돈독해질 것으로 생각함.

로까르 수상:

o 한·불간 관계증진을 기대하는 총리의 말씀은 프랑스측의 희망이기도 함. 유엔은 모든 국가가 참여하여 세계 평화를 보장하기 위해 더욱 강력한 역할을 수행해야 한다는 점도 프랑스정부의 확고한 입장임. 유엔은 한국문제뿐만 아니라 인도차이나문제에 대해서도 더욱 강력한 역할을 하기를 희망함. 오늘 특별히 말씀드리고 싶은 것은 양국간의 만족할 만한 정치적 협력관계가 경제협력으로 더욱 보완될 필요가 있다는 것임. 양국간에는 경제적으로 다소의 난제가 있는 것이 사실임. 2년전부터 특히 작년부터는 프랑스측이 한국으로부터의 수입에 적용해오던 제재조치를 해제하였는 바, 즉 시계류, 가전제품 등 품목임. 경제적 장벽 관련, 쌍무차원에서는 많이 풀었지만 EC 차원에서 제거하는 데는 한계가 있음. 프랑스는 한국측이 자동차시장 개방 문제와 관련, 불만을 갖고 있다는 것도 알고 있음. 프랑스도 한국이 프랑스산 자동차에 과도한 수입관세를 부과하고 있는 것에 대해 불만을 갖고 있음. 그러나 양국 모두 대화를 통해 자동차 수입 제한조치를 상호 완화해 나가기를 희망하고 있음. 총리께서 또끄빌 연구로 프랑스에 특별한 애착을 갖고 계시는 것으로 알고 있습니다만 양국간에는 지적소유권 보호문제, 의약품 등 특허권 보호 문제 등에서 다소간의 마찰이 있으며, 한국의 위조상품이 문제가 되고 있기도 함. 프랑스는 EC 범주내에서 더욱 노력하여 좋은 해결책이 나오기를 희망하고 있음.

총 리 :

o 경제 분야에서 다소간의 문제가 있다는 것도 잘 알고 있으나 상호 보완적인 입장에서 협력할 필요가 있다고 생각함. 한국은 프랑스가 유럽에서 제 3의 교역국이라는 것을 알고 있고 또한 프랑스가 수상께서 말씀하신바와 같이 수입 제한을 완화하기 위해 노력해온 것을 감사히 생각하고 있음. 자동차 문제와 관련해서는 승용차도 아닌 미니버스이며, 프랑스산 자동차와의 경쟁관계에 있지도 않은 제품이 제재대상이 되고 있는 데 대해 논란이 있으나 협의를 통해 잘 풀러 나가기를 희망함. 소비재 부문에 있어서도 상호간에 개선 노력을 계속 하여 프랑스측 소비재가 더욱 많이 수입 되기를 기대함. 꼬냑같은 주류에서 프랑스가 다소 불만을 갖고 있는 것으로 알고 있는 바, 꼬냑에는 위스키 보다도 낮은 관세가 부과되고 있으나 (30%) 앞으로 국내 주류업계와의 관계도 고려하여 여건이 호전되면 수입이 더 용이해질 수 있도록 개선해 나가고자 함. 소비재 이외에도 지적소유권, 금융시장개방, 방위산업, 교통, 환경 분야 협력에서도 한국은 아무런 편견없이 프랑스를 포함한 모든 나라에 공평한 기회를 부여하면서 협력해 나가려고 생각하고 있음.

로까르 수상 :

o 총리께서 상세히 설명해 주신 데 대해 감사함. 한국이 편견없이 모든 나라에 공평하게 대접해 주겠다고 하신 데 대해서는 양국간에 상호 신뢰하는 분위기가 구축되어 있음에 비추어 하등의 의구심이 없음. 미니버스 수입문제라든지 지적 소유권 보호 등 많은 문제를 패키지로하여 호혜 정신에 입각, 양보한다면 문제가 해결될 것으로 생각함.

총 리 :

o 전적으로 동감임.

로까르 수상

o 확대회담 전에 한두가지만 더 말씀드리고자 함. 방위산업 분야 협력과 TGV에 관해서 간단히 말씀드리겠음. 방산분야 협력과 관련 초계기(ATL -2)를 구입하지 않기로 결정한 것은 유감이었음. 프랑스산 초계기를 구입해

주지 않았다는 사실 자체는 큰 유감이 아니나 양국간의 안보분야 협력이 위축되었다는 것은 유감임. 앞으로 유엔의 역할이 더욱 증대될 것이고 한국과 프랑스는 평화 애호국으로서 안보분야에서의 협력도 중요하다고 생각함. 프랑스는 MISTRAL 지대공 미사일에 지대한 관심을 갖고 한국의 결정을 주시하고 있음.

총 리 :

o 초계기 문제에 관해서는 본인이 깊이 관여하기 이전이므로 상세히 모르고 있으나 결정 과정에서 오해가 있었던 것은 알고 있음. 양국이 방산협력과 관련 협력각서를 교환하기로 되어 있으므로 향후 협력이 잘 되어나갈 것으로 생각함. 조금 전에도 말씀드렸지만 한국에서는 민주화 과정에서 여러가지 욕구가 폭발하여 어려움을 겪고 있고, 이로 인해 경제분야에서도 많은 에너지를 낭비하고 있으며, 무기체계 관리 면에서도 여러가지 문제를 안고 있어 앞으로 재조정해 나가려고 생각하고 있음.

로까르 수상:

o 방산분야 협력과 관련한 양해각서 교환으로 전문가들 사이에 많은 협의가 있을 것으로 기대함. 시간이 부족하지만 TGV에 관해 간략히 부언하고자 함. 서울 - 부산간 초고속 전철은 연간 인력수송 능력이 1억 2천만명으로 예상된다는 전문가의 지적을 감안한다면 지구상에서 가장 효율이 높은 노선이라고 생각됨. 재정 조달측면을 본다면 한국의 예산으로 건설하지 않고 국제 자본시장에서의 차관으로 건설하는 것도 가능하다고 생각함. 한국측이 이 문제를 결정하는데 있어서 기술적인 측면을 많이 고려하기를 희망함. 경합하고 있는 신간선, ICE는 기존 노선을 활용하므로 철로를 신설하지 않는다는 이점이 있을지는 모르나 현 상황에 안주함으로써 기술적인 도약을 가져올 가능성은 없어짐. 그러나 TGV의 경우 기존 노선뿐만 아니라 노선을 신설함으로서 새로운 수요에 부합할 수 있는 속도(상업속도 300Km, 기록속도 513Km)를 얻을 수 있음. TGV를 선택

0056

한다면 미래의 기술 개발과 기술 이전도 함께 이루어 나갈 수 있을 것으로 생각함. 바로 지금 생각난 것이지만 재정적인 측면에서도 국제 금융으로써 한국측의 부담을 덜 수 있을 것으로 보며, 참고로 프랑스 엥도수에즈 은행이 금융지원을 하겠다고 약속한 바 있음을 알려드림. 이를 감안한다면 기술적인 측면에서 뿐만 아니라 금융면에서도 큰 발전이 있을 것임.

총 리 :

o 고속전철 관련 한국은 원대한 계획과 구상을 가지고 있음. 고속전철은 우선 서울-부산구간에 건설되겠지만 통일이 되면 북한에까지 연결되고 장차 유라시아를 통해 유럽에까지도 연결시키는 것을 구상할 수 있음. 본인 개인적으로는 신간선은 물론 TGV에도 승차해 보았기 때문에 나름대로 비교 감각은 갖고 있음. 그러나 문제는 기술성능, 기술이전, 금융문제 등인 바, 수상께서 언급하신 금융문제에 대한 제안은 관계장관으로 하여금 검토토록 하겠음. 이 문제와 관련 금년 상반기중 관련국에 기술제의서를 제출토록 요청할 것임. 기술 제의서 결과를 검토하여 귀국을 위시한 모든 관련 경쟁국에 공평한 기회를 부여할 것임.

로까르 수상 :

o 말씀에 감사함. 끝.

면 담 요 록

(한·불 총리회담 확대회담)

1. 일 시 : 1991 년 5 월 2 일 (木) 10:50 ~ 11:25

2. 면담장소 : 총리실 대접견실

3. 면 담 자 : 국무총리, 로까르 프랑스수상

4. 배 석 :

(아측) : 교통부장관, 외무장관대리, 상공장관대리, 주불대사
총리 비서실장, 총리 행조실장, 외무부 제2차관보
대외경제조정실장, 공보비서관, 의전비서관, 외무부
구주국장, 박재선 주불참사관(통역)

(불측) : Fauroux 산업 및 국토개발장관, Avice외무부 아주담당장관,
Dreyfus수상실 국무상, Prague주한대사, Ripert외교보좌관,
Lafont대통령실 경제보좌관, Cottin수상 통상보좌관,
de Nayves아주담당장관 비서실장, Charconac산업장관 보좌관,
Meunier외무부 극동과장, 최정화 외대교수(통역)

5. 면담내용 :

총 리 :

o 수상을 만나뵙게 되어 영광스럽게 생각함. 나로서는 두번째 뵙는 것이나 수상은 첫번째 방한으로 알고있음. 89년 11월 노대통령의 국빈 방불이후 한불 관계가 발전하고 있는것을 환영하며, 금번 수상 방한은 미래의 발전을 상징하는 것으로서 다시한번 방한을 깊이 환영함. 또한 바쁜 일정에도 불구하고 시간을 내어 한국을 방문해 주셔서 감사함.

수 상 :

o 친절하신 환영의 말씀에 감사드림. 89년 노대통령의 방불시 모든 일정이 순조롭게 진행되었으며, 양국 관계를 돈독히 하였음. 이번에 본인의 방문이 한국을 알 수 있는 기회가 되기 바라며, 통상관계등 양국 관계의 발전 가능성에 대한 희망을 갖고 한국에 왔음.

총 리 (아측 대표단 소개)

수 상 (불측 대표단 소개)

총 리 :

o 한국은 현재 두가지의 임무가 있음. 먼저 대내적으로 민주주의의 정착이며, 대외적으로는 국제사회에서 당당한 의무와 책임을 다할 수 있는 기회를 모색하고 있음. 한·불 양국관계는 거의 200년에 가까운 역사를 갖고 있으며, 특히 한국전쟁을 통하여 맺어진 양국관계는 가히 혈맹 관계라고 말할수 있음. 이 연장선상에서 그동안 프랑스가 우호적인 협력을 해준데 대하여 감사드리며, 이것을 토대로 국제사회에서 역할과 의무를 다하기 위한 유엔가입과 관련, 유엔 안보리 상임이사국인 프랑스의 지지에 감사드림.

o 역사적인 우연인지 운명인지 모르겠지만 전통적인 한국사회의 근대화의 불을 당긴것이 프랑스였음. 이제 한국의 근대화를 종결시키는 것에 프랑스가 큰 역할을 한다는 것은 커다란 의의가 있음.

수 상 :

o 총리의 높은 평가에 감사드림. 본인은 여러 선거를 통한 한국의 민주화 노력에 대해 감명을 받았으며, 또한 6공화국 헌법등을 통하여 민주주의가 정착되고 있음을 주시해 왔음. 또한 한국이 이 지역 및 국제사회에서 차지하고 있는 위치를 잘 알고 있으며, 이것이 본인이 방한한 동기임.

0059

프랑스는 단독회담에서 말씀드린바와 같이 한국의 유엔가입을 적극 지지함. 며칠전 우리의 듀마 외무장관이 중국을 방문하였는바 캄보디아 사태등 많은 문제를 토의했음. 또한 한국 문제도 많이 협의했는데 중국은 듀마 외무장관에게 북한이 단일의석 가입안이 바람직한 것이 아니며 남북간에 합의가 이루어지는것을 지지한다고 밝혔음. 이와같은 프랑스의 한국입장 지지는 계속 될 것이며, 한국전쟁 당시 불란서 참전 용사들이 동일한 목적을 위하여 참전했음. 총리께서 19세기 말에 프랑스가 한국의 근대화에 의미있는 기여를 했다고 말씀하셨는데 앞으로도 상호 협력관계가 계속되기를 바람.

총 리 :

o 한·불 정치협력 관계는 매우 훌륭한데, 앞으로는 EC 차원에서도 협력이 확대되기를 바람. 그러기 위해서는 모든 면에서 협력과 교류가 심화될 필요성이 있음. 불란서는 유럽에서 아국의 제 3의 교역국이며, 불란서로서는 아국이 아시아 지역에 있어서 제 2의 교역국의 위치에 있다는 것을 잘 알고있음. 보통의 한국사람들은 불란서를 문화와 관련지어 생각하는 경향이 있음. 프랑스가 첨단산업기술, 과학 분야 등에서 유수의 국가라는 사실을 일반 국민은 잘 인식치 못하고 있음. 앞으로는 이런 방향에서 계속 노력해야 한다고 생각함. 이브몽땅의 고엽이라는 가요는 모두 알고있으나 TGV 같은 고도의 철도 기술은 모르고 있음.

수 상 :

o 정확한 평가라고 생각함. 보통 프랑스를 문화적인 시각으로만 바라보는 경향이 있는것도 사실임. 프랑스 하면 샹송, 샴페인, 오페라등만을 생각하고 있는데 실재로 프랑스는 원자력, 철도, 우주, 항공 그리고 특히 많은 문제점이 있는 환경문제 해결을 위한 상하수도 처리등에 있어서 세계

0060

최고의 기술을 가지고 있음. 한·불 관계는 노 대통령의 방불이래 정치협력면에서 도약단계에 이르렀으며 교역도 계속적인 발전을 하고 있음. 총리께서는 프랑스가 한국의 3번째 구주 교역국이라고 말씀하셨는데 전 세계적으로 따진다면 11위 정도에 그칠것임.

o 제가 지금 말씀드리는 것은 비판이 아니며, 단순히 몇가지 사실을 지적하고 싶음. 3년전부터 몇가지 섭섭한일이 있었는데 한국의 원자력 분야에서 우리의 기술이 우수했음에도 불구하고 미국과 카나다에 패배하였으며, 대구 지하철 건설은 경쟁단계에서 제외되었고, 서울공항 건설도 미국 회사(vechtel)가 맡게 되었고, 해상 초계기 선정에 있어서도 결국은 미국이 선정되었음. 물론 자유무역 원칙에 따른 결정이지만 프랑스는 불행의 연속을 감수하였음. 결국 양국간의 분위기가 중요한데 양국 경영인들이 의욕을 상실함이 없이 적극적으로 일할 수 있도록 호의적인 분위기를 조성해야 할 것임. 앞으로 예정된 사업에서 이러한 점이 잘 고려되기를 바람.

총 리 :

o 우리나라는 미국과 일본 양국과의 협력을 선호치 않을 수 없는 역사적인 이유가 있는바, 수상께서 이를 이해해 주시기 바람. 이제는 한국도 세계적 시각에서 경제활동을 추구해 나갈 예정이며, 교역의 장을 더욱 넓혀가는 정책을 추진하고 있음. 예를 하나 들자면 불란서와의 교역량이 노대통령의 방불 이후 크게 증대되어 금년에 23억불에 이르렀음. 물론 총규모가 미국의 10분의 1도 미치지 못하겠지만 향후 우리의 교역정책과 한국의 국제적 위상을 고려할 때, 급격히 확대될 것으로 확신하고 있음.

0061

수   상 :

o 설명에 감사드림. 한국의 입장을 잘 알고있음. 이제는 양국간의 미래를 위해 상호간 장애가 해소되고 균형된 협력이 필요함. 예를들어 한국의 베스타 미니버스 수입문제는 향후 검토하여, 호의적인 방향으로 고려코자 함. 한국측으로서도 수입되는 프랑스 자동차에 191%의 관세를 부과하고 있는바 이러한 보호주의의 정책이 상호해소되어야 할것임. 또한 지적소유권 특히, 불란서 고급제품과 의약품의 무단 생산도 문제가 있음.

총   리 :

o 양국은 향후 많은 협력의 기회를 잘 활용해야할 것임. 또한 양 국민간의 상호 이해가 중요한대 한국에서는 불어를 말할수 있는사람이 많지 않음. 양국간 경제협력관계의 증진을 위해서도 문화관계의 중요성은 점증되고 있는 바, 이러한 의미에서 주한 불란서 문화원이 훌륭한 역할을 하고 있는것을 높이 평가함.

수   상 :

o 곧이어 대통령 각하를 예방해야 하므로 시간이 없어서 유감임. 오늘 여러가지 말씀에 감사드림.   끝.

0062

1 북한비망

원본

관리 번호	91-1066

외 무 부

종 별 :

번 호 : UNW-1186 일 시 : 91 0508 2030

수 신 : 장 관(국연,서구일,정이,기정)

발 신 : 주 유엔 대사

제 목 : 북한.불란서접촉

연:UNW-1064,1135

91.5.9. 당지 불란서대표부 MENAT 참사관은 당관 서참사관에게 5.8. 있었던박길연 북한대사의 MERIMEE 불란서대사 면담내용을 알려온바, 아래보고함.

1. 박길연대사의 언급요지

가. 유엔가입문제에 관한 종전입장(통일후가입, 통일전가입시 단일의석)을 북한의 기본입장으로 설명함.

나. 새로운 국제환경하에서 독일, 예멘의 경우와같은 가입방안이 논의되고있는것으로 알고있으나 이경우 당사자간 합의(AGREEMENT)가 선행되었다는 점을 강조하고 북한으로서는 남북한간에도 이러한 합의를 이룩하는것이 좋겠다는 입장이라고함.

다. 한국의 단독가입은 한반도의 균형을 해칠수있는바 유엔가입문제를 다루기에 앞서 (BEFORE ADDRESSING) 적어도 현안중인 남북한간 불가침선언에 합의하는것이 적절한 것으로 보며 (CONSIDER APPROPRIATE) 이를 위해 남북대화를 계속하는것이 중요하다는 점을 되풀이 강조함.

2. MERIMEE 대사는 한국입장 지지를 재확인하고 불란서로서는 북한의 가입에대하여도 이를 반대하지 않을것이라고 말하여 주었음.

3. 불란서측 관찰

가. 금번 면담을 통해 북한의 입장에 주요한 변화가 있다는 인상을 받지 않았음.

나. 북한측은 남북대화 계속의 중요성을 누차 강조한바, 체면을 잃지 않으면서 대화재개의 기회를 모색중인 인상을 받았음. 끝

(대사 노창희-국장)

19 예고:91. 12. 31. 일반

검토필(1991.6.30)

국기국 장관 차관 1차보 2차보 구주국 정문국 청와대 안기부

PAGE 1 91.05.09 09:32

외신 2과 통제관 BS

0063

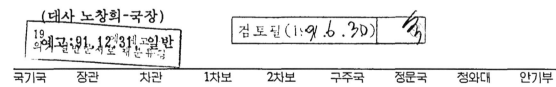

관리번호 91-3542

0072

외 무 부

종 별 :

번 호 : FRW-1312 일 시 : 91 0523 1830

수 신 : 장관(구일,국연,정이)

발 신 : 주 불 대사

제 목 : 한.불 관계

대 WFR-1000

본직은 금 5.23. 외무성 LEVITTE 아주국장을 오찬에 초대, 한. 불 관계 전반에 관한 의견교환 및 협의를 갖었는바, 동 요지를 하기 보고함.(박참사관, 정서기관,BOISSY 한국담당관 동석)

1.UN 문제

- 주한대사는 최근 신민당 김대중 총재의 UN 관계 제의(PRAGUE 대사는 부임예방차 김총재와 면담했다 함)에 관한 불정부 입장을 문의해 온바 있다 함.

- 이에대해 본직은 본건 관련한 대호 당부 대변인 논평을 중심으로 아측입장을 상세히 설명하였음.

- 동 국장은 본건에 관한 아측입장을 재차 주한대사에게 주지시키도록 할 것이라고 말함.

- 또한 불 대통령실, 수상실, 외무성, 의회, 정당은 상금 김총재의 서한을 별도 접수한바 없다 함.

2. 북한 외교부부장 방불

- 북한측은 제 1 외교부부장을 9 월초 주재국에 파편(서구제국 순방 일환) 할것을 최근 제의해왔다 함.

- 불측은 북한사절단 방불제의가 UN 가입 관련 입장설명 및 대불관계 개선과 관련이 있을 것으로 예상하고 있으나, 동 북한부부장을 일단 접수, 오히려 남북한 동시 유엔가입 및 국제 핵사찰 수용등에 관한 불정부 입장을 북한측에 각별주지시키는 기회로 활용할 것을 검토중이라 하며, 이에대한 아측견해를 문의해옴.

- 또한 북한사절단 접수시 불측 접촉대상 인사는 SCHEER 외무차관(6.26 방한예정) 및 VIVIEN 신임 외무담당 국무상 선으로 국한될 것이라 함.

구주국	장관	차관	1차보	2차보	국기국	정문국	청와대	안기부

PAGE 1

91.05.24 07:22

외신 2과 통제관 CE

0064

- 상기 북한사절단 방불제의 관련, 특별 지시사항 있으면 회시바람.

3. 외무차관 방한

- SCHEER 차관이 일정상 방한시 오래 체류할수 없음은 유감이나, 방한에 깊은 관심을 갖고있고 더욱이 차관으로서는 첫 방한(과거 일본 근무시 사적방한) 이므로, 많은 기대를 갖고 있다함.

- SCHEER 차관은 한국을 먼저 방문한후 귀로에 일본을 방문할 예정이라 함. 끝.

(대사 노영찬-국장)

19 에 예고문에
의거 예고문: 91. 12. 31. 일반

검토필(1991.6.30)

PAGE 2

0065

면 담 요 록

1. 일　시 : 91.5.29(수) 15:00-15:15

2. 장　소 : 국기국장실

3. 면 담 자 : 국기국장 - Y. Delaunay 주한 불란서대사관 수석참사관
(기록 : 국제연합과 김성진 사무관)

4. 면담내용 :

Delaunay 참사관 : 북한측의 유엔가입신청 결정발표에 대한 아국 외무부 코뮤니케를 전달하고자 함.(코뮤니케 수교)

국　장 : (일독후) 귀국 코뮤니케에서 남북한 유엔가입에 대한 환영입장이 잘 나타나 있다고 생각함.

Delaunay 참사관 : 앞으로 남북한의 유엔가입이 이루어질 것인데, 남북한간에 가입에 따른 구체사항에 대하여 협의가 진행되고 있는지? 유엔안보리 이사국으로서 불란서는 한국입장을 계속 지원하고 협조할것임.

국　장 : 우리는 지난 5.27. 뉴욕에서 있은 남북한 대사접촉시 북측에 대하여 동시가입과 관련한 구체적 사항을 이미 제의한 바 있고, 현재 북측의 회답을 기다리고 있음. 또한 한.불 유엔대표부간에도 가입과 관련 구체적 사항에 관하여 협의가 잘 이루어지고 있음.

공람 91년 5월 29일	담　당	과　장	국　장
	김성진 (서명)	(서명)	(서명)

0066

Delaunay 참사관 : 북한의 금번 유엔가입 결정은 중요한 변화로 보며, 강택민 중국 총서기의 방소시 중.소가 한반도문제에 대해서 동일한 입장을 보인 것이 북한의 태도변화에 큰 영향을 주었다고 생각함. 이에대해 어떻게 보시는지?

국 장 : 물론 강택민 총서기의 방소시 양국 정상간의 공동 성명등을 볼때 중.소가 한반도문제에 대해서 대략 동일한 입장을 보였지만 유엔가입문제에 대한 북한의 입장변화에 특별한 영향을 준 계기가 되었다고 보기는 어려움.

오히려 이붕 중국총리의 방북시 북한측에 대한 설득이 매우 효과가 있었던 것으로 봄. 즉, 이붕총리는 북한방문시 2가지 점을 북한측에 분명히 했음. 첫째, 북한측의 단일의석안은 비현실적이고 실현 불가능한 것이고, 둘째 한국이 받아들일수 있는 여타 가입방안을 갖고 한국과 협의를 할것을 설득한 점임.

물론, 이붕총리 방북시 중국외교부 대변인 성명에서는 "양측이 모두 수락할 수 있는 방식으로 유엔가입 문제가 해결되길 바란다"고 했지만, 사실상 중국측은 "남측이 받아들일 수 있는 방안"으로 협의할 것을 북한측에 설득한 것으로 알려지고 있음.

Delaunay 참사관 : 중국과 소련이 북한에 대하여 남북한 유엔가입문제에 있어서 동일한 입장(same signal)을 취함으로써, 북한측으로서는 선택의 여지가 없었을 것임.

주체사상등 북한의 기존정책에 비추어 그들의 금번 유엔가입결정은 중요한 변화임에 틀림없음. 북한 내부적으로도 상당한 어려움이 있는 것으로 보는데, 북한이 금번 결정을 하게 된 배경은 무엇이라고 보는지.

국 장 : 북한으로서는 현재 경제적 위기에 처해 있고, 이를 극복하기 위해서는 일본 및 서방제국들과의 관계수립이 필요함. 따라서 금번 유엔가입결정으로 북한의 대서방 관계개선을 도모해 보고자 하는 것으로 생각됨.

최근 강석주 북한 제1외교부부장을 만난 한 서방 외교관에 따르면, 그는 중국의 태도에 대해서 불확실하다는 반응을 보였다 함. 이는 중국의 불확실한 태도가 북한의 입장변화에 중요한 영향을 미친 것으로 보임.

Delaunay 참사관 : 이제 북한도 유엔에 가입하면 국제사회의 책임있는 일원으로서 의무를 다해야 할것임. 그 실례로서 북한측은 IAEA의 북한지역내 핵사찰 요구를 수락해야 할것임.

국 장 : 유엔가입문제와 IAEA의 북한에 대한 핵사찰문제는 별개의 문제라고 생각함. 다만, 북한이 유엔에 가입하기 전에 핵무기 비확산 조약(NPT) 당사국으로서 당연한 국제적 의무인 IAEA와의 핵안전 협정을 체결함으로써 평화애호국임을 과시하는 것이 북한의 입장에서도 좋을 것으로 생각함.

북한이 금번 유엔가입결정을 하게 된 배경에 대한 귀국정부의 분석이 끝나는대로 동 내용을 아측에게도 알려주기 바람.

Delaunay 참사관 : 아측의 분석내용이 있으면 알려주겠음.

6.27. 방한할 Scheer 외무차관은 유차관과의 회담시 이문제를 주로 논의할 것이며, 금번 북한결정의 배경에 대한 불란서측의 설명도 있을 것으로 봄.

바쁘신 중에도 시간을 내어 주신데 대해 감사함.

끝.

(번 역 문)

주한 프랑스 대사관

프랑스 외무부 코뮤니케

한국의 유엔가입문제에 관한 북한측의 입장변화 발표는 프랑스당국에 의하여 만족스럽게 받아들여졌읍니다. 유엔에 정식으로 가입신청서를 제출하겠다는 북한측의 의도는 머지않아 유엔내에 한민족의 완전한 대표가 있도록하는 길을 열어주고 있읍니다. 유엔의 보편성원칙에 부합하는 이와같은 전망은 한민족의 기대에 부응할뿐만아니라 또한 프랑스 및 국제사회가 표명한 희망에도 부응하는것입니다.

우리들은 남북한의 유엔가입은 한반도의 분할을 영속시키기는 커녕 오히려 세계의 이지역내에서의 긴장완화에 기여할것이며 그리고, 분리된 두국가간에의 보완적인 대화의 장소를 제공하면서, 그들간의 화해를 그리고 결국에는 그들의 통일을 助長할 것임을 사실 확신하고 있읍니다. 프랑스는 대한민국이 국제사회의 지지와 더불어 전개한 노력에 주로 기인하는 평양측의 이처럼 긍정적이고 현실적인 결정이 또한 남북한간의 대화재개로 나타나지도록 희망을 표하는 바 입니다.

0070

AMBASSADE DE FRANCE
EN CORÉE

*COMMUNIQUE DU MINISTERE FRANCAIS
DES AFFAIRES ETRANGERES*

L'annonce d'une évolution de la position de la RPDC concernant la question de l'adhésion de la Corée à l'ONU est accueillie avec satisfaction par les autorités françaises. L'intention de la Corée du Nord de présenter officiellement sa candidature à l'ONU ouvre la voie à une prochaine représentation pleine et entière du peuple coréen au sein de l'organisation. Cette perspective conforme au principe d'universalité de l'ONU répond non seulement, à l'attente du peuple coréen mais également aux voeux exprimés par la France et la communauté internationale.

Nous sommes en effet convaincus que loin de perpétuer la division de la péninsule, l'entrée des deux Corée à l'ONU contribuera à la détente dans cette région du monde et, en fournissant un lieu de dialogue supplémentaire entre les deux états divisés, favorisera leur réconciliation et à terme leur réunification. La France exprime l'espoir que cette décision positive et réaliste de Pyong Yang, qui résulte largement des efforts déployés par la République de Corée avec le soutien de la communauté internationale, se traduira également par une reprise du dialogue intercoréen.

0071

2. 영국

0072

가입문제 (면담11/18)

면 담 요 록

(p.5 유엔가입)

1. 일 시 : 1991 년 1 월 18 일 (금) 15:00 ~ 15:40

2. 장 소 : 제1차관보실

3. 면 담 자 : 제1차관보, David John Wright 주한 영국대사

(배석 : 설경훈 서구1과 영국담당)

4. 내 용 :

페르시아만 전쟁

대 사:

o 페르시아만 사태 관련, Major 수상의 방송연설문(1.17)과 Hurd 외무장관의 인터뷰(1.17) 내용을 전달코자 함. 사태가 빠르게 진행되고 있는 바, Major 수상은 영국정부가 미국과 함께 대이라크 개전에 참전한 것은 올바른 일이었음을 언급하고 있음. (Major 수상 방송 연설문 및 Hurd 외무장관 인터뷰 내용 사본 전달)

차 관 보:

o 개전으로 귀측의 손실은?

대 사:

o 영 전폭기(tornado)1대가 분실되었으며 동 전폭기에 탑승한 조종사 1명과 항법사 1명이 실종됨. 원인은 엔진고장이거나 이라크의 대공포화에 맞은 것이 아닌가 추측함.

o 영국정부는 35,000명의 군대를 중동에 파견하고 있으며 이외에도 75대의 전투기(3개 주요지역에 배치)와 12척의 전함을 파견중임.

o 다국적군은 대이라크 제공권을 장악한 상태며 전폭기를 이용한 이라크 전략기지 폭격을 계속할 것임.

차 관 보:

o 페르시아만 전쟁이 오래 계속되지 않기를 바라며 다국적군에 만족스럽게 종결되기를 바람.

o 이라크의 대이스라엘 미사일 공격에 따라 이스라엘의 참전내지 보복 가능성에 대한 귀견은?

대 사:

o 아직까지는 이스라엘이 보복조치를 취하지 않은 것 같음. 텔아비브와 워싱턴간에 많은 대화가 진행되고 있는 것으로 앎. 후세인이 생화학무기를 사용치 않은 것은 다행이었음.

o 전반적으로 이스라엘측 피해는 크지 않은 것으로 보이며 이라크가 미사일공격시 생화학무기를 사용하였다면 이스라엘은 분명히 혹독한 보복 공격을 행하였을 것임.

차 관 보:

o 우리는 다국적군 활동을 전폭적으로 지지하고 있으며 의료지원단의 조기 파견을 위해 당초 1.24 개최 예정이던 임시국회를 앞당겨 1.21(월) 개최키로 하였음.

o 임시국회 개회 첫날(1.21) 의료지원단 파견에 대한 국회 동의를 득하고 그 다음날 즉시 군의료단을 파견할 것임.

0074

대 사:

o 페르시아만 전쟁과 관련 항공 수송 지원 체제를 증가시킨다는 얘기가 있던데?

차 관 보:

o 그간 4개월간 대한항공 전세기가 장비등 수송에 이용되었으며 마지막 수송이 1.22 로 예정되고 있는 것으로 봄.

대 사:

o 동 사태와 관련 업계의 우려가 컸으나 개전과함께 그 우려가 상대적으로 누그러졌음. Oil Crisis 재현 가능성도 없는 것으로 보이며, 인플레도 예상보다는 높지 않은것 같음.

차 관 보:

o 동경과 뉴욕에서는 오히려 주가가 상승하는 기현상을 보임.

대 사:

o 미국내 주가가 상승한 것은 첫째, 걸프전쟁이 단기간에 끝날 것이란 기대감과, 둘째, 개전으로 미국이 장기전에 끌려 들어갈 것이라는 심리적 위축이 미국 작전의 성공적 수행에 따라 자신감 (self-confidence)으로 반전하였기 때문임.

o 영국은 다소 상황이 다른 바, 우리는 대 이라크 개전에 대해 당초부터 자신감에 따른 범국민적 지지가 있었음.

차 관 보:

o 한국 정부도 그간 공공매체, 인터뷰, 브리핑등을 통해 우리의 의료단 파견 문제에 대한 대국민 홍보를 적극 펴 왔는 바, 이로 인해 일반국민의 인식이 개선되고 긍정적인 여론의 뒷받침을 받게 된 것으로 분석됨.

o 야당측도 국민의 여론을 외면하기가 어려우리라 봄.

대　　사:

o 미국이 중동전에 참가하게 되어 한반도 안보에 소홀히 하게 되고 이틈을 타 북측이 남침을 시도할 것이라는 우려는 없는지? 걸프사태 관련 북한측의 태도는?

차 관 보:

o 가능성이 없지는 않으나 북한이 그렇게 어리석다고는 생각지 않음. 게다가 우리는 걸프위기가 북한에 좋은 교훈을 줄 것으로 생각함.

o 북측은 노동신문 평론에서 언급한 이외에는 아직 어떠한 공식적 논평이 없음.

대　　사:

o 어제 김북동씨와 만났는데 그도 비슷한 견해를 피력했음. 걸프 전쟁은 북한에 아주 좋은 교훈이 될 것이고, 북한도 차후 심각히 생각해야 할 것으로 봄.

영·북한 관계

대　　사:

o 오재희 주영대사는 금주초 McLaren 외무부 부차관 면담시 영 정부의 대 북한 접촉 동향을 문의한 바 있는 바, 북측 요청에 따라 유엔주재 북한 및 영국대사간 회담이 이틀전(1.16) 개최되었음.

o 북한의 박길연 대사는 동회담에서 유엔 가입문제와 영.북한간 양자관계의 두가지 문제를 제기하였던 바, Hannay 주유엔 대사는 양자관계와 관련 영국 정부가 아직 북한과의 관계 개선에 대해 망설이고 있는 것은 북측이 아직 한반도 적화통일정책, 테러활동, IAEA 핵안전 협약 미체결등을 고수하기 때문임을 명백히 하였음.

4　　0076

o 또한 Hannay 대사는 유엔 가입문제와 관련 북측의 단일의석 가입안이 비현실적임을 지적하고, 남북한 동시가입으로 한반도의 분단을 영구화 한다는 주장은 독일이나 예멘의 경우에서 반증되드시 불합리한 주장임을 언급하였음.

o 동회담은 전적으로 통상적인(entirely standard) 의견교환 이었으며, 영.북한간 첫번째의 공식회담이었음. 동 회담은 Hannay 대사가 주장하여 유엔빌딩내 중립지역에서 개최되었음.

차 관 보:

o 북측으로부터 다음 회담 개최 요청이 있었는지?

대 사:

o 없었음.

유엔 가입문제

차 관 보:

o 유엔 가입문제와 관련 북측은 제2차 총리회담후에 개최된 실무대표 접촉시 동 문제를 심각하게 제기하지는 않았던 바, 북측의 단일의석 가입 주장은 논리가 약하며 기존입장의 반복에 불가함.

o 로가쵸프 외무차관은 서울 방문에 이어 북경을 들러 귀소하였는 바, 중국측은 로가쵸프와의 회담시 한국측이 중국의 입장을 수용, 작년에 유엔 가입문제를 재기하지 않은데 대해 감사하는 입장 이었다 함. 중국측은 동 문제는 남.북한간에 해결되어야 한다는 종전의 입장을 반복하였으나, 소측 관측에 의하면, 한국의 유엔가입 문제가 제기되는 경우 중국이 거부권을 행사하지 않을 것이라는 인상을 받았다 함. 우리는 중국이 금년에는 좀더 현실적인 태도를 취할 것으로 예상함.

0077

o 우리는 가까운 시일내에 우리의 유엔가입과 관련 안보리 상임이사국과 구체적인 협의를 개시하고저 하는 바, 중국과 북한의 체면을 세워 주는 방법으로 남북한의 유엔가입을 추진하고저 함.

o 동건에 관해서는 지난해 국무성 차관보와도 의견을 교환하였는 바, 미측도 유엔가입문제에 있어 절차적인 문제는 그다지 중요치 않으며 중요한 것은 중국입장의 변화라는데 의견을 같이 함. 북한의 기본입장은 남북한이 유엔에 가입하게 되면 한반도 분단이 영구화된다는 것이었던 바, 남북한 유엔가입 문제를 유엔이 유엔안보리 상임이사국간의 비공식적인 consensus를 통해 initiate 해주는 등의 방법으로 제기하면 북측으로서도 체면을 살릴 수 있을 것이고 중국으로서도 중립적 입장을 취하기 쉬울 것임. 로가쵸프 외무차관이 지적하였듯이 중국의 입장이 다소 변화 하고 있는 것으로 보임.

대　사:

o Hannay 대사도 북측과의 회담시 남북한 유엔가입이 한반도 통일 전망을 저해하지 않음을 언급하였는 바, 일.북한 회의에서 동 문제가 제기될 것으로 보는 지?

차 관 보:

o 북한의 단일의석안은 논리적 근거를 상실한 안으로 국제사회의 지지를 받지 못하고 있으나 일.북한 회의시 한반도 평화와 안정에 관한 문제를 협의할 때 북측이 제기하지 않을까 짐작함.

카이후 일본 수상 방한 성과

대　사:

o 카이후 일본수상의 방한은 성공적이었다고 평가하시는지?

o 일 외무성측은 카이후 수상의 방한이 노태우 대통령의 방일과 함께 한.일 양국관계의 새로운 출발 계기가 되었다고 밝힌 바 있음.

o 지문제도의 철폐, 과거사에 대한 사과등에도 불구, 한국민의 대일 반감은 누구러지지 않는가?

차 관 보:

o 카이후 수상의 방한은 매우 성공적이었음.

o 우리국민의 대일 감정은 어쩔 수 없는 역사적 사실인 바, 시간만이 치유할 수 있을 것임. 한국민의 대일 감정뿐만 아니라, 일본국민의 대한국 감정도 문제임. 카이후 수상의 방한은 대부분의 한국민에게 미래의 한.일 관계에 보다 나은 기대감을 제공하는 계기가 되었다고 봄.

대　사:

o 차후 중동사태에 관한 정보가 있으면 알려 드리겠음.

o 오재희 주영대사가 일본으로 간다는 것과 신임 주영대사로 이홍구 정치특보가 내정되었다는 얘기가 있던데 본인은 동 인사에 매우 만족하며 이홍구 신임대사에 대해 많은 호감을 가지고 있음.

차 관 보:

o 이홍구 신임 주영대사는 여러사람으로부터 좋은 평과 존경을 받고 있음. 끝.

관리 번호	91-283

원 본

외 무 부

종 별 :

번 호 : UKW-0685 일 시 : 91 0315 1900

수 신 : 장관(국연, 아이)

발 신 : 주 영 대사대리

제 목 : 허드외상 방중

대: WUK-0509

1. 외무성 극동과에 3.15(금) 확인한바에 의하면 허드 외상의 방중계획은 현재 추진되고 있으나 일자등 구체적인 사항은 아직 정해지지 않았다고함.

2. 진전사항 확인되는 대로 추보하겠음. 끝

(대사대리 최근배-국장)

예고 : 91.12.31 일반

검토필(1991.6.30.)

국기국 차관 1차보 아주국 구주국

PAGE 1

91.03.16 06:10

외신 2과 통제관 BW

0080

관리 번호	91 -776

	분류번호	보존기간

발 신 전 보

번 호 : WUK-0509 910315 1912 FD 종별 :

수 신 : 주 영대사대리 대사. [redacted]

발 신 : 장 관 (국연)

제 목 : 외상 방중보도

대 : UKW-0269

3.15자 홍콩발 Reuter 통신 보도에 의하면, Heard 외무장관이 4월초 1주일간 중국방문 계획이라 하는 바, 관련 사실여부 파악 보고바람. 끝.

예고 : 91.12.31. 일반

검토필(1991. 6. 30.)

(국제기구조약국장 문동석)

국제국장: [signature]

보 안 통 제	

앙 고 재	91년 3월 15일	유엔과	기안자 성명		과 장		국 장		차 관	장 관
							전결			

외신과통제

0081

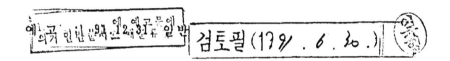

0083 (유엔대사). 국장 8/22 (3/23)

면 담 요 록

1. 일　　시 : 1991 년 3 월 22 일 (금) 16:00 ~ 16:25
2. 장　　소 : 장관실
3. 면 담 자 : 장관, Wright 주한 영국대사
　　(배석: 구주국장, 서구1과장)
4. 내　　용 :

대　　사 :

o 여러번 리셉션등에서 만나뵈었지만 이렇게 정식으로 인사 드릴 수 있어 기쁨.

o 이제 좀 안정이 되셨는지?

장　　관 :

o 점차적으로 안정되어 가고 있음.

대　　사 :

o 금주는 양국관계에 있어 아주 중요한 주일이었음.

o 어제 주영대사가 떠났음. 이대사는 본인도 그리고 영국에 있는 많은 사람들에 잘 알려져 있음. 대단히 훌륭한 대사가 될 것으로 생각함.

장　　관 :

o 훌륭한 대사가 될 것임.

대　　사 :

o 평판이 앞서감.(웃으며)

장　　관 :

o 학계에서 비중이 큼.

검토필(1991. 6. 30.)

1991.12.31 에 예고문에 의거 일반문서로 재분류됨

대　　사 :

o 국제전략문제연구소(IISS)관련 업무로도 매우 바쁠 것임.

1

공람	서구1과	91년 3월 23일	담 당	과 장	심의관	국 장	차관보	차 관	장 관
			김영길	(서명)	(서명)	(서명)			

0082

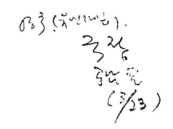

장 관 :

o IISS 회의가 내년에 서울에서 열리는 것으로 알고 있음.

대 사 :

o 그러함. 한국이 초청하였는 바, 한국 및 IISS 를 위해서도 매우 보탬이 될 것임.

o 지금 영국을포함한 유럽에서 한국에 대한 관심이 커지고 있음.

o 금주의 또 하나의 좋은 소식은 걸프 기여금인 바, 한국의 지원에 깊이 감사드림.

o 아주 적기의 지원으로 정부로부터 공식적인 감사의 메세지가 올 것임.

o 걸프전 발발이후 한국이 보여준 입장은 대단히 주목할 만한 것이었음.

장 관 :

o 걸프전 성공을 축하함.

o 금번 한국의 지원은 걸프전에서의 귀국의 평화를 위한 노력에 대한 지지의 표시임. 한국민은 6.25때 귀국의 헌신적 기여를 잊지 않고 있음.

o 정부는 동 지원금을 위해 4월 임시국회에 추경을 제출할 것임. 금번 4월에 동의를 받지 못하면 9월 정기국회로 넘어가게 됨. 그러나 여야가 다 지지하므로 문제가 없을 것임.

대 사:

o 지난 몇주간 여러 국회의원들과 만났는 바, 박 외무위원장, 김윤환 민자당 사무총장등 적극적 지지를 하였음.

2

0083

장 관 :

o 국회의장을 포함 여러 주요 국회 인사들을 만났는 바, 그들도 지지하고 있다는 인상임.

o 이는 귀하의 효율적 로비덕인 것 같음.(웃으며)

o 4월 임시국회에서 통과될 경우 5월말 전에 지원 가능할 것임.

대 사 :

o 한국전 언급과 관련, 금년 4월 임진강 전투 40주년 참석차 북아일랜드 담당장관이 방한할 예정임. 그는 후임 하원의장 후보임. 또한 전쟁영웅의 한 사람인 파나 로프리 경도 올 것이며 40명의 참전용사도 오게 되어 있음. 4.21. 소마리에서 기념식이 있고 그날 저녁 대사관저에서 만찬이 있을 것인 바 외무부에서 장관님 또는 다른 분이 오실 수 있으면 감사하겠음.

장 관 :

o 본인이 못가면 차관이 갈 것임.

대 사 :

o 최근 유럽에서 한국에 대한 관심이 증대하고 있음.

o 통상성 로버트 차관보가 오늘 KOTRA 에서 1992년 유럽통상에 대한 강연을 가졌음.

o 유엔가입문제의 진전은?

장 관 :

o 그렇지 않아도 언급코자 하였음.

o 그간 영국이 유엔에서 핵심그룹으로서 활동해 주시는데 감사하며 기본전략은 유엔에서 서로 협조하여 추진하는 것임.

o 정부는 금년 유엔가입 신청을 결정(decided to push to go ahead with this membership issue)함.

o 당분간은 북한을 설득해 나가겠으나 어느 때가 되면, 북한이 같이 가입하지를 원하지 않을 경우 단독 가입신청 결정을 내리지 않을 수 없음.

o 그 경우 중국이 열쇄인 바, 우리는 중국 설득을 위한 모든 노력을 전개할 것임.

o 이와 관련, 허드 외상이 4월에 북경에 가는지?

대 사 :

o 3.25. 발표가 가능할 것임. 홍콩에 가서 그곳에서 베이징으로 갈 것인 바, 홍콩 및 기타 문제를 다루게 될 것임.

장 관 :

o 중국과 협의할 사항이 많을 줄 알지만 한국 유엔가입 문제를 제기하여 주기 바람.

대 사 :

o 영국은 유엔에서 핵심그룹으로 활동하고 있는 외에도 중국에 여러번 설명함.

o 본국에 타전, 허드 외상이 이 문제를 중국측에 언급토록 하겠음.

장 관 :

o 지난 2월(2.21-3.10) 전기침이 구주 순방시, 방문국가 모두 동 문제를 제기한 바, 동 외상 반응은 기본적으로 남북한간 협의를 선호하였으나 동시에 북한제의는 실현가능하지 않다는 것을 인정하였음.

o 중국은 아직 입장을 결정하지 않은 듯한 인상이며 우리가 유엔가입 신청할 경우 유동적인 것 같음.

대 사 :

o 뻬이징으로부터의 보고(별첨)에 의하면 정치상황이 표면적으로는 조용하나 그 이면에서 후계자 문제, 근대화 전략등에 대한 암투가 진행되고 있는 것으로 보임. 내주 인민회의에서 10년 경제개발 계획, 근대화, 경제정책 스타일등을 다룰 것임.

o 권력승계문제 등 상황이 안정적이어야지 그렇지 않을 경우 한국의 유엔 가입문제에 악영향을 미칠 것임.

장 관 :

o 강택민의 5월 중순 소련 방문 사항에 대한 언급이 있었는지?

대 사 :

o 없었음.

o 허드 외상에게 보고하여 한국문제를 언급토록 하겠음.

o 최근 통상정책을 외무부가 coordinate 한다는 보도가 있었는데 이는 환영할만한 일임.

장 관 :

o 이틀전 각부 장관과 함께 보고한 사항으로 통상문제를 포함 외무부가 중심적 역할을 한다는 것임.

o 통상증대에 따라 통상마찰이 생기는 것이 필연적이며 상공부 뿐아니라, 농수산부, 문화부, 보사부, 체신부등 여러개 부처가 관련되며 필요할 경우 종합적인 coordinated policy 가 필요함.

대 사 :

o 영국의 경우 여러 이익집단이 있어 그들의 요구사항을 충족 시키기는 데 어려움을 겪고 있음. 정책이 더욱 corrdinated될 경우 각기 다른 이익집단의 요구사항 충족이 쉬워질 것임.

o 영국은 한국과 균형된 관계를 갖기를 원하며 한국의 정책이 coordinate 되기를 원하며 이에 갈채를 보냄. 끝.

5

0086

공 란

V 가

면 담 요 록

1. 일 시 : 1991 년 3 월 28 일 (목) 15:00 ~ 15:20

2. 장 소 : 차관실

3. 면 담 자 : 차관, Wright 주한 영국대사
(배석: 서구1과장)

4. 내 용 :

대 사 :

o Gulf 전비지원에 감사함. 본국 정부지시에 따라 노재봉 총리 및 외무장관에게 드리는 감사 멧세지를 전달코자 함. (서한 수교)

차 관 :

o 즉시 대답을 주지 못해서 미안함.

대 사 :

o 5주 정도의 기간은 이해 할 만한 것임. 지난주 이 장관님 예방시 허드 외무장관이 중국을 방문할 경우 한국의 UN 가입 문제를 제기하여 줄 것을 요청한 바 있었는 바, 이를 본국정부에 보고 중국 외무장관과의 회담 의제에 포함토록 요청하였음.

차 관 :

o 작년 중국 요청에 따라 UN가입 신청을 하지않고 1년간 기다렸음. 금년에는 UN가입 신청을 더이상 미룰 수가 없음. 중국은 남한의 UN 가입이 북한에게도 결국 도움이 될 것임을 이해 하여야 할 것임. 북한으로서는 경제난으로 일본과의 관계 정상화가 매우 중요한 바, 한국의 UN 가입이 일-북한 국교 정상화에 도움이 될 것임.

/ 계속...

0088

o 김정일이 중국을 방문하는 것으로 알고 있음. 방문 목적이 무엇인지 분명치 않으며, 경제지원 요청일수도 있으나 한국의 UN 가입 저지를 위한 마지막 도움 요청일 수도 있음. 중국이 이를 받아들이는 것은 매우 어리석은 행위로 생각됨. 우리는 그러한 목적의 방문이 아니기를 바람.

대 사 :

o 언제 김정일이 중국을 방문하는 것인지?

차 관 :

o 가는것은 확실하나 시기는 모르겠음.

대 사 :

o 전기침 중국 외상의 구주방문시 한국의 UN 가입문제에 대한 반응은 고무적이나 북경으로부터의 보고에 의하면 한국의 UN 가입문제에 대하여 중국정부는 아직도 남북한간의 상호 협의 입장을 고수하고 있으며 그러한 입장에 변화가 없음. 북한이 남북한 UN 가입에 동의할 경우 일-북한간의 대화는 쉬워질 것인지?

차 관 :

o 그러함.

대 사 :

o 핵 안전협정 체결 문제가 중요한 장애요소가 아니었는지?

차 관 :

o 북한은 핵 안전협정 서명문제를 미국과의 교섭에서 무기로 사용코자 하고 있음.

대 사 :

o 중국 차관이 ESCAP 총회 참석차 방한하는지?

차 관 :

o 국제담당차관이 옴. 한·중관계 개선의 전망은 현재 그렇게 밝지못한 형편임. 북경에 있는 무역대표부는 중국 외무성과의 대화가 전혀 되지 않고 있으며, 통상대표부로서의 활동만 하고있음.

대 사:

o 양국관계가 전보다 악화 된 것인지?

차 관:

o 양국관계는 냉랭함(cold).

대 사:

o UN문제 전망은 어려울 것으로 생각하는지?

차 관:

o 그러함. [redacted]

대 사:

o 거부권 사용의 댓가가 클 것으로 봄.

차 관:

o 중국은 걸프전에서 보여준바와 같이 마지막 순간까지 입장표명을 하지 않을 것으로 봄.

대 사:

o 지난주 장관님을 예방 하였을 때 장관님이 UN 의 Core Group에 memorandum을 송부하겠다고 하였는데?

차 관:

o 그러함. 아국이 금년에 UN 가입신청을 하겠다는 내용임. 희망적인 사실은 소련이 한국의 UN 가입에 대하여 분명히 찬성하고 있다는 것임. 과거 소련과 중국간의 관계를 볼 경우에 소련이 UN 안보리에서 찬성한 사항에 대해서 중국이 반대한 사례는 없었음.

o 소련 외무차관이 아측의 요청에 따라 한국 방문길에 북경을 방문, 중국의 반대를 완화하기에 노력하였음. 동인은 금번 ESCAP 총회에 참석차 방한 예정에 있으며, 우리로서는 소련이 빨리 한국의 UN 가입문제에 대해서 찬성의사를 발표해 줄 것을 원하고 있음.

- 3 -

0090

공 란

관리 번호	91 -988

분류번호	보존기간

발 신 전 보

번 호 : WUN-0676 910328 1826 FO 종별 :

수 신 : 주 유엔 대사. ~~총영사~~

발 신 : 장 관 (국연)

제 목 : 영국외상 방중관련 협조요청

3.27. 주영대사는 영국외무성 P. Wright 사무차관을 면담, 아국의 유엔가입문제에 대한 중국의 태도가 종전과는 달리 상당히 유동적임을 전제하고, 4월중 Hurd 외상의 중국방문시 중국측에 대해 아국입장을 적극 설득해주고 중국측의 반응을 파악해 줄 것을 요청했는바,이에 대해 동 차관은 호의적인 반응을 보였다함을 참고바람. 끝.

예고 : 일반문서 91.12.31. 일반 / 검토필(1991. 6. 30.)

(국제기구조약국장 문동석)

보안 통제	

앙 고 재	91년 3월 28일	유엔과	기안자 성명		과 장		국 장		차 관	장 관
			김성진				전결			

외신과통제

0092

관리 번호	91 -984

외 무 부

종 별 :

번 호 : UKW-0762 일 시 : 91 0328 1800

수 신 : 장관(구일,국연,아이,동구일,중동일,정이)

발 신 : 주 영 대사

제 목 : 외무부 간부면담

본직은 금 3.27(수) 부임인사차 외무부 PATRICK WRIGHT 사무차관 및 CAITHNESS 국무상을 방문, 면담하였는 바(각 40 분 정도), 요지 아래 보고함

1.WRIGHT 사무차관

0 동 차관은, 본직이 걸프사태의 원만한 해결에 대하여 치하하자, 아국정부의 전비지원 결정에 대하여 심심한 사의를 표함

0 주시리아 및 사우디대사를 역임한 동인은, 종전후 이락의 장래에 대하여 사담이 당장은 반군을 CONTROL 할 가능성이 높으나, 최근 수년간 2 개의 큰 전쟁(이.이전및 걸프전)에 실패하였으므로 멀지않아 축출될 것으로 봄

0 소련정세에 관련, 소련이 PRESTROIKA 체제를 기반으로 정치안정을 도모해나가는 것이 가장 바람직하나, 현재 소련의 문제는 고르바쵸프와 옐친간의 PERSONAL CLASH 성격이 강하므로 쉽사리 해결되지 않을 것으로 봄

0 또한 동인은 북한의 핵 개발과 무기수출에 대하여 우려를 표시하면서, 우리 모두는 이에 대하여 강경한 입장을 취해야 할 것이라 함

0 본직은 대호 아국의 유엔가입 문제와 관련, 중국의 태도가 종전과는 달리상당히 유동적임을 감안, HURD 외상 방중시 중국측에 아국입장을 적극 설득 노력하고, 중국측의 반응을 예의 주시해 줄 것을 요청하였는바, 이에 대하여 동 차관은 호의적인 반응을 보였음

2.CAITHNESS 국무상

0 동 국무상 역시 아측의 걸프전 전비지원 결정에 대하여 사의를 표하면서 상기 아국의 유엔가입 문제에 대하여는 HURD 외상에게 적극 건의하겠다고 다짐함

0 동인은 최근 중국정세에 대하여, 중국내부에서는 POWER STRUGGLE 이 있는것 같으며, 등소평 세대가 교체되어야 전체적인 전망이 밝아지지 않겠느냐는 의견을

구주국 차관 1차보 아주국 구주국 중아국 국기국 정문국

PAGE 1

91.03.28 08:29

외신 2과 통제관 CA

0093

피력함

0 최근 일본.북한간 교류에 대한 동인의 질문에 대하여, 본직은 일 정부는 사전에 아측과 협의하고자 노력하고 있으나 자민당내 파벌간의 이견등으로 어느정도 어려움이 있다고 답변함

0 동인은 최근 한국에서 진행되고 있는 지방자치 선거에 대하여 이는 민주화 진전의 표시로서 영국인들은 모두 환영한다 함

0 동인은 한. 영 관계가 문화, 학술, 정치 모든면에서 문제가 없으나 다만 TRADE 에 있어 다소 개선할 여지가 있다고 하면서 특히 위스키, 지적소유권및 증권시장 개방에 있어 한국정부가 더욱 적극적이기를 희망한다고 발언함. 끝

(대사 이홍구-국장)

예고 : 91.12.31. 일반

검토필(1991.6.30.)

0094

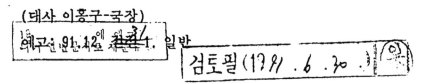

L01158
GL EEEEE
.AA HSE033

BRITISH FOREIGN SECRETARY ARRIVES IN HONG KONG

HONG KONG, APRIL 2 (XINHUA) -- DOUGLAS HURD, BRITISH SECRETARY OF STATE FOR FOREIGN AND COMMONWEALTH AFFAIRS, ARRIVED HERE FROM LONDON BY AIR THIS AFTERNOON.

HE IS SCHEDULED TO HAVE A ONE-DAY STAY HERE AND LEAVE FOR BEIJING TOMORROW ON A FIVE-DAY OFFICIAL VISIT.

WHILE IN BEIJING, HE WILL DISCUSS WITH HIS CHINESE COUNTERPART QIAN QICHEN ISSUES OF COMMON INTEREST.

UPON HIS ARRIVAL AT THE KAI TAK AIRPORT, HURD WAS GREETED BY HONG KONG GOVERNOR SIR DAVID WILSON AND OTHER OFFICIALS. ENDITEM

02/04/91 1246GMT

NNNN

6LGL
o0108 ASI/AFP-AW40------
u i China-Hurd sched-1 04-02 0369

British FM to discuss Hong Kong in China

by PASCALE TROULLIARD

BEIJING, April 2 (AFP) - China hopes a visit starting Wednesday by British Foreign Secretary Douglas Hurd will help the two countries resolve differences that have reduced them to trading jabs over the return of Hong Kong to Beijing

The Hong Kong issue has cast a pall over Sino-British relations. The handover of the colony will be an important part of Mr. Hurd's talks, his Chinese counterpart Qian Qichen said last week.

Even though the two sides agree on the need for a smooth transition, they have been engaged in bitter discussions for months on the construction of a new airport and port complex in Hong Kong.

(Mr. Hurd defended the project Tuesday on his arrival in Hong Kong, saying, "Hong Kong has to advance. Hong Kong can't stand still. We must get the Chinese to see it that way.")

(He added that while Britain is prepared to have closer cooperation and consultation with China on matters affecting the colony up to and beyond 1997, "consultation with China doesn't mean control by China.")

China, which does not want to inherit a colony on the brink of bankruptcy, has criticized what it calls the exorbitant cost of the airport project -- an estimated 20 billion U.S. dollars.

Communist Party chief Jiang Zemin last year summed up Beijing's sentiments, saying: "You give a banquet and I foot the bill."

The tone has since softened in Beijing. Mr. Qian said last week he hoped the visit of his British counterpart would resolve the airport question "in a satisfactory way."

In addition, Beijing has apparently dropped its charge that Hong Kong is a base of subversion against it. Last week, Premier Li Peng, speaking at the opening of the current session of parliament, the National People's Congress, referred to "Hong Kong patriots."

But observers are skeptical. The discord between London and Beijing stems from the vague Joint Declaration signed in 1984 which spelled out conditions for Hong Kong's return to Beijing in 1997. It said that in the interim, London was responsible for the territory's administration and that Beijing must be consulted about any major projects.

more

13

0095

관리 번호 91-2080

외 무 부

종 별 : 지 급

번 호 : UKW-0812 일 시 : 91 0405 1740

수 신 : 장관(국연,아이,구일,국기,미안)

발 신 : 주 영 대사

제 목 : 허드 외상 방중

연: UKW-0762

당관 조참사관은 4.5.(금) HUGH DAVIES 극동과장을 면담한 바, 4.4(목) 북경에서 있었던 HURD 외상과 QIAN QICHEN 중국 외상간의 회담에서 거론된 아국관련 사항에 관하여 동 과장은 아래와 같이 말함.(허드 외상은 4.5. 이붕, 강택민,만리 3 인을 면담하고, 4.6-7 간 산동지방을 여행한후 광동지방을 거쳐 4.8 홍콩도착 예정임)

1. 허드외상은 먼저 북한이 아직 남북한의 유엔가입에 응하지 않는 상황이며, 한국으로서는 단독가입 신청 방안을 신중히 검토하고 있는 것으로 보인다고 지적하고, 영국으로서는 남. 북한의 동시가입을 지지하고 있으며, 한국이 단독으로 가입을 신청한 경우에도 이를 지지할 것임을 밝히는 동시에 북한이 한국이 가입한후 별도로 가입을 신청할 경우에도 이를 지지 할 것이라고 말했음

2. 이상에 대해 QIAN 외상은 중국으로서는 남북한이 상호 협의로 동건을 해결하고 유엔에서 다른 나라에게 문제를 유발하거나 트럼프 카드를 내보이는 일이없기를(AVOID CREATING PROBLEMS FOR SOME COUNTRIES AT THE UN AND SHOWING OF TRUMP CARDS) 기대한다고 말하면서, 북한의 단일 의석안을 실제적인 방안으로보지 않는다는 입장을 밝힘

3. QIAN 외상은 이어 중국이 공식적으로 상기 입장을 북한측에 전했으며, 북한으로 하여금 한국과의 대화를 계속해 나가도록 촉구했다고 밝히는 한편, 한국이 단독으로 가입을 신청할 경우에 어떻게 대응할 것인지에 관해서는 아직 북한측과 의논한 일이 없다고 말함

4. 허드 외상은 이와는 별도로 군비확산 문제에 관한 일반적 협의에서, 북한의 핵 안전조치 협정체결 문제에 언급하고, 중국이 북한에 대해 신중하게 영향력을 행사하여 조속 안전조치 협정을 체결토록 촉구 할 것을 요청했음

국기국	장관	차관	1차보	2차보	아주국	미주국	구주국	국기국
청와대	안기부							

PAGE 1 91.04.06 04:39

외신 2과 통제관 CA

0096

5. 이에대해 QIAN 외상은 중국측의 영향력은 제한적이라고 강조하면서, 자신이 직접 북한측에 이 문제를 제기하고 미국과 소련의 관련 정보를 원용하면서 모든 나라가 북한의 핵무기 제조 가능성에 관해 의심하고 있다고 말한 바, 북한측은 핵무기 제조를 부인했다고 말함

6.QIAN 외상은 이어 중국으로서는 이에관한 현황을 정확히 알고있지 않다고말하면서, 다만 소련으로 부터 북한이 소련의 원조하에 1 기의 원자로(REAC [illegible] OR)를 개발한 것으로 듣고 있으나, 소련은 또 다른 1 기의 원자로를 최근 북한내에서 발견했다고 말하고 있으므로 상황이 확실치 않다고 강조

7.QIAN 외상은 또한 자신이 북한으로 하여금 핵 안전조치를 준수토록 촉구하면 북한은 한국내에 핵무기가 존재하지 않는다는 미국의 공약이 선결 조건이라고 반응하였고, 자신은 이것이 안전조치 문제와 별개 사항임을 지적했다고 밝힘

8.QIAN 외상은 끝으로 중국이 아직도 북한을 설득시키기 위해 노력중이라고말함. 끝

(대사 이홍구-장관)

예고: 91.12.31. 일반

19 . 예고문에 의거 일반문서로 재분류됨

검토필(1991. 6. 30.)

PAGE 2

0097

관리 번호	91 — 2097

	분류번호	보존기간

발 신 전 보

번 호 : ~~WUN-0273~~ WUK-637 910406 1300 FN 종별 :

수 신 : 주 영 대사.총영사

발 신 : 장 관 (국연)

제 목 : 허드외상 방중

대 : UKW-0812

연 : WUK-0548

귀주재국 허드외상이 방중시 중국외상에게 대호와 같이 아국의 유엔가입문제를 적극 제기, 영측의 지지입장을 전달해준 데 대해 적절한 기회에 아측의 깊은 감사의 뜻을 표명바람. 끝.

예고 : 91.12.31. 일반

일반문서로 재분류됨

검토필 (1991. 6. 30.)

(국제기구조약국장 문동석)

보 안 통 제	

앙 고 재	91년 4월 6일	유엔과	기안자 성 명		과 장		국 장		차 관	장 관
			김성진				전결			

외신과통제

0098

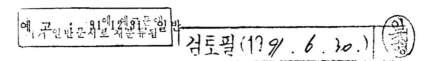

관리 번호 91-2182

원 본

외 무 부

종 별 :

번 호 : UKW-0829 일 시 : 91 0408 1740

수 신 : 장관(국연,구일),사본:주유엔대사-중계요

발 신 : 주 영 대사

제 목 : 유엔가입 문제

대: WUK-0640

1. 당관 조참사관은 4.8(월) HUGH DAVIES 극동과장을 접촉, 대호에 따라 아측입장을 설명하고 아국의 유엔가입 문제에 대한 주재국의 지속적인 협조를 당부했음.

2. 동 과장은 아측 설명에 사의를 표하면서 유엔가입 문제에 관한 영국 정부의 확고한 지지를 재확인하고 금후로도 구체적인 추진과정에서 계속 협조해 나갈 것이라고 말함. 끝

(대사 이홍구-국장)

예고: 91.12.31 일반 / 일반문서로 재분류

검토필(1991.6.30.)

국기국 장관 차관 1차보 구주국 청와대 안기부

PAGE 1

91.04.09 08:34

외신 2과 통제관 FE

0099

관리번호 91-2263

원 본

외 무 부

종 별 :

번 호 : UKW-0854 일 시 : 91 0410 1800

수 신 : 장관(국연,구일,아이,중동일,미북,통이)

발 신 : 주 영 대사

제 목 : 외무성 WESTON 부차관 면담

대: EM-09, WUK-0637

본직은 4.10(수) 외무성 JOHN WESTON 부차관(유엔, 구주, 동.서관계 담당)을 면담한 바, 요지 아래와 같이 보고함.(조참사관 배석)

1. 본직은 대호 아측의 안보리에 대한 메모렌덤 제출에 관하여 설명하고, 허드외상 방중시 유엔가입문제 거론에 사의를 표명하면서, 영국정부가 특히 중국을 설득시키는데 지속적으로 노력해 줄것을 요망했음

2. WESTON 부차관은 영국정부의 계속적인 협조를 다짐하면서 개인적 의견으로는 중국이 아국의 유엔 가입문제에 거부권을 행사할 것으로 보지 않으며, 남북한 대화가 조만간 재개되면 더욱 유리한 여건이 조성될 것을 전망했음

3. WESTON 부차관은 허드 외상의 방중시 거론된 홍콩의 신공항 건설문제가 양국간에 계속 협의되고 있고 입장의 차이가 점차 좁혀져갈 수 있을 것이라고 말했으며, 한국측도 대중 접촉에 있어 홍콩의 중요성을 강조해주면 도움이 되겠다고 말했음

4. WESTON 부차관은 또한 아국의 걸프전 전비지원 결정에 사의를 표한다고 말함

5. 동 부차관은 이어 쿠르드족 난민사태에 언급하고 4.8(월) 룩셈부르그 EC 정상회담에서 메이저 수상이 제안한 대피지역 설정방안은 군사력 사용이나 이락의 영토 침해를 전제로 하는것이 아니고 민간인이 통제하는 대피지역을 상정함으로서 안보리 결의 688 호에 근거한 것이라고 설명함

6. 동 부차관은 상기 제안이 지난주말 단시간내에 성안되어 미국등과 사전 협의할 여유가 없었으나 그후 충분한 협의절차를 거쳤고, 보도와는 달리 미국이 반대하고 있는것은 아닌 것으로 보고 받고 있으며, 유엔에서 절충을 계속해 나가면 실현 가능성이 있는 것으로 전망했음

국기국 장관 차관 1차보 2차보 아주국 미주국 구주국 중아국
통상국 청와대 안기부

PAGE 1 91.04.11 06:31

외신 2과 통제관 DO

0100

7. 동 부차관은 또한 북한의 핵 안전협정 체결문제 및 무기수출과 관련, 북한에 대한 국제적인 압력을 금후 강화해 나갈 필요성을 강조했음

8. 본직은 남북한 관계 전망, 제주에서의 한. 소 정상회담등 한반도 정세에 관하여 설명하고, 모든 우방국가가 북한과의 관계 개선을 시도하는데 있어 핵안전조치협정등 선결조건을 분명히 다루어 나가야할 필요성을 강조했음

9. 동 부차관은 끝으로 본직의 재임중 위스키, 증권산업, 지적소유권등 양국간 경제문제에 관하여 더욱 발전이 있기를 바란다는 기대를 표명함. 끝

(대사 이홍구-국장)

예고: 91.12.31. 일반

PAGE 2

0101

관리 번호 91-2306

원 본

외 무 부

종 별 :

번 호 : UNW-0860 일 시 : 91 0410 1830

수 신 : 장관(국연,기정)

발 신 : 주 유엔 대사

제 목 : 유엔가입추진

대:WUN-0771,0782,0784,0810

본직은 금 4.10(수) 오후 HANNAY 영국대사를 신임인사차 예방한 기회에 아국의 유엔가입 문제를 협의한바, 요지 아래보고함.

1. 본직은 영국이 핵심우방국의 일원으로 그간 아국의 유엔가입 추진노력을적극 지원해 준것과 특히 금번 HURD 영국 외상 방중시 아국의 가입지지 입장을중국측에 분명히 전달해준것에 사의를 표한후, 금번 아국 정부각서제출 배경및향후 아국의 추진계획을 간략히 설명하고 중국측의 태도에 대한 영국측의 평가를 구하였음.

2. 이에대해 HANNAY 대사는 HURD 외상 방중시 전기침 외상의 반응을 대호 요지로 설명하면서 중국이 시간이 흐름에 따라 북한을 설득하고자 하는 보다 뚜렷한 태도를 보이고있는 것으로 분석하였음.

3. 동 대사는 한국정부가 이제 정부각서를 통해 연내 가입실현에 대한 입장을 분명히 밝힌 만큼, 지금부터는 중국에대해 보다 집중적인 노력이 필요할것이락고함. 또한 중국으로 하여금 북한을 계속 설득케하고 한국가입에 반대하지 않도록 하기위해서는 중국에 대한 공개적인 압력 보다는 조용한 방식으로 이를 추진하는것이 좋을것이라고 말함.

4. 본직도 이에 동감을 표하면서 앞으로도 계속 영국이 아국의 년내가입 실현을 위해 적극 지원해 줄것을 당부하였음. 끝

(대사 노창희-국장)

예고:91.12.31. 일반

검토필(1991. 6. 30.)

국기국 장관 차관 1차보 2차보 정문국 청와대 안기부

PAGE 1 91.04.11 08:32

외신 2과 통제관 BW

0102

관리 번호	91 -2385

원 본

외 무 부

종 별 :

번 호 : UKW-0875 일 시 : 91 0412 1900

수 신 : 장관(국연,구일,동구일,아이),사본: 주 유엔 대사-중계필

발 신 : 주 영 대사

제 목 : 외무성 간부면담

대: EM-0009

본직은 4.12(금) 신임인사차 하기 외무성 간부를 면담한 바, 요지 아래와 같이 보고함.

1. SIR JOHN COLES 아주.미주 담당부차관

가. 본직은 동 부차관이 호주대사 역임후 최근 부차관에 취임했음에 비추어 유엔문제에 관한 아국입장을 상세히 설명하고, 북한의 총리회담 불응배경등 남북한 관계의 현황과 한. 소 정상회담의 의의를 설명했음.

나. COLES 부차관은 본직의 설명에 이해를 표하면서, 특히 유엔가입 문제에 관해 지속적으로 협력해 나갈 것 임을 다짐하였음.

2. HUGH DAVIES 극동과장

가. 동 과장은 중국이 한국의 유엔가입 문제에 거부권을 행사하지는 않을 것으로 본다고 전망하고, 그 근거로서 한국측의 외교노력도 있지만 중국이 안보리에서 거부권을 행사한 전례가 별무하다는 점을 지적하면서, 결국은 중국이 스스로 결정하기 보다는 다른 나라들이 결정하도록 방임하는 전술을 구사할 가능성이 있는 것으로 내다 보았음.

나. 동 과장은 또한 이러한 형태의 배경으로서 천안문사태와 동구변혁 이후 중국이 서방제국에 대하여 의심을 많이 품는 경향을 보이고 있는 점을 설명하면서, 허드 외상 방중이후 아직도 북경에서 계속되고 있는 홍콩 신공항 건설문제에 관한 영국의 대중 교섭의 어려움도 이러한 맥락에서 보아야할 것이라고 첨언함.

다. 동 과장은 한국이 중국의 이러한 민감성을 충분히 배려하면서, 유엔가입 문제를 신중히 추진해 나가면 전망이 밝은 것으로 본다고 말했으며, 영국측으로서는 지속적으로 협력해 나가겠다고 강조함. 끝

국기국 장관 차관 1차보 2차보 아주국 구주국 구주국 청와대
안기부

PAGE 1 91.04.13 07:39
외신 2과 통제관 DO

0103

(대사 이홍구-국장)

19 예고: 91.12.31.일반
의거 일반문서로 재분류됨

검토필(1991.6.30.)

PAGE 2

0104

관리번호 91-2730

UN

K/UN

외 무 부

종 별 :

번 호 : UKW-0962 일 시 : 91 0425 1030

수 신 : 장관(구일,국연,아이,동구일)

발 신 : 주 영 대사

제 목 : 외무성 간부 면담(자료응신)

대: WUK-0748

연: UKW-0873

본직은 4.24.(수) 신임 인사차 외무부 R.A.BURNS 아시아담당 차관보를 면담한 바, 요지 아래와 같이 보고함

1. 지난 4 월 HURD 외상 방중시 수행한 동 차관보는, 아국의 유엔 가입문제와 관련, 중국은 남북한이 대화로써 해결하는 것이 가장 바람직하다는 입장을 계속 유지하고 있으며, 유엔 가입신청시 중국의 태도는 불분명한 것으로 보인다고 함

2. 중국의 국내사정과 관련, 천안문사태에도 불구 중국은 정치적으로 안정되어 있는 것으로 보였으며, 강택민 총서기는 정치적 리더쉽이 강한 인물이라는 인상을 받았다고 언급함

3. 본직은 한. 소 정상회담 성과에 대하여 설명하였는 바, 동 차관보는 상기 회담이 동북아 지역에서의 평화에 크게 기여할 것이라고 하면서, 영국은 한. 소 관계 개선을 적극 지지한다고 언급함

4. 본직은 또한 국회의장 방영시, 메이저 수상, 대처 전 수상등의 면담이 이루어 지도록 협조 요청함. 끝

(대사 이홍구-국장)

예고: 91.12.31. 일반 검토필(1991.6.30.)

구주국	장관	차관	1차보	2차보	아주국	구주국	국기국	정문국
외연원	청와대	안기부	국회					

PAGE 1 91.04.25 20:51

외신 2과 통제관 BS

0105

영(?)
협의필! ✓

관리번호	91-2801

원 본

외 무 부

UN✓

종 별 :

번 호 : UKW-0984 일 시 : 91 0429 1820

수 신 : 장관(국연,구일),사본:주유엔대사(중계필)

발 신 : 주 영 대사

제 목 : 유엔가입 문제

대: WMEM-0022

연: UKW-0829

당관 최공사는 4.29(월) 외무성 극동과 HUGH DAVIES 과장, DAVID WARREN 부과장, IAN DAVIES 한국담당을 초청, 오찬을 가진 바, 유엔가입 문제에 관한 DAVIES 과장 발언요지는 아래와 같음.

1. 최근 우방국협의회에서도 평가가 있었던 바와같이 중국은 특히 유엔에서각종 국제문제에 관해 불합리한 인상을 주거나 무리가 초래되지 않도록 신중한성향을 보이고 있음.

2. 중국측은 이러한 입장에서 이붕 수상의 방북시에도 유엔가입 문제에 관한 대북한 설득노력을 할 것으로 예상하고 있음.

3. 이상 감안할때, 한국측이 8 월경 유엔가입을 신청하여도 중국측이 이에 거부권을 행사할 것으로는 보지않음.

[redacted]

5. 현재로서는 외무성과 중국 외교부와의 상호 방문계획 (정책협의회 포함)은 없음.(대호관련). 끝

(대사 이홍구-국장)

19 예고: 91.12.31 일반

검토필(1991. 6. 30.)

국기국 차관 1차보 2차보 구주국 청와대 안기부

PAGE 1 91.04.30 10:16

외신 2과 통제관 BW

0106

관리 번호	91-2862

외 무 부

종 별 :

번 호 : UKW-0989 일 시 : 91 0430 1930

수 신 : 장관(구일,동구일,미북,아이)

발 신 : 주 영 대사

제 목 : 외상면담

1. 본직은 4.30(화) 신임 인사차 HURD 외상을 면담한바 외상의 발언요지 아래 보고함

가. 한. 영 양국관계는극히 우호적인 상태에 있는 것으로 평가하며 최근한국 정부의 걸프전비 지원 결정에 심심한 사의를 표함. 양국간에는 무역상의몇가지 현안이 있으나 양국이 지속적으로 노력해 가면 무난히 극복될 수 있을 것으로 봄

나. 최근 중국 방문시 중국은 한국의 유엔 가입문제에 관해서 확실한 입장을 밝히지 않았으나, 남북한간의 대화가 진전되고, 중국에 대한 설득 노력이 계속 경주되면 전망이 밝은 것으로 봄. 영국 정부로서는 남북한의 가입은 물론 한국의 단독 가입도 지지할 것임을 분명히 함

다. 홍콩문제와 관련 중국과 교섭과정에서 중국이 아직도 경제보다는 정치가 중시되고 있는 나라라는 인상을 받았으며, 금후 영. 중 관계에 있어서도 이점에 유의할 것임

라. 홍콩의 신공항 건설문제등 대중 협상은 현재 잘 진전되고 있은것은 아니나, 영국으로서는 97 년 반환 이전에 영국의 홍콩에 대한 권리를 양보할 의향이 전혀없음. 역내 및 세계적 시각에서 홍콩이 점하는 경제적 중요성을 한국이 기회 있을때 마다 강조해 주면 도움이 될 것임

2. 본직은 아국의 유엔 가입문제에 관한 영국정부의 지속적인 지원을 당부하였으며, 최근의 한. 소 관계에 관한 외상의 관심 표명에 대해서 소련의 한. 소선린협력조약 체결 제의나 경협등은 아직 원칙론에 머물러 있는 상태로서 시간을 두고 단계적으로 협의해 나가야 할것이라고 말했음. 끝

(대사 이홍구-국장)

예고: 91.12.31 일반 / 19 의거 일반문서로 재분류됨

검토필(1991.6.30.)

구주국	차관	1차보	2차보	아주국	미주국	구주국	국기국	청와대
안기부								

PAGE 1 91.05.01 07:56

외신 2과 통제관 BW

0107

공 란

공 란

공　　　　　란

관리 번호	91-3441

원 본

외 무 부

종 별 :

번 호 : UKW-1117 일 시 : 91 0521 1700

수 신 : 장관(국연,구일)

발 신 : 주 영 대사

제 목 : 유엔가입 문제

대: WUK-0883

연: UKW-1043

1. 본직은 5.20(월) 외무성 SIR JOHN COLES 부차관을 면담, G-7 정상회담시정치선언 또는 의장 성명중에 대호 아측입장이 반영되도록 영측이 지원해줄 것을 요망했음.(조참사관, I.DAVIES 한국담당관 배석)

2. COLES 부차관은 G-7 내의 다른 회원국과 협의를 거쳐 한국입장이 반영되도록 노력하겠다고 말했음

3. 본직은 또한 아국의 유엔가입을 지지하는 EC 공동입장 표명문제에 언급하고 영측의 호의적 대응을 요망했음

4. 이에대해 COLES 부차관은 영측으로서는 한국과 목표는 같으나 대 중국 관계를 생각할때 조용한 외교가 적절한 것으로 보며, 그러한 종류의 공개적 성명이 필요할 것인지에 관해 확신이 없는 입장이라고 밝혔음

5. 본직은 8 월까지는 여러가지 상황 발전도 예상 가능하며 따라서 조용한 대응방안도 한가지 방법일 수 있으나, 아측으로서는 대 중국 설득을 위해 EC 에 의한 공동입장 표명이 효과적일 것으로 생각한다는 점을 강조하고, 영측이 이를 유념해줄 것을 요망했으며, COLES 부차관도 이를 유념하겠다고 말함. 끝

(대사 이홍구-장관)

예고: 91.12.31. 일반 검토필(1991. 6. 30.)

국기국 장관 차관 1차보 2차보 구주국 청와대 안기부

PAGE 1 91.05.22 05:55

외신 2과 통제관 BS

0111

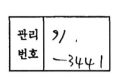

관리 번호 91-508

외 무 부

종 별 :

번 호 : UKW-1128 일 시 : 91 0522 1700

수 신 : 장관(구일,국연,통이,동구이)

발 신 : 주 영 대사

제 목 : 국회의장 방영

1. 당지를 방문중인 박준규 국회의장은 5.22(수) 허드 외상과 면담한바, 요지 아래와 같음.(본직, 최운지, 유승번의원 동석)

가. 박의장은 고르바쵸프 대통령 만담시 동 대통령이 먼저 아국의 유엔가입 문제를 거론하고 UNIVERSALITY 원칙에 의거한 한국의 유엔가입 지지입장을 분명히 했으며, 소련으로서는 동아시아의 안정을 저해하는 어떠한 기도에도 반대한다는 입장을 강조했다고 밝힘.

나. 허드외상은 자신도 최근 중국 외상과의 면담시 한국 유엔가입 문제를 거론했으며, 영국은 남북한 동시가입을 지지하고, 북한이 이에 불응할 경우 한국의 단독가입을 지지한다는 입장을 표명한바, 중국측은 어떠한 확고한 반응을 보이지 않았으나 적대적인 태도를 취하지는 않았다고 밝히고 앞으로 귀추를 주목해 볼만한 것으로 본다고 말.

다. 허드외상은 또한 한. 영 양국관계에 관하여 위스키, 저작소유권등 현안이 있으나 이러한 현안이 어떠한 문제라기 보다는 양국관계에 있어 기회를 의미하는 것으로 본다고 밝힘.

라. 허드외상은 걸프전과 관련한 한국정부의 지원에 깊이 감사한다는 입장을 재삼 강조함.

마. 허드외상은 또한 최근 아국 국내 정세에 관심을 표명하면서 박의장은 국내 실정에 관해 상세히 설명해 주었음.

2. 국회의장 일행은 5.23(목) 하원의장 초청오찬 참석 및 PETER BROOKE 북아일랜드 담당장관을 면담하고 ,16:45 BD-131 편 더블린 향발 예정임.끝

(대사 이홍구-국장)

예고:91.12.31 일반 검토필(1991.6.30.)

구주국 차관 1차보 2차보 구주국 국기국 통상국 청와대 안기부

PAGE 1 91.05.23 05:56

외신 2과 통제관 CF

0112

관리 번호 91-3912

외 무 부

종 별 :

번 호 : UKW-1274 일 시 : 91 0618 1600

수 신 : 장관(국연,구일,국기,아이,아일,통삼)

발 신 : 주 영 대사

제 목 : 외무성 부차관 면담

대: WUK-1004,1007

연: UKW-1148,1237

1. 본직은 6.17(월) SIR.JOHN COLES 외무성 부차관을 면담, 북한이 유엔에 가입할 의사를 발표하기 까지 영국정부가 보여준 협조에 대한 아국정부의 깊은 사의를 전달하고, 영측의 지속적인 지원을 당부함.

2. COLES 부차관은 남북한이 가입절차에 있어 협조할 가능성이 있는지에 관심을 표명하여 본직은 아측으로서는 적극 협조할 방침이며, 북한이 이에 호응해 오기를 기대하고 있음을 설명함.

3. 본직은 또한 G-7 정상회담시 한국문제가 대호(1077)에 따라 의장 성명중에 적절히 반영되도록 협조해 줄 것을 요망한 바, 동 부차관은 필요한 조치가 진행되고 있다고 말함.

4. CLOSE 부차관은 최근 홍콩문제를 위요한 영. 중 관계에 관해서 영측으로서는 현재 거론되고 있는 문제가 단순한 신공항건설 문제라기 보다는 중국의 홍콩에 대한 정치적 위상에 관한 문제로 보고 홍콩 반환후에도 최대한의 자치체제가 확보될 수 있도록 노력하고 있다고 설명함.

5. CLOSE 부차관은 또한 최근 크레송 불 수상의 통상문제와 관련한 대일 강경자세에 언급하고, 영국으로서도 수년전에는 그러한 자세에 호응할 수 있었을 것이나 일본과의 정치적 협력에 관한 원칙적 양해가 확립된 현재로서는 일본의 투자를 최대한 환영하고, 통상에 관해서도 특별한 문제를 제기하지 않는다는 입장이라고 설명함. 끝

(대사 이홍구-국장)

19 91. 12. 31. 에 예고문에 의거 일반문서로 재분류 검토필(1991. 6. 30.)

국기국	장관	차관	1차보	2차보	아주국	아주국	구주국	국기국
통상국	분석관	청와대	안기부					

0113

PAGE 1

91.06.19 06:05

외신 2과 통제관 BS

3. 독일

0114

관리번호 91-235

원 본

외 무 부

종 별 : 지 급

번 호 : GEW-0264　　　　일 시 : 91 0131 1930

수 신 : 장관(국연,구일)

발 신 : 주 독 대사

제 목 : 유엔관계

대:WECM-0006

연:GEW-0262

1. 연호 SCHLAGINTWEIT 차관보와의 오찬시 본직은 아국의 유엔가입 추진에 언급, 한국정부는 금년중 유엔가입 실현 방침을 확고히 하고 있다고 하고, 이와관련 중국측의 협조가 긴요한바 주재국의 협조를 촉구함. 이와관련 전기침 중국외상의 독일방문 계획에 관해 문의한바 동차관보는 중국외상의 독일방문은 양정부간 협의중에 있으나 상금 미정 이라하고, 동외상 방독일 실현되면 한국의 유엔가입을 위해 노력함은 물론 계속 아측입장에 적극 협조하겠다고 말함.

2. 동차관보는 이어 중국외상의 독일방문이 실현되어도 그시기는 바이체커 대통령 방한기간 이후가 될것으로 본다고 말하고 필요한 경우 아국 방문시 이문제를 협의함도 좋겠다고 언급함.

(대사-국장)

예고:91.12.31 일반 (일반문서로 재분류됨)

검토필(91.6.30.)

국기국　차관　1차보　구주국　청와대　안기부

PAGE 1

91.02.01 08:00
외신 2과 통제관 FE

0115

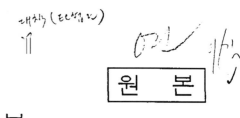

관리 번호	91 -547

원 본

외 무 부

종 별 :

번 호 : UNW-0460 일 시 : 91 0226 2030

수 신 : 장관(국연,구일,기정)(사본:노창희대사)

발 신 : 주 유엔 대사

제 목 : 주유엔 독일대사 접촉

본직은 금 2.26 RANTZAU 신임 주유엔 독일대사를 접촉, 아국의 유엔가입 문제를 중심으로 의견을 교환하였는바, 동 요지를 아래와같이 보고함.

1. 본직은 우선 RANTZAU 대사에게 본직의 이임을 알린후 금번 바이체커 독일 대통령의 방한이 상징하고 있는 한-독 양국의 깊은 유대속에 양국대표부가 앞으로도 계속 상호 긴밀한 협조를 유지해 나가자고 말한후 후임 노대사를 사전 소개하였음.

2. 이어 본직은 동대사가 최근 주유엔대사로 부임하였음을 고려하여 유엔가입문제에 대한 아국의 입장을 북한측 주장과 대비, 구체적으로 설명해준후, 그간남-북 고위급회담을 통한 아국의 성의있는 대북한 설득노력에도 불구하고 북한이 일방적으로 대화를 중단함에따라 아국으로서는 46 차 총회를 앞두고 우선 아국의 선 단독가입을 추진키로 하였음을 알려주고 독일의 적극적인 지원을 요청하였음. 이와관련, 본직은 독일이 분단국으로서 동.서독이 유엔에 동시가입한후 통일을 이룩한 선례를 보인만큼, 독일의 아국입장 지지는 북한주장의 허구성에 대한 가장 설득력있는 반증이 될것이라는 점을 강조하였음.

3. 이에대해 RANTZAU 대사는 한-독 양국의 전통적인 우호관계는 특히 같은 분단국으로서 상호이해가 타국과의 관계에서 볼수없는 또하나의 기초위에 서왔다고 하면서 한국의 국제적인 지위향상에 따라 이러한 유대가 더욱 강화될것이라고말함. 동 대사는 이어 유엔가입문제에 관한 본직의 자세한 설명에 감사한다고 하면서 독일은 지금까지와 같이 한국정부의 입장을 전적으로 지지하며 한국의 선가입 신청시 모든 지원을 제공할것이라고 말함. 북한의 단일의석 가입안에 대해 동 대사는 동 방안이 비현실적이라는 것은 더이상의 설명이 필요없는 것이라고 하면서 독일의 경험으로 보더라도 동시가입이 가장 현실적인 해결방안임에도 불구하고 북한이 이를 거부하고 있는것은 유감이라고 말함.

국기국 장관 차관 1차보 2차보 구주국 국기국 청와대 안기부

PAGE 1

91.02.27 11:23

외신 2과 통제관 BW

0116

4. 본직은 이와관련 최근 북한의 대서방 유엔대표부 접근시도를 설명하면서독일대표부에 대해서도 접촉시도가 있을것으로 예상되는바, 이경우 아국으로서는 독일측이 북한의 접촉요구에 응하는 자체에 반대할 의사는 없으나, 접촉목적을 사전에 분명히 하면서 이 기회에 아국의 선가입에 대한 독일의 확고한 지지입장을 북한에 알려줌과 동시 동시가입 수락을 촉구하여 줄것과 접촉 사전및 사후에 아국과 협조하여 줄것을 요청하였음. 이에대해 동 대사는 아직까지 유엔에서 북한으로 부터 접촉 요청이 없으나 요청이 있는경우 아국의 요망을 유념하여 이에따르도록 하겠으며 특히 독일의 경험에 비추어 동시가입이 결코 통일에 대한 장애가 아니라 오히려 이를 촉진하는 계기가 될것임을 분명히 설명해 주겠다고 말함.

5. 동 대사는 아국의 유엔가입에 대한 중국의 입장을 물어온바, 본직은 아국이 작년도에 가입신청을 제출하지 않았다는 점을 중국이 평가하고 있으며 최근에 와서는 중국 고위급 접촉에서 북한에 대해 동시가입에 대한 긍정적인 검토요구를 시사하는등 다소의 태도변화를 보이고 있다고 말하고 한-소 수교에따른 소련의 불반대입장과 다수 비상임이사국의 대 아국지지에 따라 중국도 아국의 유엔가입에 대한 입장을 재고하지 않을수 없을것으로 본다고 설명함. 이어 본직이 통일독일의 유엔내 위상으로 보아 아국의 유엔가입과 관련 독일에 대한 아국의 기대가 크다고 말하고 독일이 대중국 접촉을 통해 중국의 입장 변경을 촉구해 주기를 요망하였는바, RANTZAN 대사는 자신으로서는 유엔내의 압도적인 한국입장 지지 분위기는 물론 동시가입이 중국이 바라는 한반도 안정에 기여할 것이라는 점에서도 중국이 한국의 선가입에 반대할 이유가 없는것으로 본다고 말함. 끝

(대사 현홍주-차관)

예고:91.12.31. 일반

검토필(1991.6.30) [signature]

관리 번호	91 -681

	분류번호	보존기간

발 신 전 보

번 호 : WGE-0386 910311 1853 FD 종별 :

수 신 : 주 독 대사.총영사 (사본 : 주유엔대사대리) WUN-0490

발 신 : 장 관 (국연)

제 목 : 유엔가입추진

연 : EM-0007

1. 연호 관련, 1973. 유엔동시가입후 통일을 이룩한 귀주재국의 남북한 유엔가입문제에 대한 적극적이고 공개적인 입장표명(동시가입 지지, 북한이 원하지 않으면 한국 선가입 지지)은 우리의 가입추진 노력에 크게 도움이 될 것으로 보이며 특히 중국 및 소련에 대해서도 긍정적인 영향을 미칠것으로 보임.(이는 특히 미국등 우방국의 공통된 견해임)

2. 우리의 금년내 유엔가입 실현에 있어 귀주재국의 적극적인 협조와 지원이 긴요한 바, 귀관은 주재국의 협조 확보에 최선의 노력을 경주하기 바라며, 특히 금후 Genscher 외상이 이 문제에 대한 개인적인 관심은 물론, 대중.소 영향력행사 확보차원에서도 협조, 기여토록 적극 노력하고, 결과 수시보고 바람.

끝.

예 고 : 1991.12.31. 에 일반문에 의거 일반문서로 재분류됨

검토필(1991.6.30.)

(장 관)

보안 통제	

앙 고 재	91년 3월 11일	유엔과	기안자 성명		과 장		국 장	1차보	차 관	장 관		외신과통제
								출장중				

0118

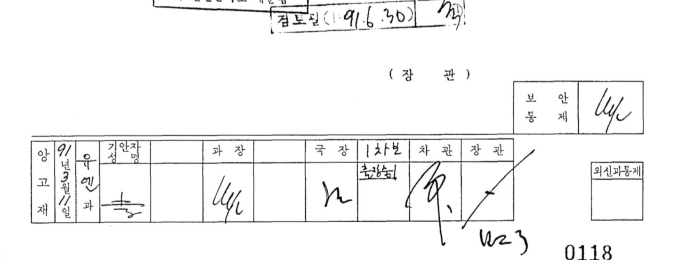

관리 번호	91 -759

원 본

외 무 부

종 별 : 지 급

번 호 : GEW-0640

일 시 : 91 0314 0900

수 신 : 장관(국연,구일).

발 신 : 주 독 대사

제 목 : UN 가입교섭

대:WGE-0386

본직은 3.13. 외무부 KASTRUP 차관을 면담(안공사및 ZIMMERMANN 동아부국장(중국담당) 배석)한바, 아래 보고함

1. 본직은 KASTURP 차관의 신임축하에 이어 바이체커 대통령의 성공적인 방한성과와 이를 위한 외무성의 적극적 지원에 사의를 표한바, 동 차관은 독일정부도 이번 방한이 한.독 협력의 주요 계기를 마련하였으며 큰 성과를 이룩한데 대해 대단히 만족하고 있으며 당공관의 지원에 사의를 표함

2. 본직은 이어서 방한시 양정상간 그리고 부총리및 외무부장관등 정부요인면담시 바이체커 대통령이 우리의 특별한 관심사항인 UN 가입에 대하여 지지발언을 해준것은 우리에게 큰 격려와 고무를 주었음을 말하고 UN 가입문제는 금년도 우리외교정책의 최우선 과제임을 알림

3. 본직은 이어서 국제사회에서 UN 의 역할과 기능이 강화되고 있고 또한 UN 의 보편성원칙에 비추어 우리의 UN 가입의 당위성이 있으며 현재 국제사회의 분위기가 우리의 UN 가입을 지지하고 있음을 설명함. 아울러 UN 동시가입에 대한북한측입장, 특히 단일의석 가입안의 UN 헌장위배 그리고 분단고착화 이론의 허구성을 상세히 설명함. 아울러 UN 가입문제는 남.북한간의 협의사항이 아니고가입희망국과 UN 간의 문제임을 분명히하고 금년도 UN 가입을 위한 우리의 확고한 의지를 설명함.

4. 이어서 우리의 UN 가입에 있어 안보리 상임이사국의 지지가 불가결한바 이와관련 특히 소련과 중공의 태도가 중요함을 설명함. 소련의 경우 90.9. 한.소 수교이후 우리입장을 지지하는 방향으로 나가고 있으며, 중국의 경우 명확치는 않으나 점차적으로 우리의 UN 가입을 지지하는 국제사회의 분위기를 감지하고있는것으로 이해됨을 설명하고, 이와관련 독일을 포함한 우방의 적극적지원이 무엇보다 중요함을

국기국 장관 차관 1차보 구주국 청와대 안기부

91.03.14 19:19

외신 2과 통제관 BA

0119

강조함

5. 특히 독일의 경우 과거 동.서독이 UN 에 동시가입했던 경험이 있고 따라서 분단국의 UN 동시가입이 통일의 방해가 되지않음을 입증한 실례를 마련하였으며, 동.서 진연화해의 큰역활을 담당하고 있고, 또한 독일통일후 국제적 위상이 높아졌으며 EC 에서의 중요위치등에 비추어서 독일의 대쏘, 대중국 영향력에 기대한바가 크다는 점을 강조함.

6. 아울러 최장수 외무장관의 한사람인 GENSCHER 외무장관의 국제적 명성과영향력에 비추어서도 적극적인 지원이 중요함을 강조하고, 소련의 보다 적극적인 태도는 앞으로 중국의 태도에도 영향을 미칠것으로 전망되므로, 겐셔 외상의 방쏘(3.18.)시는 물론, 중국과의 접촉시(중국외상등 요인 방독 또는 북경주재 공관등 주요 재외공관을 통하여)에도 계속하여 영향력 행사를 당부함

7. 본직은 지금까지의 독일정부의 지지와 지원에 이어서 금년도에는 더욱더활발하고 적극적인(ACTIVE, POSITIVE AND OPEN)지지를 요청한바, 동차관은 상세한 설명에 이해를 표시하고 아국의 UN 가입 관련하여는 소련과 중국의 태도가 중요하다는데 의견을 같이하면서 독일이 할수있는 가능한 모든지원을 다할것임을다짐한다고 말함. 끝

(대사-장관)

예고:91.12.31.에 일반 고문에 의거 인반문서로 재분됨

(1:91.6.30.)

PAGE 2

0120

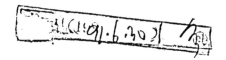

관리 번호	91 -184

원 본

외 무 부

종 별 :

번 호 : GEW-0647 일 시 : 91 0315 1030

수 신 : 장관(국연,구일)

발 신 : 주 독 대사

제 목 : UN 가입문제

연:GEW-0640

대:WGE-0386

1.3.14. 안공사는 SCHEEL 동아국장을 면담, 3.13. 의 본직의 KARTROP 차관면담 배석 내용을 설명하고, 이어서 이문제와 관련한 지역국의 지원을 당부한바,동국장은 아국의 유엔가입문제는 충분히 파악하고 있으며, 가능한 지원을 다하겠다고 말함. 동국장은 한국의 유엔가입문제는 중공의 태도가 관건인 것으로 생각하며, 중공이 아직까지 유엔안보리에서 단독으로는 거부권을 행사한바 없는 것으로 아는바, 여타 상임이사국이 동조가 없는한 단독거부권 행사보다는 기권방향으로 나갈것으로 본다고 언급함

2. 또한 3.14. 전참사관은 외무부 STACKELBERG 유엔국장대리를 방문, 상기문제에 관하여 유엔국의 협조를 요청한바 지역국과의 협의 가능한 협조를 하겠다고 말함. 이와관련 동국장대리는 최근 포르투갈측으로부터 들은바에 의하면 전기침 중국외상이 포르투갈 방문시 한국의 유엔가입문제와 관련 "한국의 유엔가입문제는 중요문제(MAJOR ISSUE)가 될수 없으며 교섭가능한(NEGOTIABLE)문제" 라 언급한 것으로 안다고 말하고 중국측의 구체적인 태도 변화가 있는지 문의함. 아울러 한국의 유엔가입추진을 위해 유엔에서 한국과 우방제국간에 WORKING GROUP 구성문제가 협의되고 있는지도 문의하였음. 이에 관하여는 본부로부터 통보받는대로 알려주기로 하였음. 끝

(대사-국장)

예고:91.12.31 일반 문에 의거 인반문서로 재분류

검토필(91.6.30)

국기국	차관	1차보	구주국	청와대	안기부

PAGE 1

91.03.15 21:03

외신 2과 통제관 BW

0121

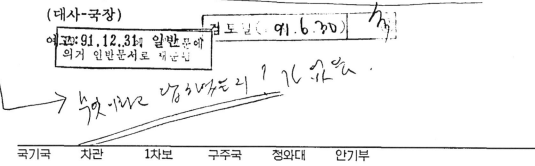

관리 번호	91-779

	분류번호	보존기간

발 신 전 보

번 호 : WGE-0417 910316 1511 FK 종별 :

수 신 : 주 독 대사. 총영사

발 신 : 장 관 (국연)

제 목 : 유엔가입 추진

대 : GEW-0647

연 : EM-0005

1. 대호 귀주재국측의 중국 입장 문의관련, ~~금후 여사한 문의가 있을 경우~~ 연호내용(중국 태도변화 설명요지)을 ~~적극 활용하기 바람.~~ 에 따라 적의 설명하였는지 여부 보고 바람

2. 아울러 유엔가입 문제관련 유엔내 핵심우방국(Core Group) 회의관련, 주재국측의 문의가 단순한 관심표명인지 또는 우리가 요청할 경우 독일도 참여하길 희망하는 것인지 ~~즉속~~ 적의 탐문후 귀관 판단과 함께 보고바람.

3. 현재 CG 회의는 미, 영, 불, 일, 카나다, 벨지움 및 아국이 참가 7개국 ~~으로서~~ 운영되고 있는 바, 귀주재국 참여문제는 귀관 보고를 접수한 후 적절한 기회에 동 회의 ~~멤버~~ 참석국들과 협의, 검토 ~~해 나가고자 하니~~ 하여야할 사안인바, 우선 귀관 참고로만 하기바람. 끝.

예 고 19 1991.12.31. 일반문에 의거 인반문서로 재분류됨

검토필 (91.6.30)

(국제기구조약국장 문동석)

구주3과장

	보 안 통 제	

앙 고 재	91년 3월 16일	유 엔 과	기안자 성명		과 장		국 장		차 관	장 관
			김		(서명)		전결			(서명)

외신과통제

0122

관리번호	91-818

원 본

외 무 부

종 별 : 지 급

번 호 : GEW-0665 일 시 : 91 0318 1800

수 신 : 장관(국연)

발 신 : 주 독 대사

제 목 : 유엔가입추진

대:EM-0005(1), WGE-0417(2)

연:GEW-0640, 0647

1. 대호(2)건 안공사는 본직과 KASTRUP 차관과의 면담내용을 설명하면서, 대호(1) 최근 중국측의 태도변화 내용을 설명하였음

2. 또한 전참사관 면담시, STACKELBERG 유엔국장 대리는 최근 중국측의 태도변화에 관한 설명을 듣고 전기침 외상의 폴뉴갈 방문시 발언내용을 언급하면서중국측의 태도변화에 관한 구체적 사례에 관해 문의한 것임.끝

(대사-국장)

예고:91.12.31. 일반

19 . . . 에 예고문에 의거 일반문서로 재분류됨

검토필(1991.6.30.)

국기국 차관 1차보 구주국

PAGE 1

91.03.19 06:09

외신 2과 통제관 CA

0123

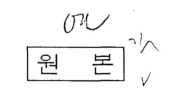

관리번호	91-838

원 본

외 무 부

종 별 :

번 호 : GEW-0670 일 시 : 91 0319 1130

수 신 : 장관(국연,구일)

발 신 : 주 독 대사

제 목 : 유엔가입 교섭

대:WGE-0386

연:GEW-0640

본직은 3.18. 외무성 SCHLAGINWEIT 차관보를 면담한바(안공사 배석) 아래 보고함

1. 본직은 금년 우리외교의 최우선 목표가 UN 가입임을 말하고, UN 가입에 관한 UN 회원국의 지지분위기, 북한의 단일의석 가입안의 헌장 위배, 동시가입의분단영구화 주장의 허구성을 설명함. 이어서 대호 소련과 중국의 태도를 설명하고, 이와관련 중요 우방인 독일의 협조가 대단히 중요한바, 적극적인 지원을 당부함

2. 이에 대하여 동 차관보는 우리의 UN 가입이 조속히 실현되기를 바라며 가능한 지원을 다하겠다고 말함. 이어서 북한측의 단일의석 가입안은 억지주장이며 동시가입의 분단영구화 주장은 과거 동.서독의 예에 비추어 설득력이 없는것이라고 말함. 다만 동맹국이 별로없는 중국으로서 북한에게 큰 타격을 주기를 주저하고 있는 것으로 생각되므로 중국의 태도가 중요하다고 말함.

3. 이에 대하여 본직은 우리의 외교목표는 단독가입이 아닌 남. 북한 UN 동시가입임을 설명하고, 다만 북한이 우리의 UN 가입을 반대한다고 해서 우리가 UN가입을 할수 없다면 이는 결국 북한에게 우리의 UN 가입 거부권을 주는 것과 같은 것임을 설명함.

이어서 한국이 먼저 UN 에가입하면 북한도 따라서 가입할 것으로 보이며 이는 동북아지역 안보에 기여하게 됨을 강조함. 또한 우리의 UN 가입목표는 이와같은 미래지향적이고 평화지향적임을 우방국인 독일이 모든 역량을 다 동원하여 중국측에게 강력히 설득력있게 전달하여 줄것을 당부한바, 동차관보는 독일정부로서 최선을 다하겠다고 말함. 끝

(대사-장관)

국기국 장관 차관 1차보 2차보 구주국 청와대 안기부

PAGE 1 91.03.19 21:03

외신 2과 통제관 CH

0124

예고1991.12.31에 일반고문에
의거 인반문서로 재분됨

검토필(1998. 6. 30)

PAGE 2

0125

관리 번호 91-2203

원 본

외 무 부

종 별 :

번 호 : GEW-0797 일 시 : 91 0409 1230

수 신 : 장관(국연,구일) 사본:주유엔대사-필

발 신 : 주 독 대사

제 목 : 유엔가입교섭

연:GEW-0640,0670

대:EM-0009

1. 표제건과 관련 본직은 연호와 같이 외무부 KASTRUP 차관및 SCHLAGINTWEIT 차관보를 면담한데 이어 4.4.ZELLER 아주총국장을 면담, 아국의 유엔가입을 연내에 실현코자하는 정부의 확고한 의지를 설명하고, 이를 위해 독일정부의 능동적이고 적극적이며, 공개적인(ACTIVE, POSITIVE AND OPEN)지지가 특히 중요함을 강조하였음. 아울러 아국의 유엔가입실현을 위하여는 소련및 중국정부의 태도가 주요함으로 동정부측에 대한 적극적인 영향력 행사도 요청하였음

2. 이에 대하여 동총국장은 아국의 유엔가입을 적극지지함이 독일정부의 기본 입장이라 밝히고 이를 위한 구체안을 상부와 협의, 그결과를 아측에 알리겠다고 약속한바 있음

3. 금 4.9. 외무부 ZIMMERMAN 아주 총국장대리(ZELLER 총국장은 미.독 정책협의차 4.7-12. 워싱톤 출장)는, 아국의 유엔가입을 적극적이고 공개적으로 지지키로 상부의 재가를 득하였다고 본직에 통보하여 왔음. 또한 본건관련, 주재국 외무부는 주중대사관등 주요재외공관에 대한 훈령을 곧(IN NEAR FUTURE)하달할 예정이며, 동진전사항을 수시 당관에 알리겠다고 말하였음.

4. 본건 계속 접촉 상세한 추신현황 추보위계임

(대사-차관)

예고:91.12.31 일반 예고문에 의거 인반문서로 재분됨

검토필(1991.6.30)

국기국 장관 차관 1차보 2차보 구주국 청와대 안기부

PAGE 1

91.04.10 00:50

외신 2과 통제관 CF

0126

관리 번호 91-2329

원 본

외 무 부

종 별 :

번 호 : GEW-0829 일 시 : 91 0411 1700

수 신 : 장관(국연,구일) 사본:주유엔대사

발 신 : 주 독 대사

제 목 : 유엔가입문제 정부각서

대:EM-9, 11, 13

연:GEW-0797

1. 표제건과 관련, 4.8. 당관 전 참사관은 외무부 한국과장 대리를 방문, 동각서를 수교하고 배경설명을 하였음

2. 또한 4.10. 안공사는 SCHEEL 동아국장을 오찬에 초청, 동 각서내용을 설명하고, 주재국정부의 적극적인 협조를 재차 요청한바, 동국장은 주재국은 남. 북한의 유엔 동시가입을 적극 지지하겠으며, 북한이 불응함으로서 한국이 단독가입을 신청하는 경우에도 이를 적극 지지하겠다고 밝혔음

3. 동국장은 이어 한국의 유엔가입 실현을 위하여는 중국의 태도가 중요하다고 부언하고 현재 중국이 천안문사태로 초래된 국제적 고립상태에서 탈피하기 위해 대외관계의 증진을 모색하고 있으나, 외교문제에 있어서는 민감한 자세를 취하고 있으므로 조심스러운 접촉이 필요한 상황이라고 언급함. 독일정부로서는 가능한 제반 외교경로를 통하여 중국정부의 입장을 타진코자하며 진전사항 수시 아측에 알리겠다고 말하였음

(대사-국장)

예고:1991.12.31 에 일반고문에 의거 인반문서로 재분류됨

검토필(1991.6.30)

국기국 장관 차관 1차보 2차보 구주국 청와대 안기부

PAGE 1

91.04.12 07:14

외신 2과 통제관 FE

0127

관리 번호 91-2484

원 본

외 무 부

종 별 :

번 호 : UNW-0948　　　　일 시 : 91 0417 0930

수 신 : 장관 (국연,서구일,기정)

발 신 : 주 유엔 대사

제 목 : 주유엔 독일대사 면담

1. 본직은 4.16(화) RANTZAU 독일대사를 면담, 아국의 유엔가입 노력을 설명하고 특히 독일이 유엔문제와 관련, 중국, 소련에 대하여 가지고있는 영향력을발휘하여 독일측의 적극 협조를 요청하였음.

2. 동대사는 아국의 유엔가입 적극지지를 다짐하면서 자신의 전망으로는 소련은 물론 중국도 결국 아국의 가입을 반대하지 않을것으로 본다고 말하였음. 동대사는 금일 본부로 부터 받은 전보에 의하면 수일전 (지난 주말경으로 추정된다함) 주중국 독일대사관 정무과장이 중국 외교부 담당 참사관을 면담하였을때 중국 담당관은 사견임을 전제로 아래와 같이 언급하였다함. (동대사는 전문을 가지고 본직앞에서 번역하면서 낭독하여 주었으나 중국 참사관의 성명은 기록되어 있지 아니하다함)

가. 중국은 남북한이 합의하여 동시가입 하는것이 가장 좋은 해결방법으로 봄.

나. 그러나 남북한 합의 가능성이 희박하다고 보고있으며 이런 상황에서 남한이 단독으로 가입신청을 할것이며 이경우 안보리 4 개 상임이사국을 포함한 100여개국 이상이 남한의 가입을 지지하고 있는 상황에서 중국이 반대하기는 사실상 어려울것으로 봄.

다. 북한의 입장에서도 이번에 동시가입을 하지않고 남한이 먼저 가입한후 추후 가입을 하고자 하면 필요한 지지를 얻기위하여 별도의 부담을 지니게 되는것임을 인식하고 있다고 봄.

라. 북한이 현재 강경입장을 고수하고 있는것은 대남 교섭상 어떠한 이익 (ADVANTAGE)을 고려하고 있는것으로 봄.

4. 동대사는 주중국 독일대사관에서 중국담당관이 비록 사견이라고 전제하였지만 중국 외교부의 내면적 인식 (FEELING)을 반영하는 것으로 본다는 평가를 덧붙여 보고하여 왔다고함.

국기국　장관　차관　1차보　2차보　구주국　청와대　안기부

PAGE 1　　　　91.04.18 01:19

외신 2과 통제관 CA

0128

5. 동대사는 상기 반응이 지금까지 중국측으로 부터 받은 반응중 가장 긍정적인 반응 (POSITIVE SIGNAL) 이며 상당한 근거가 있는것으로 믿는다고 말하였음.

6. 이에대하여 본직은 아국이 독일의 예에 따라 유엔가입문제, 통일문제에 접근하고 있다고 하면서 동대사에게 아국 유엔가입문제에 대한 지속적 관심과 적극적 협조를 요망하였던바, 동대사는 흔쾌히 공감을 표시하였음. 끝

(대사 노창희-차관)

예고:91.12.31 일반 고문에 의거 인반문서로 재분됨

검토필(1991.6.30)

PAGE 2

0129

관리 번호	91-2632

원 본

외 무 부

종 별 :

번 호 : GEW-0895 일 시 : 91 0422 1230

수 신 : 장관(국연,구일,주독대사),사본:주유엔대사(중계필)

발 신 : 주 독 대사대리

제 목 : 한국유엔가입

연:GEW-0829

4.22. 안공사는 외무부 DR.SCHEEL 동아국장을 면담한바 아래보고함

1. 최근 주중국 독일대사관의 보고에 의하면 한국의 유엔가입문제와 관련 중국 외교부관계관을 접촉한바, 동관계관의 개인적인 의견을 아래와 같은바 특히대외보안에 각별히 유의할 것으로 당부함

가. 동 관계관은 한국의 유엔가입문제에 관하여는 총회의 대다수회원국이 이를 지지하고 있음에 비추어, 상임이사국인 중국이 거부권을 행사할 것인지는 아직 미정임.

나. 중국은 결국에 가서는 한국의 유엔가입을 반대하기는 어려울 것이나, 다만 금년도 한국의 유엔가입에 대한 중국의 태도는 아직 미정임

2. 이어서 동국장은 이미 중국이 북한에 대하여 단일의석 가입안이 비현실적이라는 의견을 전달한바 있다고 말하고, 북한이 남. 북한 유엔가입에 결국 찬성하게 될 가능성을 전혀 배제할수 없다고 말함. 이어서 동국증은 중국의 태도 추이에 관하여는 추후 입수되는대로 계속 알려주겠다고 함. 끝

(대사대리-국장)

예고:1991.12.31.에 일반 예고문에 의거 일반문서로 재분됨

검토필(1991.6.30)

국기국	장관	차관	1차보	2차보	구주국	구주국	청와대	안기부

PAGE 1

91.04.22 22:31

외신 2과 통제관 CE

0130

관리번호 91-2964

주 독 대 사 관

1991. 4.30.

주독(정) 01224-36

수 신 : 장 관

참 조 : 국제기구조약국장

제 목 : 유엔가입문제 관련자료 송부

91년도 재외 공관장회의를 위해 당관이 작성한 아국의 유엔가입문제 관련 자료를 송부하오니 업무에 참고하시기 바랍니다.

첨 부 : 동 자료. 끝.

예 고 : 1991.12.31. 일반문에 의거 인반문서로 재분됨

검토필(1991.6.30)

발송 1991.4.30 주독일대사관

			결재(공람)	
접수일시 1991. 5. 3	240			
처리과				

주 독 대 사

0131

유엔가입 문제

1. UN 가입을 위한 활동방향

가. 한국의 유엔가입 문제는 남·북한간의 문제가 아니며, 아시아에서 중요한 위치를 차지하고 있는 한국이 유엔에 가입함은 당연하다는 점을 부각, 확산시킴이 가장 중요함.

나. 한국의 유엔가입 지지를 국제적으로 확산시킴으로써 결과적으로 중국에 대해 간접적으로 압력을 가하는 것이 좋은 방법으로 봄.

다. 특히 한국으로서는 북한과 대결한다는 인상을 줌은 피하여야 할 것인바, 한국이 유엔에 단독 가입하려는 것이 아니라 유엔에 북한과 동시가입코자 한다는 점을 부각하여 강조하여야 할 것임.

라. 이에따라 최후순간까지 대 북한 대화를 계속하되, 부득이 단독가입을 신청하는 경우에도 유엔에 신청서를 내기전 북한에 이를 사전 통보하고 이를 홍보하는 방법이 좋을것임.

2. 주재국의 입장과 중간평가(4.4 Zeller 아주총국장 발언)

- 한국의 유엔가입 당위성을 전적으로 이해하고 이를 지지
- 바이체커 대통령 방한시에도 아국의 유엔가입 지지 표명
- 중국 및 쏘련의 태도에 관한 평가 및 설득방안에 대한 작업을 진행중
- 중국은 현재 아국이 단독가입을 신청하는 경우, 반대와 기권하는 방안의 중간선에 있는것으로 보임.

0132

(4.10 Dr. Scheel 동아국장 면담시 발언)

- 독일은 남·북한의 유엔 동시가입을 위하여 적극 지원할 것임. 그러나 북한이 이에 불응하여 한국이 단독가입 신청하는 경우에도 적극 지원코자 함.

- 고르바쵸프 쏘련 대통령 및 그 측근은 북한의 노선에 불만을 가지고 있어 한국의 유엔가입을 지지할 것으로 생각함.

- 한국의 유엔가입의 걸림돌은 중국의 태도인바, 중국은 70년대초 인·파 분쟁관련 방글라데시의 유엔가입 신청시 거부권을 행사한 바 있으나, 중국은 거부권의 단독행사를 기피하는 경향인 것으로 파악되고 있음.

- 중국은 천안문 사태 이후 외교적 고립상태에서 탈퇴, 서서히 서방국가와 관계개선을 모색하고 있으며, 외교문제와 관련 민감한 반응을 보이고 있어 조심스럽게 대 중국 접촉을 시도하고 있음.

- 중국의 조약상 유일한 동맹국은 북한뿐임.

- 중국은 한국과의 관계증진 및 나아가서 외교관계도 수립하고자 할 것이나, 이것과 유엔가입문제는 별개의 문제일 것임.

- 중국은 북한의 단일의석 가입안은 비현실적인 것이라는 태도를 표명한 바 있는 것으로 듣고 있음.

- 독일은 당지 중국대사관, 북경 주재 독일대사관을 통하여 중국의 태도를 조심스럽게 타진하고자 하며, 5.12 중국 외교부 "지양 엔 쥬" 차관보 (구주담당 총국장)가 방독 예정인 바, 이 기회에 한국의 유엔가입에 관한 중국의 태도를 타진하고자 함.

0133

3. 유엔가입 실현을 위해 검토 가능한 조치

1) 유엔 사무총장 명의로 유엔 미가입 전국가에 대해 유엔가입을 공식으로 촉구하는 방안

2) 전체 안보리 상임 이사국(혹은 가능한 국가)이 미가입 국가를 대상으로 유엔가입을 촉구하는 방안

3) 남·북한과 동시 외교관계를 가지고 있는 주요국가가 공동명의로, 남·북한의 유엔가입을 발의하는 방안

4) 안보리 상임이사국(중공 제외) 공동명의로 아국의 유엔가입을 초청하는 방안

5) 유엔 사무총장이 북한에게만 유엔가입을 촉구하는 방안
   - 북한이 유엔에 가입하는 경우, 한국동란시 유엔의 북한에 대한 침략자 결의를 소멸시키는 방법 제시 고려
   - 북한의 가입명분 제공

4. 중국 및 북한에 대한 가능한 설득방안

1) 미·영·불 등 상임이사국을 통한 중국 설득
   - 중국이 한국가입 신청에 대해 거부권을 행사하면 국제사회에서 고립됨을 강조, 최소한 기권할 것을 종용함.
   - 아울러 한국의 유엔가입 신청에도 불구하고 북한이 가입을 신청하지 않고 한국의 유엔 단독가입이 실현된후 추후가입을 신청하는 경우, 미·영·불 등이 거부권을 행사할 수도 있음을 지적, 금년도 동시 가입 하도록 북한을 설득케 함.

2) 중국과 관계를 가지고 있는 주요국가(인도, 멕시코, 브라질 등)가 중국을 설득케 함.

0134

3) 쏘련으로 하여금 북한 설득 요청

- 한국의 가입신청에 대해 중공이 ▨권할 가능성이 있음을 들어, 북한이
동시가입에 동의토록 설득

- 금번 기회에 북한이 가입치 않고 추후 단독가입을 신청하는 경우,
미·영·불 등의 거부권 행사로 북한에 불리한 결과가 초래될 수도
있음을 강조

5. 기타 측면지원

독일을 포함한 유엔 안보리 이사국이 아닌 국가가 유엔 및 안보리에 대해
남·북한 유엔 동시가입(북한이 불응하는 경우는 결과적으로 한국 단독가입)을
실현시키도록 촉구하는 방안

※ 참고자료 : Genscher 장관의 이락 쿠르드족 문제와 관련한, 상임이사국
5개국에 발송한 서한(별첨)

0135

관리 번호 91-2836

원 본

외 무 부

UN

종 별 :

번 호 : GEW-0975 일 시 : 91 0430 1600

수 신 : 장관(국연,구일)

발 신 : 주 독 대사

제 목 : 유엔가입추진

연:GEW-0797

대:WECM-0022

1. 대호관련 외무부 관계관에 의하면 현재로서 중국 외교부의 지양.엔주(JIANG ENZHU) 차관보(서구담당)가 주재국과의 정책협의차 5.9-14. 간 방독, 외무부 SCHLAGINTWEIT 차관보, ZELLER 아주총국장등과의 면담이 예정되어 있다함.

2. 외무부 ZELLER 아주총국장은 5.10. 로 예정된 동차관보를 위한 만찬에 본직을 초청하여 왔는바, 이는 연호 아국의 유엔가입 실현을 위한 협조요청과 관련한 주재국 정부의 배려에서 비롯된 것으로 보임.

(대사-국장)

예고:91.12.31에 일반 문에 의거 일반문서로 재분류됨

검토필(1991.6.30)

국기국 1차보 2차보 구주국

PAGE 1

91.05.01 07:01

외신 2과 통제관 FE

0136

공　　란

공 란

공　　　　란

원 본

관리 번호	91-3004

외 무 부

종 별 :

번 호 : GEW-1013 일 시 : 91 0507 1500

수 신 : 장관(국연,구일) 사본:주유엔대사(중계필)

발 신 : 주 독 대사

제 목 : 유엔가입추진

대:WGE-0690

안공사는 외무성 동아국 DR.SCHEEL 국장과 5.3. 만찬에 이어 5.6. 면담한바 아래보고함

1. 안공사는 대호내용을 설명하고 독.중 정책협의회(5.10 및 5.13.)시 우리의 유엔가입문제를 건론하여 줄것을 요청함. 안공사는 또한 외무부가 IPU 주재국 대표단 활동을 지원한데 대해 사의를 표함

2. 동국장은 안공사의 설명에 공감을 표시하고 남. 북한의 UN 동시가입을 지지하며, 북한이 이를 거부하는 경우 한국의 단독가입을 지지하는 것이 독일의 기본입장임을 전제하고, 이번 독.중 정책협의시 이문제를 거론하겠다고 말함.

가.IPU 명예회장자격으로 IPU 총회(평양, 4.29-5.4.)에 참석한 STERCKEN 하원 외무위원장은 남. 북한 UN 동시 가입을 북한측에 촉구한바 있음

나.STERCKEN 위원장은 5.2. 북경에서(IPU 총회일장와 관련 (639)확인하였는바 보고서상 5.2. 라 함) 중국 외무차관 "티안 젱 페이"를 면담하고 한국의 유엔가입과 관련 중국이 거부권을 행사하지 않도록 촉구하였다 함. 이에 대하여 동 차관은 남. 북한 유엔가입문제는 남. 북한이 합의해서 할일이며 남. 북한이 합의의 길로 가고 있는 것같이 보인다(SEEMS TO BE ON THE WAY TO AN AGREEMENT)는 반응을 보였다 함. 중국의 반응은 분명하지 못한바, 전기 합의의 내용이 무엇인지등은 밝히지 않았다고 함.

4. 독.중 정책협의회 논의 결과는 추보 위계임.끝

(대사-국장)

예고:91.12.31 일반 (문에 의거 일반문서로 재분류) 검토필(1991.6.30)

국기국	장관	차관	1차보	2차보	구주국	청와대	안기부

PAGE 1 91.05.08 07:12

외신 2과 통제관 DO

0140

관리 번호	91-3067

원 본

외 무 부

종 별 :

번 호 : GEW-1031 일 시 : 91 0508 1930

수 신 : 장관(국연,구일) 사본:주 UN 대사

발 신 : 주 독 대사

제 목 : 유엔가입추진

대:WGE-0690(1), WECM-0026(2)

연:GEW-1012, 1013

표제와 관련, 본직은 금 5.8. 외무부 ZELLER 아주총국장과 오찬을 갑이하고협의한반 아래 보고함

1. 본직은 대호(1) 훈령내용을 상세히 설명하고 독.중 정책협의회의에서 독일측이 아국의 입장을 적극 지지함을 분명하고도 강하게 중국측에 설득함이 중요함을 강조하고, 독일측의 최대의 협조를 당부함.

이에 대하여 동총국장은 전적인 공감을 표시하고, 독일정부로서도 적극 협조할 계획이므로 최선을 다하고자하며, 그결과를 알려주겠다고 함

2. 본직은 또한 EC 공동입장 표명과 관련한 대호(2) 훈령내용을 설명하고, EC 정무총국장 회의에서 주재국 정부가 적극 협조해 줄것을 요청한바, 동 총국장은 적극적인 지지를 다짐함

3. 본직은 이어 아국의 유엔가입 추진과 관련한 최근의 중국 동향에 관하여문의한바, 동 총국장은 평양주재 독일이익대표부가 주중 독일대사관을 경유한 보고서 내용을 아래와 같이 알려줌.

가. 금번 IPU 총회시 중국대표단은 독일대표단을 위시한 일부 서방대표단과의 비공식 접촉시, 중국으로서는 남한. 북한의 유엔 동시가입을 바라지만 북한의 반대로 부득이 한국이 단독으로 선가입 신청하는 경우, 중국은 기권의 방향을 취하게 될것이라는 언동을 표시하였다함.

나. 동 총국장은 중국측의 공식대표가 한국의 유엔 단독가입신청에 대해 기권을 비친것은 이번이 처음인 것으로 평가된다고 함

다. 동 총국장은 현시점에 있어 한국의 UN 선가입안이 제기되었을때, 이를

국기국 장관 차관 1차보 2차보 구주국 청와대 안기부

91.05.09 08:40

외신 2과 통제관 FI

0141

지지하는 국제적인 여론에 비추어 중국으로서는 이에 반대하기는 어려울 것으로 생각된다고 말함.

이어 한국의 선가입안이 안보리에서 표결에 부쳐지는 경우, 중국은 동 표결에 참여하지 않기 위하여 안보리 회의에 불참하는 방법도 취할수도 있다고 말함

라. 다만, 독일측 분석에 의하면 앞으로 한국의 유엔가입 문제는 미.중국 관계의 향배에 영향을 받을 가능성이 있다고 말함.

천안문사태 이후 중국의 인권문제, 중국의 막대한 대미 출초에 따른 미의회의 반발등이 미.중국관계에 걸림돌이 되고 있는바, 미.중국관계의 마찰이 심화되어 양국관계가 악화되는 경우, 한국의 유엔가입문제에 대한 상기 중국의 태도가 반전, 경화될 우려도 있다고 말함

4. 본직은 이에대하여, 제반사정을 감안하면 이번 독.중 정책협의회에 있어서의 독일의 역할이 매우 중요한바, 주재국 정부로서 가능한 최선의 협조를 당부함. 끝

(대사-장관)

19 . 예고:91.12.31. 일반
의거 일반 문서로 재분류됨

검토필(1991.6.30)

관리 번호 91-3245

원본

외 무 부

종 별 :

번 호 : GEW-1057 일 시 : 91 0514 1630

수 신 : 장관(국연,구일,아이) 사본:주유엔대사본부중계필

발 신 : 주 독 대사

제 목 : 유엔가입추진

연:GEW-0975,1031

대:WGE-0690

본직은 5.10.ZELLER 총국장 주최 JIANG ENZHU 차관보를 위한 만찬에 참석한데 이어, 5.14. ZELLR 총국장과 접촉한바 아래 보고함

1.ZELLER 총국장은 이번 독.중 정책협의회에서 연호 아측이 요청한바와 같이 한국의 유엔가입문제와 관련, 독일측의 입장을 강하게 중국측에 전달하였다고함. 독일측은 북한이 주장하는 유엔 단일의석 가입안의 비합리성을 지적하고, 남. 북한 유엔 동시가입이 바람직하므로 북한도 정책을 변경하여 유엔에 동시 가입해야 할것이며, 다만 북한이 이를 거부하여 부득이 한국이 단독 선가입신청하는 경우 독일정부는 이를 적극 지원할것인바, 다른나라들도 보편성 원칙에 따라서 이를 반대하기는 어려울 것이라는 점을 강조하였다고 함.

2. 이에 대하여 JIANG 차관보는 중국으로서는 북한이 국제사회에서 고립되어 가는것을 방지하고자 한다고 전제하고, 유엔가입 문제와 관련, 중국측은 북한이 주장하는 단일의석 가입안은 비현실적이라는 견해를 북한측에 전달한바 있다고 말했다함. 이어서 동차관보는 남. 북한이 유엔 동시가입에 관한 구체적인 절차와 방식에 관하여 공통점을 모색하도록 협의함이 좋겠다는 것이 중국측의 입장이라고 말했다함.

3. 금번 독.중 정책협의회에서 독일측은 국제적인 합치된 여론에 따라 북한이 핵안전협정에 조속히 서명해야 한다는 점도 중국측에 아울러 전달하였다고 말함. 또한 ZELLER 총국장이 감지하기로는 JIANG 차관보는 북한의 태도에 대하여 전반적으로 비판적인 입장인 것으로 보였다고 함.

4. 금번 독.중 정책협의회에서 중국측은 우선, 천안문사태 이후 실추된 중국의 국제적 위상을 극동아시아 지역에서 뿐아니라 국제사회 전반에 있어 재정립하는데

국기국	장관	차관	1차보	2차보	아주국	구주국	청와대	안기부

PAGE 1

91.05.15 00:24

외신 2과 통제관 CA

0143

일차적인 의도가 있었으며, 이차적으로는 독.중 양국간의 경제. 통상 교류 증진에 그목적이 있었던 것으로 감지되었다고 ZELLER 총국장은 첨언함.

5. 상기 JIANG 차관보를 위한 만찬에는 당지 주재 몽고대사, 중국및 일본대사대리, 수상실 보좌관, 각정당 간부, 학자등도 참석하여 본직과 동 차관보의 단독 대화시간은 극히 제한되었으나, JIANG 차관보는 본직과의 대화중, 이번 독.중정책협의회에 이어 화란및 핀랜드도 방문할 예정이며, 자신의 한자성명은 강은주(제비강, 은혜은, 기둥주)라고 말함.

이번 정책협의회에는 JIANG 차관보외에 중국 외교부 서구과장및 통역이 수행하였음. 끝

(대사-장관)

예고:1991.12.31에 일반문서로 재분류

1991.12.31에 일반고문에 의거 일반문서로 재분됨

검토필(1991.6.30.)

0144

관리 번호 91-3440

원 본

외 무 부

종 별 : 지 급

번 호 : GEW-1093 일 시 : 91 0521 1700

수 신 : 장 관(국연,구일,아이) 사본:주유엔대사(중계필)

발 신 : 주 독일 대사

제 목 : 유엔가입 추진

연:GEW-1057

연호 독.중 정책협의회 결과 관련, 안공사는 5.17. ZIMMERMANN 동아국부국장(중국담당)을 면담한데 이어 5.21. 오찬을 같이한바(전 참사관 동석)아래 보고함

1. 동 부국장은 독.중 협의회의시 아국의 유엔가입문제와 관련, 논의된 사항에 관해 연호 1, 2 항 내용을 설명한데 이어, 하기사항을 추가로 언급함.

가. 독일측은 독일의 경험에 의하면 동.서독의 유엔가입은 통일을 방해하지않았으며, 오히려 양독간의 긴장완화및 상호 관계증진에 기여하였음을 설명하고, 독일은 북한이 더이상 남.북한의 유엔가입문제를 통일문제와 연관지어 논의함은 북한에게도 실익이 없으므로 이문제를 실질적인 견지에서 생각해야 한다고 지적함. 이어 독일측은 북한이 그의 국제적인 위상을 높이고자 한다면, 한국과 같이 유엔 동시가입을 신청함이 최선의 방법으로 본다고 표명함.

나. 이에 대하여 JIANG 차관보는 연호 2 항 보고내용에 이어, 중국측은 북한측에 대하여 "한국의 유엔가입문제와 관련, 다른 유엔회원국을 곤란하게 해서는 안된다"(NOT TO BRING EMBARRASSMENT TO ANOTHER UN MEMBER IN THE QUESTION OF KOREAN UN MEMBERSHIP)고 촉구했다고 첨언함. 이와관련 동 부국장은, 이러한 중국의 입장표명은 한국의 유엔가입문제와 관련 중국이 안보리에서거부권행사, 또는 기권등을 해야하는 곤란한 입장에 처하지 않도록 해줄것을 중국이 북한측에 촉구한 것으로 이해된다고 말함.

다. 또한 JIANG 차관보는 중국의 대북한 영향력은 일반적으로 생각하는 것보다는 작다고 말했다함.

2. 북한의 핵안전 협정 서명촉구와 관련 독일측은 연호 3 항 내용에 이어 아래와

국기국 장관 차관 1차보 2차보 아주국 구주국 청와대 안기부

91.05.22 06:08

외신 2과 통제관 BS

0145

같은 입장을 표명하였다 함.

가. 과거 서독은, 동독내에 소련의 핵무기가 있음에도 불구하고 IAEA 핵안전협정을 서명한바 있음을 상기시키고, 북한이 핵안전 협정서명을 거부함은 자동적으로 북한의 의도에 의심을 야기시키는 것임을 지적함.

나. 북한이 국제사회의 일원으로서 책임있는 역할을 수행하기 위하여는 핵안전협정에 서명해야 하며, 그렇지 않은 경우 북한은 국제사회의 일원으로 받아들여지지 못할 것이라고 밝힘.

다. 이에 대하여 JIANG 차관보는, 중국은 핵무기 제조분야에 있어서는 물론원자력 평화적 이용분야에 있어서도 북한과 협력관계에 있지 않다고 말하고, 중국은 북한의 핵안전협정 서명을 종용(RECOMMEND)한바 있으나 북한측은 아직 이에 불응하고 있다고 말함

3. 독일측은 중국측의 논의요청은 없었으나 독일.북한관계와 관련, 독일은 과거 동독과 북한관계를 하향조정하여 현재 상호 이익대표부를 두고 있다고 설명하고 이러한 독일의 대북한 정책은 앞으로도(FOR THE FORESEEABLE FUTURE) 유지될 것이라는 점을 중국측에 알렸다 함

4. 이번 독.중 정책협의에서 논의된 여타사항에 관하여는 별도 보고 하겠음.끝.

(대사-장관)

예고1991.12.31.에 일반 고문에 의거 일반문서로 재분류됨

검토필(1991. 6. 30)

관리 번호	91-34915

	분류번호	보존기간

발 신 전 보

번 호 : WGE-0778 910522 1927 FN 종별 :

수 신 : 주 독 대사.총영사

발 신 : 장 관 (국연)

제 목 : 독·중 정책협의회

대 : GEW-1093, 1057

대호 독·중 정책협의회 관련, 귀주재국측이 적극 협조해 준데 대해 ~~적절한 기회에~~ 아국의 깊은 사의를 전달바람. 끝.

(국제기구조약국장 문동석)

예 고 19 91.12.31. 일반문에 의거 인반문서로 재분됨

검토필(1991.6.30)

보안 통제	

앙 고 재	91년 5월 22일	유엔 과	기안자 성명		과 장		국 장		차 관	장 관
			김성진				전결			

외신과통제

0147

관리 번호	91 -3480

외 무 부

종 별 : 지 급

번 호 : GEW-1100 일 시 : 91 0522 1130

수 신 : 장관(구일,국연,아이,아동,정일)

발 신 : 주 독 대사

제 목 : 독.중 정책협의회(자료응신 50호)

연:GEW-1093

연호 독.중 정책협의회(5.10-13)시 논의된 사항을 아래와 같이 추가 보고함

1. 중국의 인권문제와 관련 독일측은 독일의 기준으로는 납득할수 없는 바라고 말하고, 구속자들에 대한 사면을 촉구하였으며, 이러한 사면조치가 있어야 중국의 국제적 위상이 향상될수 있다는 견해(789)F 밝혔다 함. 이에 대하여 중국측은 당혹감을 표시하면서, 중국의 현 사정은 구주의 사정과는 다르며, 중국의 인권 문제는 중국의 사정에 따라 판단되어야 할 중국 국내문제라고 말했다 함.

독일측은 이어서 5.23. 은 티벧. 중국간의 협정체결 40 주년임을 상기시키고, 티벧에서 인권침해 사례가 다시 있어서는 안된다는 점을 지적 했다함.

2. 중국측은 독일의 대중국 경협및 수출 신용보증(HERMES 보증) 부여에 있어 현재 시행되고 있는 3 가지 요건, 즉 중국민의 기본생활여건 향상, 경제개혁추진 및 환경보호등에 기여하여야 한다는 등의 잔존 제한 규정을 완전 철폐해 줄것을 요청함.

3. 중.쏘 관계에있어 중국측은 중.쏘 관계에는 상금 사소한 문제점이 남아있으나 양국간 국경문제는 해결되었으며, 국경지역 주둔군 철수등 상호 신뢰구축을 위한 조치로 양국관계가 개선되어 선린관계(GOOD NEIGHBORLINESS)가 이룩되었다고 말함. 아울러 중국은 군수산업을 민간산업으로 전환하고 있다고밝히고, 그러나 50 년대의 중.쏘 동맹관계로에의 복귀의도는 없다고 말함. 중.쏘 교역관계는 과거 BARTER 교역에서 현금결재방식으로 전환된바, 현금 결재에 있어 중국측에는 문제가 없으나 소련이 오히려 어려운 형편에 있으며, 중국은 소련에 대하여 소비재구입 목적에 사용토록 15 억 스위스 프랑의 차관을 제공했다고 함. 소련이 제창하고 있는 구라파에서의 CSCE 와 유사한 아시안 집단안보체제 구상에 대하여 중국측은 찬성하지 않고 있는바, 이는 아세아주와 구주는 그사정이 다르며, 아시아에서는 월남.

구주국 차관 1차보 2차보 아주국 아주국 국기국 정문국 청와대 안기부

PAGE 1 91.05.22 22:23

외신 2과 통제관 CF

0148

캄보디아문제등 우선, 양자관계및 지역문제부터 하나하나 해결함이 중요하다고 보기 때문이라고 함.

4. 인지문제와 관련, 중국으로서는 90.11. 유엔이 제의한 캄보디아협정의 내용이 균형된 것이므로 동협정의 시행이 중요한 것으로 본다고 말하고, 동협정을 개정코자 한다면 문제해결을 처음부터 다시(406)시작해야 하는 복잡성이 있으므로 월남은 동협정시행을 추진해야 한다고 말함. 또한 중국의 크메르루즈에 대한 영향력은 제한적이며 월남의 캄보디아 철수가 완결되면 중국도 크메르 루즈에 대한 군사원조를 중단할 것이라 말함. 이에 대하여 독일측은 월남이 상기 캄보디아 협정을 이행치 못하고 있음은 협정내용에 이의가 있어서라기보다 내부문제에 그원인이 있는 것으로 보인다고 말함.

5. 중국측은 중국.인도관계는 많이 개선되었으며, 양국간의 국경문제가 미해결로 남아 있으나 협의가 개시되고 있다고 말함. 이에대해 독일측은 현재 인도는 새로운 외교방향을 모색하고 있는 어려운 시점에 있으며, 인도에게는 중국은 "TRAUMA" 라는 견해를 표명하였다 함.

6. 인도.파키스탄 관계와 관련, 독일측은 양국관계가 개선되고는 있으나 양국간에 여하히 세력균형을 유지하느냐가 문제라고 지적하고, 파키스탄이 대인도 관계에서 보다 온건한 입장을 취하도록 중국의 영향력 행사를 요청함. 이에 중국측은 파키스탄과 원자력의 평화적 이용에는 협력하고 있으나, 군사적 이용에는 반대하고 있으며, 파키스탄의 핵안전협정 서명을 권고한바 있다고 밝혔다 함.

7.독일측은 EC 와 일본간의 EC.일본선언(내용은 EC와 미국간의 TRANS-ATLANTIC 선언과 유사하다 함) 발표를 구상하고 있다고 설명함. 동 선언은 세계문제에 있어 일본이 대미관계에 치중하고 있음에 비추어, 추후 일본.EC 간의 대화를 강화하기 위해 추진된 것이라고 말함.

8. 미.중관계에 관해 중국측은 현재 양국관계가 어려운 국면에 처해 있으나 개선되고 있다고 하고, 양국간 중요문제의 하나가 미국의 대중국 최혜국 대우의 지속문제라고 말함. 중국측은 미국이 중국에 대한 최혜국 대우를 지속함은 중국만이 아닌 미국및 홍콩의 이익에도 합치된다는 점을 강조하였다함. 끝

(대사-국장)

예고1991.12.31에 일반고문에 의거 인반문서로 재분됨

검토필(1991.6.30) [signature]

PAGE 2

0149

UN 기

관리 번호 91-3551

원 본

외 무 부

종 별 :

번 호 : UNW-1351 일 시 : 91 0523 2230

수 신 : 장 관(국연,서구일,기정) 사본:주독대사-중계필

발 신 : 주 유엔 대사

제 목 : 유엔가입교섭(독일)

당관 최종무 참사관은 금 5.22 당지 독일대표부 HELHBECK 서기관을 면담한바 동인의 발언요지 아래보고함.

1. 독일은 아국의 가입을 지지함. 남북한 유엔가입이 한반도의 안정에 기여할것으로 봄.

2. 그러나 현시점에서 독일이나 EC 가 상기 지지입장을 공개적으로 표명하는경우, 오히려 북한이나 중국을 자극하여 부정적 영향을 초래할 염려가 있다고도 봄

3. (아국의 가입 신청시기를 문의하면서) 아국이 정식 신청을 하기 이전에 EC 가 공동입장을 표명할 기회가 있을것으로 봄.

4. 독일은 여러차례 중국의 입장을 타진하여 왔으나 현재까지 중국은 확실한 입장을 정하지 못한것으로 판단하고 있으며 형성단계에 있는 것으로 보임.

5. 아국의 가입문제는 동.서관계 , 미.중국관예의 큰 테두리내에서 처리될 것으로 생각하며 현재의 추세는 아국에 유리하게 전개되고 있다고 봄

6. 지난주 EC 정무총국장 협의시 아국가입문제가 논의된바 없는것으로 알고있음. 끝

(대사 노창희-국장)

검토필(1991.6.30)

예고:91.12.31. 일반

19 . . . 에 예고문에 의거 일반문서로 재분됨

국기국 장관 차관 1차보 2차보 미주국 구주국 청와대 안기부

PAGE 1

91.05.24 11:40

외신 2과 통제관 BS

0150

4. 호주

0151

대부공국
기타나라 서명관

관리번호	91-545

	분류번호	보존기간

발 신 전 보

WAU-0120 910227 1649 FD

번 호 :　　　　　　　　　종별 :

수 신 : 주 호주 대사. ~~총영사~~

발 신 : 장 관 (국연)

제 목 : 호주-중국관계

1. 2.26.자 외신보도에 의하면 호주정부는 대중국 [redacted]제재조치를 철회, [redacted]할 것이라고 발표했다하는 바, 향후 양국간의 고위급인사 상호 방문이 빈번해질 것으로 예상됨.

2. ~~금년도 우리의 유엔가입을 실현시키기 위하여 본부는 호주정부에 협조를 요청하는 방안을 검토중이나~~ 귀관에서는 우선 호주-중국간 고위급인사 교류에 관심을 갖고 동 교류내용이 (정부 고위 인사) 파악되는대로 수시 보고바람. 끝.

예고 : 1991.12.31. 일반.

의거 일반문서로 재분류

검 토 필(1991. 6. 30.) (국기국장) ~~(장 관)~~

아주국장:

보 안 통 제	(서명)

앙 고 재	91년 2월 27일	유엔과	기안자 성 명		과 장		국 장		차 관	장 관
			(서명)		(서명)		(서명)			

외신과통제

0152

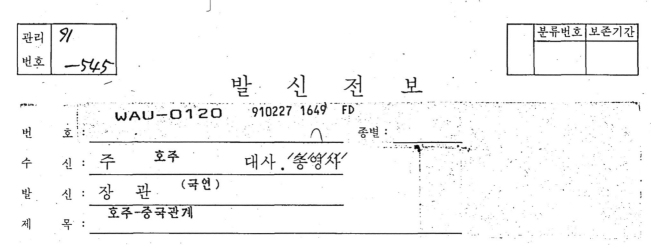

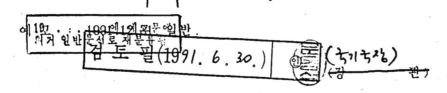

ZCZC HKA131 INS162
UU HAE HED

R I
AUSTRALIA-CHINA 2-26
IIGFRAU. IIGFRCH.
AUSTRALIA LIFTS SANCTIONS AGAINST CHINA

CANBERRA (UPI) -- AUSTRALIA WILL IMMEDIATELY NORMALIZE RELATIONS WITH CHINA AND LIFT SANCTIONS IMPOSED AFTER THE BEIJING MASSACRE, FOREIGN MINISTER GARETH EVANS ANNOUNCED TUESDAY.

EVANS SAID IN A STATEMENT THAT THE DECISION FOLLOWED THE SECOND REVIEW OF RESTRICTIONS WHICH WERE FIRST MODIFIED IN 1990.

THE AUSTRALIAN GOVERNMENT HAD MAINTAINED THAT RELATIONS WITH CHINA WOULD NOT BE RESTORED UNTIL CHINA HAD MADE PROGRESS IN THE AREA OF HUMAN RELATIONS.

IN A RADIO INTERVIEW LAST WEDNESDAY, EVANS SAID THERE HAD BEEN A MARGINAL IMPROVEMENT IN HUMAN RIGHTS IN CHINA. IN TUESDAY'S STATEMENT EVANS NOTED THAT FREEDOM OF SPEECH AND ASSOCIATION CONTINUED TO BE SEVERELY REPRESSED.

+THERE IS NO SIGN OF A RETURN TO THE VERY OPEN CLIMATE OF POLITICAL AND ECONOMIC DISCUSSION WHICH PRECEEDED JUNE 1989,+ EVANS SAID.

+THE RESTRICTIONS TO BE LIFTED APPLY TO CONSIDERING NEW PROPOSALS FOR TECHNICAL COOPERATION AND AGRICULTURAL RESEARCH ACTIVITIES WITH CHINA, CONSIDERING NEW APPLICATIONS FOR CONCESSIONAL FINANCING UNDER AUSTRALIA'S DEVELOPMENT IMPORT FINANCE FACILITY, AND POLITICAL PARTY VISITS, INCLUDING EXCHANGES OF PARLIAMENTARY DELEGATIONS,+ HE SAID.

+THE AUSTRALIAN GOVERNMENT SEES DIMINISHING VALUE IN CONSTRAINING OUR RELATIONS WITH CHINA TO A MARKEDLY LOWER LEVEL THAN THOSE OF LIKE-MINDED COUNTRIES, NOT TO MENTION OUR REGIONAL PARTNERS,+ EVANS SAID.

+AUSTRALIA RECOGNIZES CHINA'S IMPORTANT PLACE IN THE ASIA-PACIFIC REGION AND WE REMAIN COMMITTED TO A LONG-TERM COOPERATIVE RELATIONSHIP WITH THAT COUNTRY BOTH BILATERALLY AND AS PARTNERS IN THE REGION.

+OUR HOPE REMAINS, THAT THE CHINESE LEADERS WILL ALLOW THE PROCESSES OF REFORM AND MODERNIZATION TO CONTINUE AND WE WILL TAKE EVERY AVAILABLE OPPORTUNITY TO PRESS THAT POINT,+ HE SAID.

THE AUSTRALIAN GOVERNMENT DOWNGRADED ITS RELATIONSHIPS WITH BEIJING A WEEK AFTER CHINESE TROOPS FIRED ON THE DEMONSTRATORS IN TIENANMEN SQUARE.

THESE CHANGES INCLUDED THE SUSPENSION OF HIGH-LEVEL VISITS AND DEFENSE CONTACTS TOGETHER WITH RESTRICTIONS ON SOME CATEGORIES OF NEW AID PROJECTS.

IN JANUARY 1990, THE BLANKET BAN ON MINISTERIAL VISITS WAS EASED AS PART OF AN INTERNATIONAL CLIMATE WHICH SAW A NUMBER OF COUNTRIES, INCLUDING JAPAN AND THE UNITED STATES, RELAXING RESTRICTIONS IMPOSED ON CHINA.

PA-BD-EMKI
UPI 07:36 GMT

=02260754
NNNN

16　　0153

관리번호	91 -199

외 무 부

종 별 :

번 호 : AUW-0148 일 시 : 91 0228 1000

수 신 : 장관(아이,아동,국연)

발 신 : 주 호주 대사

제 목 : 대중국 제재완화(자료응신 2호)

1. 주재국 EVANS 외상은 2.26 자 NEWS RELEASE 를 통해, 주재국은 최근 중국내 정세발전 및 이에대한 국제적 반응에 비추어 89.7 이래 시행되어 오던 대중국 제재를 전면 완화 하기로 결정 했다고 발표함.

2. 동외상은 금번 완화조치를 통해 89.7 결정된 대중국 제재중 고위관리간 접촉제한, 정치인 교류중단, 기술협력 연기, 신규원조 공여 불고려등이 해제되고고위군사, 공안관계자 교류금지및 국방물자관련 교역중지만이 남아있게 된다고언급하였음. 금번 조치의 배경으로, 동외상은 90.10. EC 외상회의에서의 대중국 제재완화, 90.7 일본의 대중국 공여재개, 90.12. 중국외상의 미국공식방문등우방국의 대중국 관계정상화 태도를 고려할때 중국관계 설정에 있어 이들 주요우방국가와 보고를 맞추는것이 호주의 대중국 장기적 국익에 도움이 된다고 판단되었기 때문이라고 밝힘.

3. 주재국은 금번조치 이전에도 90.1 대중국 제재를 일부 완화하게 시작, 양국간각료급 교류를 CASE-BY-CASE 로 허용함으로써 90.5 중국 금속장관 방호, 90.9 BLEWETT 주재국 통상교섭장관 방중이 실현되었으며, 주의회의원, 군소야당당수의 방중이 이루어지고, 한편으로 BLEWETT 장관 방중시 대중국 기술원조가 재개되는등 주재국 대중국 제재완화 조치가 단계적으로 실현되어 왔음. 끝.

(대사 이창수-국장)

예고: 91.12.31. 까지.

검 토 필(1991. 6. 30.)

아주국	장관	차관	1차보	2차보	아주국	국기국	청와대	안기부

PAGE 1 91.02.28 13:34

외신 2과 통제관 FE

0154

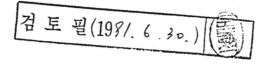

관리 번호	91 -773

원 본

외 무 부

종 별 :

번 호 : AUW-0195 일 시 : 91 0315 1530

수 신 : 장관(국연,아동,기정)

발 신 : 주 호주 대사

제 목 : 외상 중국방문

대:WAU-0120

1. 금 3.15 본직은 이임인사차 주재국 EVANS 외상을 예방한 기회에 작년 유엔총회 기조연설에서 EVANS 외상이 적극적으로 아국의 유엔가입을 지지하는 발언을 하여준데 대해 감사를 표시하면서, 금년에는 한국의 유엔가입을 실현하기 위해 한국정부가 모든 외교적 노력을 집중할것임을 설명하고 호주 정부가 아국의 유엔가입 실현을 위한 국제적 여건조성에 선도적인 역할을 하여줄것과 특히 중국에 대해 영향력을 행사해 줄것을 요청함.

2. 이에대해 EVANS 외상은 한국의 유엔 가입문제와관련 작년 유엔총회 기조연설에서 밝힌 호주의 입장은 확고부동한 것이라고 말하고, 자신은 금년 4.23-25간 중국을 공식방문할 예정임으로 중국방문시 한국측의 유엔가입에 관한 입장을염두에 두겠다고 말함.(동외상은 당초 10 월경 중국방문을 생각하고 있었으나 수일전 갑자기 중국방문일자가 앞당겨저 결정되었다고 부연설명한바, 이는 최근의활발한 호주-대만 관계 개선움직임과 관련이 있는것으로 보임.)

3. 동외상 면담에 이어서 LIGHTOWLER 차관대리가 주최한 본직을 위한 송별 오찬시 본직은 상기 EVANS 외상의 중국방문계획을 다시 확인하였는바, LIGHTOLER차관대리는 EVANS 외상의 중국방문을 위한 자료작성시 한국측의 입장과 희망사항을 충분히 포함시키겠다고 말하고 EVANS 외상을 위한 자료에 포함시킬 한국관계자료를 사전에 충분한시간을 두고 알려주는것이 필요하다고 말한바, 본직은 조속 아측의 입장을 주재국측에 전달하겠다고 답변함.

4. EVANS 외상은 4 월 20 경 호주를 출발, 일본에서 경제단체를 위한 연설을 한후, 홍콩경유, 북경으로 향발할 예정이라고함. 끝.(대사 이창수-국장)

예고:91.12.31. 일반

국기국 차관 1차보 아주국 안기부

PAGE 1

91.03.15 15:23

외신 2과 통제관 BN

0155

공 란

공 란

공 란

공 란

관리 번호	91 -2075

분류번호	보존기간

발 신 전 보

번 호 : WUN-0766 910405 1700 FI 종별 :

수 신 : 주 유엔 대사. 총영사

발 신 : 장 관 (국연)

제 목 : 호주외상 중국방문

1. 4.23-25간 호주 Evans 외상의 중국방문 예정과 관련, 4.4. 주호주대사로 하여금 동 외상 방중시 아국의 유엔가입 문제를 거론하고 중국의 건설적 역할을 촉구토록 요청하는 하기 요지의 본직 Cable message를 전달토록 하였으니 참고바람.

가. Cable message 개요

- 냉전의 유산인 한국의 유엔가입 문제가 조속 해결되어야 함.
- 아측의 북한 설득을 위한 최선의 노력에도 불구, 북측은 실현 불가능한 단일의석안을 고집중임.
- 우리는 금년중 가입을 기필코 실현코자 하며, 우리입장에 대한 호주의 강력한 지지 표명은 중국측으로 하여금 우리의 가입 문제에 관하여 보다 건설적인 역할을 하게 할 것임. 따라서 금번 전기침 외상과의 회담시 우리의 유엔가입에 대한 호주의 강력한 지지입장을 전달해주기 바람.

2. ~~또한~~ 상기관련, 내주중 유차관이 주한 호주대사에게 상기 아측 요청사항을 별도 구두 전달할 예정임. 끝.

예고 : 1991.12.31. 일반
의거 일반문서로 재분류

검 토 필(1991. 6.30.)

(국제기구조약국장 문동석)

보안 통제	

앙 고 재	91년 4월 5일	과	기안자 성명		과 장		국 장		차 관	장 관

외신과통제

0160

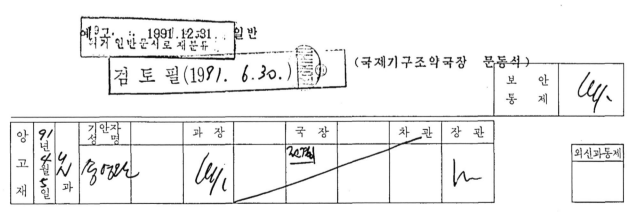

관리 번호	91 -2094

원 본

외 무 부

종 별 :

번 호 : AUW-0250 일 시 : 91 0405 1700

수 신 : 장관(국연,아동,아이)

발 신 : 주 호주 대사

제 목 : 호주외상 중국방문(자료응신 3호)

연:AUW-0195

대:WAU-0222

1. 본직은 4.5(금) 14:30 KINGSMILL 의전장에 신임장 사본을 제출하는 기회에 대호 장관명의 EVANS 외상앞 멧세지의 조속 전달에 관한 조언을 구하였는바, 동 의전장은 동멧세지를 자신이 기꺼이 접수, EVENS 외상에에 즉각 전달하겠다고 제안, 이에 본직은 동 CABLE MESSAGE 를 첨부한 당관 공한을 동인에게 수교하였음.

2. 본직은 이어 15:15 LIGHTOWLER 외무차관대리 예방시 아국의 유엔가입문제를 거론하고 대호 훈령에 따라 EVANS 외상 방중시 중국에 대해 아국 유엔 가입문제에 대해 중국이 현실적이고 전향적인 태도를 채택하도록 촉구하고 아국 유엔가입 신청시 안보리에서 거부권을 불행사토록 영향력을 행사해 줄것을 요청하는 한편, 대호 EVANS 외상앞 멧세지를 의전장을 통해 별도 전달하였다고 밝힘.

3. 이에대해 LIGHTOWLER 차관대리는 호주로서도 한국의 유엔가입 문제에 관한 중국의 태도가 큰 관심사라고 언급하면서 상기 아국의 요청을 EVANS 외상 방중 자료에 포함시키도록 하겠다며, 아울러 근간 영국, 일본등 주요국가 외상들도 방중예정이라고 덧붙였음. 끝.

(대사 이창범-국장)

19 .예고:91.12.31.일반.
일반문서로 재분류
검 토 필(1991.6.30.)

국기국	차관	1차보	2차보	아주국	아주국	정문국	청와대	안기부

PAGE 1

91.04.05 16:40

외신 2과 통제관 DO

0161

주한호주대사 접견 참고자료

(91.4.11. 10:30, 차관실)

91. 4. 10.
국제연합과

I. 주한호주대사 인적사항

1. 성　명 : Darren Perrett B. Gribble
2. 생년월일 : 39.7.22 (52세)
3. 학　력 : 멜번대학 졸업 (산림학 및 상업전공)
4. 경　력 :

1959	빅토리아주 산림위원회 위원, 주일대사관, 통상지원부 근무
83-	주EC 대표부 공사 (통상)
85-	무역부 행정관리국장, 양자교역관계국장
87.7-	외무무역부 북동 및 남동아시아 국장 (First Assistant Secretary, North and South East Asia Division)
90.2-	주한대사

5. 가족관계 : 기혼 (1남 1녀)

공람	91년 4월 10일	담당	과장	국장
공고재		(signature)	(signature)	(signature)

0162

Ⅱ. 언급요망사항 (요지)

1. 호주의 아국유엔가입 적극 지지에 대한 사의 표명

* 제45차 총회 기조연설시 아국입장 지지발언

* 제45차 총회기간중 개최된 아태지역 외무장관 만찬시(90.9.27) 아국유엔가입 당위성 언급

2. 유엔가입에 관한 기본입장 설명

3. 중국에 대한 건설적 역할 요청

o Evans 외무장관 중국방문시(4.23-25) 우리의 유엔가입문제를 적극 거론하고 남북한의 유엔가입실현을 위하여 중국의 건설적 역할이 요망됨을 호주측 의견으로 전달하여 주기바람.

(호주측의 중국에 대한 강조 요망사항)

- 한국은 작년 북한과 함께 유엔에 가입하기 위한 설득 노력을 적극 경주하였을 뿐만 아니라 중국의 입장을 감안하여 유엔가입신청을 보류한 것으로 알고 있음.
- 한국은 금년중 유엔회원국이 되고자 하는 입장을 공개적으로 천명하고 있음.
- 유엔의 보편성원칙에서나 한국의 국제사회에 대한 기여와 국제적 위상에 비추어 볼 때 한국의 유엔가입은 더이상 늦출수 없다고 보며, 호주는 한국의 유엔가입을 전폭 지지함.
- 주지하는 바와 같이, 한국은 가능한 한 북한과 함께 유엔에 가입하고자 하는 바, 남북한의 유엔동시가입이 한반도의 안정과 동북아 긴장완화에 크게 기여할 것임에 비추어 북한에 대한 설득 노력을 강화해 주기바람.

0163

Ⅲ. 참고사항

1. Evans 외무장관 방중일정

o 4.20-4.23. 호주출발, 일본에서 경제단체를 위한 연설후 홍콩경유 북경도착

o 4.23-4.25. 중국방문

2. Evans 외무장관앞 장관님 cable-message 송부

o 4.5. 주호주대사, 상기 message 주재국에 전달

o cable-message 개요

- 냉전의 유산인 한국의 유엔가입문제가 조속 해결되어야 함.
- 아측의 북한 설득을 위한 최선의 노력에도 불구, 북측은 실현 불가능한 단일의석안을 고집중임.
- 우리는 금년중 가입을 기필코 실현코자 하며, 우리입장에 대한 호주의 강력한 지지 표명은 중국측으로 하여금 우리의 가입 문제에 관하여 보다 건설적인 역할을 하게 할 것임.
- 금번 방중시 우리의 유에가입에 대한 호주의 강력한 지지입장을 전달해 주기바람.

3. 유엔총회 기조연설시 호주측 발언내용

o 제43차 (1988) : 남북대화를 통한 평화통일 달성 희망

o 제44차 (1989) : 불언급

o 제45차 (1990) : 유엔의 보편성지지, 한국의 유엔가입 지지

첨 부 : 장관님 cable-message 1부. 끝.

0164

외 무 부

Gribble 公使.　　　　1991년 4월 11일

1. 申請予定

2. Current Status

ⓐ 中國 → 加入기다려라. Single seat 不支持. 合意로 加入해라. 어떤 合意?

ⓑ 韓國側

① 統一을 계속 追求!

② 加入은 確定,

③ 協議는 提案

④ 그以上 條件이 되는 事項은 不可.

ⓒ 소련

ⓓ 中國側에 이야기할 事項.

0165

차 관

①' 中國으로는 정치 우선, 비밀 不動

① 冷戰 和解 특히 Gulf戰 後 韓국 加入을 沮止하는 것은 理由說明不可 (世界의 至高한 多數)

② 3~5年內 統一 期待不可能

UN 加入은 統一의 不妨害.

③ 南北韓은 重要, UN에서의 空白.

특히 安保, 軍事, 經濟, 환경 모든 면에서 UN 체제內 들어와야

④ NK의 對日修交, 美修交 等 國際社會에 參加.

veto하면 NK의 對日修交 對 EC接近에 支障.

⑤ NK 說得 成功이면 언제 어디서 何事이 있어도 다음 期間에 加入可.

⑥ 特使파견. 0166

주한호주대사 접견 참고자료

(91.4.11. 10:30, 차관실)

91. 4. 10.
국제연합과

I. 주한호주대사 인적사항

1. 성 명 : Darren Perrett B. Gribble
2. 생년월일 : 39.7.22 (52세)
3. 학 력 : 멜번대학 졸업 (산림학 및 상업전공)
4. 경 력 :

1959	빅토리아주 산림위원회 위원, 주일대사관, 통상지원부 근무
83-	주EC 대표부 공사 (통상)
85-	무역부 행정관리국장, 양자교역관계국장
87.7-	외무무역부 북동 및 남동아시아 국장 (First Assistant Secretary, North and South East Asia Division)
90.2-	주한대사

5. 가족관계 : 기혼 (1남 1녀)

0167

Ⅱ. 언급요망사항 (요지)

1. 호주의 아국유엔가입 적극 지지에 대한 사의 표명

* 제45차 총회 기조연설시 아국입장 지지발언

* 제45차 총회기간중 개최된 아태지역 외무장관 만찬시(90.9.27) 아국유엔가입 당위성 언급

2. 유엔가입에 관한 기본입장 설명

3. 중국에 대한 건설적 역할 요청

o Evans 외무장관 중국방문시(4.23-25) 우리의 유엔가입문제를 적극 거론하고 남북한의 유엔가입실현을 위하여 중국의 건설적 역할이 요망됨을 호주측 의견으로 전달하여 주기바람.

(호주측의 중국에 대한 강조 요망사항)

- 한국은 작년 북한과 함께 유엔에 가입하기 위한 설득 노력을 적극 경주하였을 뿐만 아니라 중국의 입장을 감안하여 유엔가입신청을 보류한 것으로 알고 있음.
- 한국은 금년중 유엔회원국이 되고자 하는 입장을 공개적으로 천명하고 있음.
- 유엔의 보편성원칙에서나 한국의 국제사회에 대한 기여와 국제적 위상에 비추어 볼 때 한국의 유엔가입은 더이상 늦출수 없다고 보며, 호주는 한국의 유엔가입을 전폭 지지함.
- 주지하는 바와 같이, 한국은 가능한 한 북한과 함께 유엔에 가입하고자 하는 바, 남북한의 유엔동시가입이 한반도의 안정과 동북아 긴장완화에 크게 기여할 것임에 비추어 북한에 대한 설득 노력을 강화해 주기바람.

0168

공 란

공　　란

공 란

MEMORANDUM OF THE GOVERNMENT OF THE REPUBLIC OF KOREA

5 April 1991

The Government of the Republic of Korea has made clear on previous occasions its position concerning membership of the Republic of Korea in the United Nations, particularly its determination to seek United Nations membership during the course of this year.

The Republic of Korea, as a peace-loving state willing and able to carry out all obligations set forth in the United Nations Charter, is fully qualified for membership in the United Nations. As a country which maintains almost universal diplomatic relations and as the world's twelfth largest trading nation, it is ready to make its due contribution to the work of the United Nations as a full Member and in a manner commensurate with its standing in the international community.

The principle of universality cherished by the United Nations requires the admission of all eligible sovereign states that wish to join the United Nations. This principle gains more relevance than ever as the United Nations assumes an increasingly vital role in the post-Cold War era. The unprecedented changes taking place in the international political environment, featuring a new spirit of reconciliation and cooperation, call for the resolution of Korea's membership question at long last.

As was eloquently manifested last year during the general debate of the 45th session of the General Assembly, it has become the sense of the international community that the admission of the Republic of Korea to United Nations membership should be realized without further delay.

/...

In seeking United Nations membership, the Republic of Korea reiterates its earnest hope that the Democratic People's Republic of Korea(DPRK) will also join the United Nations, either together with the South, or at the time the North deems appropriate. The Republic of Korea restates its position that it would welcome DPRK's membership.

Furthermore, the Republic of Korea holds the view that the parallel membership of both Koreas in the United Nations is entirely without prejudice to the ultimate objective of Korea's reunification. Parallel membership should constitute a powerful confidence building measure insofar as it will represent a firm commitment of both Koreas to the provisions and principles of the United Nations Charter.

The unification of East and West Germany and of North and South Yemen, each of which had maintained separate membership in the United Nations, validates this view and disproves the contention that United Nations membership might serve to perpetuate or legitimize Korea's national division, thus hindering efforts for Korea's reunification.

It is a matter of fact that the international community has long recognized the existence of South and North Korea on the Korean Peninsula. In reality, the Republic of Korea and the DPRK maintain diplomatic relations with 146 and 105 countries respectively. Ninety of these countries maintain concurrent diplomatic relations with both. Each also has separate membership in most inter-governmental organizations, including specialized agencies of the United Nations. Thus, Korea's United Nations membership, separate or simultaneous, will be a logical corollary of the international political reality.

/...

In the sincere belief that United Nations membership will contribute to the process of Korean reconciliation and reunification, as well as enhance peace and security on the Korean Peninsula, the Republic of Korea has made every effort in good faith to join the United Nations together with the DPRK during the course of last year, but without success.

Despite these efforts, however, the DPRK has adhered to the 'single-seat membership' formula which is not only infeasible but runs counter to the provisions of the United Nations Charter and the practices followed by the United Nations and its specialized agenices. The lack of support from the United Nations Member States with respect to this formula during the general debate last year reflects their disapproval of the North Korean formula.

The Government of the Republic of Korea remains hopeful of realizing membership of both Koreas during the course of this year. However, if the DPRK continues to oppose this option and for any reason chooses not to join the United Nations, the Republic of Korea, exercising its sovereign right, will take the necessary step toward its membership before the opening of the 46th session of the General Assembly.

The Government of the Republic of Korea is convinced that, with the overwhelming support of the Member States of the United Nations for the legitimate cause of its membership, the Republic of Korea will be able to assume its rightful place in the United Nations in the months ahead.

\- - - - -

면 담 요 록

1. 일 시 : 91.4.11.(목) 10:30-11:00

2. 장 소 : 차관실

3. 면 담 자 :

아 측 : 외무차관 (기록 : 국제연합과 송영완 사무관)

호주측 : Gribble 주한대사 (기록 : Mullin 참사관)

4. 면담내용

인사교환

차 관 : 오늘 만나고자 한 이유는 우리의 유엔가입문제를 이야기하고자 해서임. 파키스탄, 영국, 일본에 이어 귀국 외무장관도 중국에 방문하는 것으로 아는데?

대 사 : 그러함. 4.23. 방중예정인 바, 천안문사태 이후 경직된 호주-중국 관계의 개선이라는 의미를 지닌 방문임.

차 관 : 귀국장관의 방중시 우리의 유엔가입 문제도 제기해 주고 중국측 반응을 알려주기 바람.

우리의 유엔가입에 대해서는 유엔총회, 안보리를 비롯 국제사회 전체가 지지하고 있음. 소련, 중국의 거부권이 문제인 바, 소련의 경우 유엔의 보편성원칙을 지지하고 있고 우리의 입장을 잘 이해하고 있음. 그들은 공식적으로 우리의 가입신청시 지지하겠다고 밝히지는 않고 있으나 깊은 이해와 함께 지지 쪽으로 기울고 있음. 최악의 경우가 기권일 것으로 봄.

0175

대 사 : 금번 고르바쵸프 대통령의 방한은 귀국의 유엔가입 실현에 큰 의미가 있을 것으로 보는데?

차 관 : 그러함. 소련은 우리의 입장에 깊은 이해를 할 뿐만 아니라 중국에 대한 설득도 하고 있음.

중국외상은 금년 2-3월중 구주 7개국을 방문시 방문국 외상 모두가 예외없이 우리입장을 지지하고 북한이 남북한 동시가입에 계속 반대하여 아측이 유엔선가입을 신청할 경우 이를 지지할 것이라고 밝힌 바 있음. 이에 대하여 중국은 북한의 단일의석안은 지지하지 않으나 남북한이 계속 협의하여 합의를 이룰 수 있기를 바란다고 언급함.

북한은 종전에 통일이전 유엔가입은 불가라고 주장하다가 이제는 남북한이 단일의석하에 유엔에 가입하여야 한다고 고집하고 있음. 중국은 단일의석안이 실현불가능한 것으로 반대하는 입장이므로 유엔에서 정당한 지위를 찾고자 하는 우리의 가입신청에 대하여 거부권을 사용치 않아야 한다는 것이 논리적인 결론임.

이를 잘 알고 있는 북한은 표면적으로 남북한이 유엔에 동시가입하는 방안인 것처럼 보이나 실제적으로는 우리가 받아들일 수 없는 묘한 조건을 붙인 이상한 수정안을 내놓을 가능성이 있음. 즉 북한은 종래의 고려연방제 통일방안을 일부 수정하여 남북한 각자가 외교, 국방에 관한 폭넓은 권한을 갖는 새통일방안을 제의할 것이라는 소문이 있는 바, 이를 교묘히 유엔가입문제와 연결시켜 자신들의 주장을 정당화 하고 중국에게는 남북한간의 상호 협의가 중요함을 강조하여 결국 우리의 유엔가입을 저지하려고 획책할 가능성이 있음.

0176

우리는 작년 남북고위급회담에서 북한에게 남북한의 유엔 동시가입은 통일전 잠정조치임을 분명히 하고, 그들의 주장도 대폭 수용하여 유엔내에서 남북한이 협의체를 구성하여 유엔에서 다루어지는 주요 현안에 대하여 상호 협의할 것을 제의한 바 있으나 북한은 이를 거절하고 일방적으로 회담자체를 취소한 바 있음.

우리는 북한이 우리의 유엔가입을 저지하기 위하여 또다른 선결조건이나 협의 계속등 종래의 술책을 계속한다면 이를 받아 들일 수 없으며 북한이 계속 우리와 함께 유엔에 가입하는데 반대하거나 유엔가입을 원치않는다면, 그들의 後가입을 환영한다는 전제하에 우리만이라도 유엔에 가입하겠다는 입장임.

이러한 견지에서 하기 내용을 귀국 입장으로서 중국측에 전달하여 주기바람.

첫째, 동.서간 냉전종식, 특히 걸프사태의 종결이후 유엔의 권능이 제고되고 화합분위기가 만개한 가운데 중국이 한국의 유엔가입을 반대함은 현명치 못함.

둘째, 남북통일은 단기간내에 이루어지지 않을 것으로 보이는 바, 한국은 그때까지 유엔가입을 미룰 수 없을 뿐 아니라 남북한의 유엔가입은 궁극적으로 통일을 앞당길 것임.

셋째, 유엔은 세계 대부분의 국가가 회원국으로 가입한 보편적 기구임. 한국의 정치, 안보, 경제, 환경등 제분야에서의 위상을 고려할때 한국의 유엔가입은 유엔자체 및 유엔 회원국 모두에게 이득이 될 것임.

넷째, 북한을 개방으로 유도하고 국제사회의 일원으로 포용함은 매우 중요함. 특히 북한이 일본, 미국, EC 제국과의 관계 개선 노력을 강화하고 있는 현시점에서 중국이 한국의

0177

유엔가입에 거부권을 행사하여 한국에 타격을 주면 결국 북한의 대서방 관계개선 노력에도 커다른 타격을 가하는 결과가 되므로 중국은 남북한이 유엔에 가입토록 해야 할 것임.

상기 외에도 금년중 남북한의 유엔가입이 실현되어야 하는 데에는 남북한의 국내적 상황도 간과할 수없음. 한국의 경우, 내년에는 차기 대통령선거등 국내 주요일정이 산적한 상태이므로 결국 올해가 유엔가입 실현을 위한 노력의 마지막 해로서 동 문제가 필히 해결되어야 하는 시점임. 따라서 한국으로서는 더 기다리라는 중국의 입장을 수용할 수 없는 상황임.

또한 북한으로서도 현재 한국의 유엔가입을 저지하기 위하여 엄청난 부담을 안고 있는 바, 김부자의 권력세습등 내부적 모순으로부터 발생하는 제반 부담요인은 날이 갈수록 가중될 것임. 따라서 올해보다는 내년이, 또 시간이 갈수록 그들은 유엔동시가입을 수용하기가 더 어려워 질 것임.

따라서 남북한 모두에게 금년중 유엔가입은 매우 시의적절하며 이를 실현키 위해서는 북한에 대한 중국의 설득이 매우 중요함. 특히, 북한이 끝내 이를 받아들이지 않아 중국이 선택을 해야하는 상황에 직면할 경우 거부권을 사용하여 자신을 포함한 모두에게 큰 타격을 주는 누를 범해서는 결코 안될 것임.

대 사 : 한국-중국간의 관계개선 현황 및 중국의 반응은?

차 관 : 한.중간에는 무역대표부를 상호 교환 설치한 이래 착실히 관계가 증진되고 있음. 급속한 관계증진은 기대키 어려우나 북한과 일본간 관계개선이 진전됨에 따라 필연적으로 한.중간의 관계도 더욱 진전될 것임.

0178

대 사 : 최근 한국정부는 유엔가입에 관한 입장을 메모랜덤으로 작성, 안보리문서로 배포하였는 바, 다음 조치는?

차 관 : 금년 5-6월중 30여개국에 특사를 파견하여 우리의 입장을 설명하고 지지를 요청할 것이며, 일부국가에 대해서는 7월중에 파견할 예정임. 그리고 7-8월중에는 가입을 위한 구체적 조치를 취할 것임.

대 사 : 특사로 하여금 귀국의 유엔가입문제를 교섭(negociation)토록 훈령할 것인가?

차 관 : 교섭이 아니고 우리의 금년중 유엔가입실현 방침을 재확인(reconfirm)시키고 적극적인 협조를 구할 것임.

우리는 작년 우리의 유엔가입에 대한 대다수국가의 지지와 우리의 열망에도 불구하고 가입신청을 보류한 바 있음. 그러나 금년에 유엔가입을 실현코자 하는 우리의 결의는 확고부동함.

대 사 : 귀측의 입장을 즉시 본국에 보고하겠음. 북한은 조만간(4-5월중) 차관급 사절단을 호주에 파견 예정이라 하나, 한국을 지지하는 호주의 확고한 입장은 변할 수 없음.

차 관 : 감사함. 북한은 많은 나라에 사절단을 파견할 예정인 것으로 아나 그들의 입장을 지지하는 나라는 없을 것임. 끝.

0179

관리번호 91-2416

기 안 용 지

분류기호 문서번호	국연 2031-416 (전화 :)	시 행 상 특별취급	
보존기간	영구 · 준영구. 10 . 5 . 3 . 1 .	장 관	
수 신 처 보존기간			
시행일자	1991. 4. 15.		

보조기관	~~국 장~~	전 결	협조기관	문 서 통 제 (1991. 4. 16)
	~~과 장~~			
기안책임자	송 영 완			발 송 인 (1991. 4. 16)

경 유 수 신 참 조	주호주대사	발신명의	
제 목	유엔가입추진		

연 : WAU-0244

연호, 유종하차관과 Gribble 주한 호주대사의 면담요록을 별첨 송부하니 업무에 참고하시기 바랍니다.

첨 부 : 면담요록 1부. 끝.

예 고 : 19 91. 12. 31. 일반

검 토 필 (1991. 6. 30)

0180

1505-25(2-1) 일(1)갑 190㎜×268㎜ 인쇄용지 2급 60g/㎡
85. 9. 9. 승인 "내가아낀 종이 한장 늘어나는 나라살림" 가 40-41 1989. 6. 8

관리 번호	91-2449

분류번호	보존기간

발 신 전 보

WAU-0244 910416 1038 FL

번 호 : 종별 :

WUN -0950

수 신 : 주 호주 대사. 총영사 (사본 : 주유엔대사)

발 신 : 장 관 (국연)

제 목 : 유엔가입 추진

1. 유종하 차관은 4.11(목) Gribble 주한 호주대사에게 Evans 호주외무장관 방중시 중국측에 유엔가입에 관한 연호 아측입장 및 특히 하기 사항을 (한국의 견해로서 중국측에) 강조하고 중국측 반응을 알려줄 것을 요청함.

- o 동.서간 냉전종식, 특히 걸프사태의 종결이후 유엔의 권능이 제고되고 화합분위기가 고조되는 가운데 중국이 한국의 유엔가입을 반대함은 현명치 못함.
- o 남북통일은 단기간내에 이루어지지 않을 것으로 보이는 바, 한국은 그때까지 유엔가입을 미룰 수 없을 뿐 아니라 남북한의 유엔가입은 궁극적으로 통일을 앞당길 것임.
- o 유엔은 세계 대부분의 국가가 회원국으로 가입한 보편적 기구임. 한국의 정치, 안보, 경제, 환경등 제분야에서의 위상을 고려할때 한국의 유엔가입은 유엔자체 및 유엔회원국 모두에게 이득이 될 것임.
- o 북한을 개방으로 유도하고 국제사회의 일원으로 포용함은 매우 중요함. 특히 북한이 일본, 미국, EC 제국과의 관계개선 노력을 강화하고 있는 현시점에서 중국이 한국의 유엔가입에 거부권을

/ 계속 /

보안 통제	

앙 고 재	91년 4월 15일	과	기안자 성명		과 장		국 장		차 관	장 관
							전결			

외신과통제

0181

행사하여 한국에 타격을 주면 결국 북한의 대서방 관계개선 노력에도 커다른 타격을 가하는 결과가 되므로 중국은 남북한이 유엔에 가입토록 함이 바람직함.

2. 이에 대하여 Gribble 대사는 아측입장을 즉시 본국에 보고하겠다고 하고 북한은 조만간(4-5월중) 차관급 사절단을 호주에 파견예정이라 하나, 한국을 지지하는 호주의 확고한 입장은 변할 수없다고 답변함.

3. 면담요록은 금파편 송부함. 끝.

예고 : 91.12.31 에 일반
문서로 재분류됨

검 토 필(1991. 6. 30.) (인) (국제기구조약국장 문동석)

0182

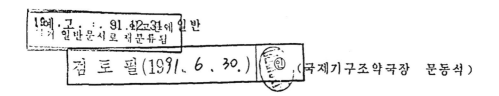

관리 번호	91 -2432

외 무 부

종 별 :

번 호 : AUW-0279 일 시 : 91 0416 1730

수 신 : 장관(아동,국연,정특반)

발 신 : 주 호주 대사

제 목 : 아주국장 면담

대:WAU-0238,0244

4.16 본직은 외무성 CALVERT 아주국장 서리(국장 공석)를 예방하고 양국관계 증진방안, 유엔가입문제, 지역협력등에 관해 의견을 교환한바 주요내용을 아래 보고함.

가. 대통령 특사방문

0 본직은 특사의 호주방문일정을 정식 통보하면서 5.20(월) HAWKE 수상 예방, EVANS 외상 면담 주선을 요청하고 협조를당부함.

0 CALVERT 국장서리는 일정을 주선하고 결과를 조속 알려주기로 하였음.

나. 유엔가입 및 EVANS 외상 방중

0 본직은 대호 GRIBBLE 주한대사에 대한 요청내용등 아국기본입장을 상기시키고 한국 유엔가입지지 및 외상 방중시 대중국 영향력 행사를 요청함.

0 이에대해 CALVERT 국장서리는 호주는 한국의 유엔가입을 확고히 지지한다고 말하고, EVANS 외상 방중시 한국의 유엔가입문제가 주요회담 의제중 하나가 될것이라며 한국이 어느 우방국들을 통해 대중국 로비를 펼치는지에 대해 문의하였는바 본직은 호주를 포함한 몇몇 우방국들이 우리를 도와주고 있다고 답함.

다. APEC 등 지역협력 문제

0 CALVERT 국장 서리는 최근 서울에서 개최된 한. 호 포름의 성과에 만족을표시하면서, 11 월 개최될 APEC 각료회의에 호주는 큰 기대를 갖고있다고 말하고 APEC 주요과제인 THREE CHINAS 가입문제의 진전상황에 관심을 보이면서 호주는 3 중국간 STATUS 를 달리하여 가입시키는데에 반대하며 다만 시차를 두고 APEC에 가입하는것이 좋겠다는 입장이라고 부연하였음.

0 본직은 최근 ESCAP 서울총회 참석차 방한한바 있는 중국 외교부 LIU HUA QIU

아주국 차관 1차보 2차보 국기국 정특반 청와대 안기부

PAGE 1 91.04.16 17:16

외신 2과 통제관 BN

0183

부부장과 외무부간 동건협의한바 있음을 상기 시킴.

라. 호.북한 관계

0 북한 외교부 부부장급 사절단 호주방문에 관하여 문의한바, CALVERT 국장서리는 방문일자는 상금 정해지지 않았다고 말하면서 5-6 월경 방문예정인것으로언급), 호.북한 관계 개선에 관한 호주측 기본입장을 설명하고, 호.북한 문제는 한국정부가 안심하고 느긋하게 생각해도 좋을것이라고 말하였음. 끝.

(대사 이창범-국장)

예고:91.12.31. 일반.

검 토 필(1991. 6. 30.)

PAGE 2

0184

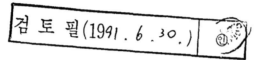

관리 번호	91 —2500

원 본

외 무 부

종 별 :

번 호 : UNW-0959 일 시 : 91 0417 2145

수 신 : 장관(국연,아동,기정)

발 신 : 주 유엔 대사

제 목 : 호주대사 면담

1. 본직은 금 4.17 WILENSKI 호주대사를 면담, 아국가입관련 최근상황을 설명하고 호주의 협조를 요청한바, 동대사는 아국의 유엔가입을 적극지지하며 성공을 기원한다고 하였음.

2. 동대사가 중국의 최근 태도변화를 문의한데 대해 본직은 사정설명후 다음주 호주 외무장관의 북경방문시 중국측을 설득하여 주도로 요청함. 동 대사는 아측의 요청은 이미 캔버라에 전해져 있지만 이를 재차 보고하겠다고 함. 끝

(대사 노창희-국장)

예고:91.12.31에 일반

19 . 일반문서로 재분류됨

검 토 필(1991. 6. 30.)

국기국 장관 차관 1차보 2차보 아주국 청와대 안기부

PAGE 1

91.04.18 11:08

외신 2과 통제관 BW

0185

공 란

공 란

√

관리 번호	91 -2505

분류번호	보존기간

발 신 전 보

번 호 : WUN-0981 910418 1540 CJ 종별 :

수 신 : 주 유엔 대사. 총영사///

발 신 : 장 관 (국연)

제 목 : 유엔가입 추진(호주반응)

4.16. 주호주대사는 ~~Cavert~~ Calvert 아주국장 대리를 면담, 한국의 유엔가입 지지 및 Evans 호주 외상의 방중시 대중국 영향력 행사를 재차 요청한 바, 동 국장 대리는 아국의 유엔가입을 지지하는 호주의 입장은 확고하며 자국 외상 방중시 한국의 유엔가입문제가 주요회담 의제중 하나가 될 것이라 하였다 함. 끝.

예고 : 1991.12.31. 일반

검 토 필(1991. 6 30.)

(국제기구조약국장 문동석)

보 안 통 제	

앙 고 재	91년 4월 18일	UN 과	기안자 성 명		과 장		국 장		차 관	장 관
			송영완				전결			

외신과통제

0188

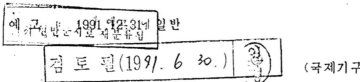

사본 : 주유엔 대사 송

원 본

관리 번호	91 -2509

외 무 부

종 별 :

번 호 : AUW-0289 일 시 : 91 0418 1720

수 신 : 장관(국연,아동)

발 신 : 주 호주 대사

제 목 : EVANS외상 방중시 유엔가입협조

대:EM-0009

연:AUW-0279

1. 4.18 당관 양공사는 WENSLEY 외무무역성 국제기구국장대리를 면담, 대호MEMORANDUM 을 수교하고 한국의 유엔가입에 대한 입장을 재강조하면서 주재국의 계속적이고 공개적인 지지를 요청한바, 동국장대리는 주재국의 확고한 지지를거듭 언명하였음.

2. 아울러 양공사는 EVANS 외상 방중시 한국의 유엔가입문제에 대해 중국측에 영향력을 행사해 주도록 요청하였던바, WENSLEY 국장대리는 EVANS 외상이 다음과같은 3 가지 방향에서 중국측 입장을 타진할것이며 추후 중국측이 보인 반응을 당관에 알려주기로 하였음.

0 한국의 유엔가입에 대한 중국의 기본입장

0 중국이 남북한 동시유엔가입의 방향으로 북한을 설득할 것인지 여부

0 북한이 끝까지 동시가입에 반대하여 한국단독가입신청시 중국이 끝내 반대할것인지 여부

3. WENSLEY 국장대리는 EVANS 외상이 유엔헌장 개정, 안보리 상임이사국개편, 유엔회원국수 확대 문제등 유엔의 전반적 문제를 거론하면서 자연스럽게 한국문제를 짚어볼수 있을것이라고 첨언함.

한편 EVANS 외상을 수행, 대표단 차석으로 4.19 중국 향발하는 IRVINE 아주국 중국.인도지나 담당부국장(전 중국공사 역임)에 의하면 , EVANS 외상이 공식회담석상에서 한반도문제를 거론하면서 그과정에서 한국의 유엔가입에 관해 중국측을 설득하고 중국측 반응을 탐색할뿐아니라, 이어서 PRIVATE TALKS 에서는 한국이 단독 유엔가입을 시도할경우 중국이 실제적으로 어떻게 행동할것인지에 대해

국기국 장관 차관 1차보 2차보 아주국 청와대 안기부

91.04.18 17:19

외신 2과 통제관 BA

0189

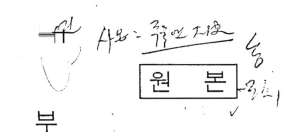

중국측 태도의 강도를 파악하려고 할것이라함

4. 한편, WENSLEY 국장대리가 한국유엔가입에 대한 안보리 여타 상임이사국의 태도를 문의하여 온데 대해 양공사는 미.영. 불은 확고한 아국지지 입장이며 소련의 경우 상기 3 맹방과의 차이가 있겠으나 4.19 한. 소 정상회담이 예시하는바와 같이 소련도 한국의 유엔가입을 반대치는 못할것이라고 설명하였던바, 동국장대리는 한. 소 정상회담이 중국측에 무언의 큰 압력으로 작용할것이라고 말함. 끝.(대사 이창범-국장)

예고:91.12.31 일반.

19 . . 에 예고문에 의거 일반문서로 재분류됨

검 토 필(1991.6.30.)

PAGE 2

0190

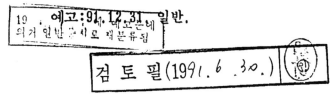

관리번호	91-2769

외 무 부

종 별 : 지 급

번 호 : CPW-0647 일 시 : 91 0426 1830

수 신 : 장관(아이,아동,국연,정이,기정) 사본:노재원대사

발 신 : 주 북경대표대리

제 목 : 호주 EVANS 외상 방중 (PART 1)

호주 GARETH EVANS 외상의 4.23-25 간 방중 관련 4.26 당관 정상기 서기관이 당지 호주대사관 MAGEE 서기관과 접촉, 동 결과를 다음과 같이 파악 보고함.

1. 개요

0 호주 EVANS 외상은 천안문 사건 이후 중국을 방문한 첫번째 고위 관리이며 금번 방문으로 양국관계는 천안문 사건 이전으로 회복되었다고 볼수 있음. 호주는 91.2 무기 판매를 제외하곤 정치.경제분야의 대중 체제를 대부분 해제했음.

0 양측은 약 3 년간 쌍무관계에 관한 협의를 못가졌기 때문에 금번 호주외상 방문시 쌍무관계 협의를 위해보다 많은 시간을 할애했음.

0 국제문제로는 한반도, 캄보디아, 홍콩등에 관해 의견을 나누었으며, 호주측은 중국내 인권문제를 강도높게 거론했는바 중국측이 호주의 인권 조사단을 접수키로 하여 EVANS 외상 자신의 정치적 입지 제고에 큰 기여를 한 것으로 당지 호주대사관은 평가하고 있음.

2. 의제별 협의결과(외상회담)

가. 북한의 IAEA 핵사찰 수락

(1) 호주측은 북한의 핵무기 개발 가능성에 우려를 표명하고, 북한이 IAEA 핵사찰을 접수하도록 중국측의 영향력 행사를 요청하였음.

(2) 또한 중국의 대북한 핵기술 이전 및 무기판매에 신중한 자세를 견지해주도록 요청하였음.(호주는 중국의 대북한 핵기술 이전 증거는 없지만 분명히해두는 것이 좋다는 의미에서 언급했다함)

(3) 중국측은 서방국가들이 중국의 대북한 영향력을 과대평가하고 있으나, 북한은 독립주권 국가로서 중국이 북한에게 어떤 행위를 하거나 하지 말라고 할수 있는 위치에는 있지 못한다고 언급하고 그러나 호주측의 우려를 전달하겠다고회답하였음.

아주국	차관	1차보	2차보	아주국	아주국	국기국	정문국	청와대
안기부								

PAGE 1 91.04.27 11:31

외신 2과 통제관 BW

0191

(4) 중국의 대북한 무기판매 관련, 북한을 포함한 모든 국가에 대한 무기판매에 중국은 항상 신중한 태도를 견지하여 왔으며 한반도의 긴장을 조장시킬 수 있는 무기는 공급하지 않을것이라고(CHINA WILL NOT SUPPLY ARMS WHICH WILL CAUSE TENSION IN KOREA PENINSULA) 대답하였음.

(5) 또한 중국측은 북한만이 긴장완화를 위한 책임이 있는것은 아니며 '다른나라들'도 책임이 있다고 언급하였음.

-이후 CPW-0650 (PART 2) 으로 계속-

PAGE 2

0192

관리번호 91-2770

외 무 부

종 별 : 지 급

번 호 : CPW-0650 일 시 : 91 0426 1830

수 신 : 장관(아이,아동,국연,정이,기정)사본:노재원대사

발 신 : 주 북경대표대리

제 목 : CPW-0647 의 계속 (PART 2)

나. 유엔가입 문제

(1) 호주측은 먼저 남북한의 동시 유엔 가입이든 한국측의 단독가입이든 상관치 않고 환영한다는 호주측의 입장을 밝히고 중국측의 입장을 문의하였음.

(2) 중국측은 북한측의 단일 의석가입안이 "UNWORKABLE"하고 "IMPRACTICAL"하다고 언급하면서 그러나 남북한 대화를 통해서 해결할것을 희망한다고 언급하였음.

(3) 이에 호주측은 남북한간의 합의가 이루어지지 않는 상태에서 한국만의 단독가입 신청시 중국측 태도를 문의한바 전기침 외교부장은 아무런 직접적인 언급을 하지 않은채 남북한간 대화를 통해 해결되어야 한다고만 언급하였음.

다. APEC 가입에 관한 중국측 태도

(1) 중국측은 APEC 이 주권 국가간의 회합이라고 언급하면서 (APEC IS THE ASSOCIATION OF SOVEREIAN COUNTRIES, NOT OF ECONOMIES), 대만은 중국의 한지방이기 때문에 대만의 APEC 가입문제도 중국이 대만과 협의후 대만을 대신해서(ON BEHALF OF TAIWAN) 협의를 하여야 한다는 입장을 표시하였다함.

(2) 아울러 대만은 중국의 축복하에서만 APEC 에 가입할 수 있다고 언급함.

라. "1 개의 중국" 문제

(1) 중국측은 최근 호주.대만관계 강화에 우려를 표명하고 중국의 유일합법정부임을 확인 요청하였음.

(2) 호주측은 대만과의 경제관계 중요성을 언급하고(90 년 호.대만 왕복교역액 38 억불, 호.중국 26 억불) 그러나 현 대만과의 관계는 비정부간의 교류임을 강조시켰다함.(91.3 캔버라 소재 대만 무역사무소 명칭 변경에 대해 91.4 월초 중국측은 항의를 제기하였다함)

마. 인권 문제

아주국	차관	1차보	2차보	아주국	아주국	국기국	정문국	안기부

PAGE 1 91.04.27 11:34

외신 2과 통제관 BW

0193

(1) 호주측의 중국내 인권문제 우려 표시 및 중국내 실제 인권상황을 알고 싶다는 언급에 대하여 중국은 처음으로 호주 인권조사단의 방문을 접수키로 동의함.(동 조사단원에는 국제 인권단체의 구성원이 포함되어 있어서는 안된다고 하였다함)

(2) 중국은 과거 서방국가의 중국 인권문제 거론을 내정 간섭이라고 일축해왔으나 금번에는 다소 태도를 완화하여 "인권문제는 순전히 국내 문제이나 서방국가들이 중국 인권 문제에 관심이 많아 국제문제가 되었으며 아마도 중국내 사정을 잘몰라서 그럴것이다"라는 논리와 함께 현지 실정파악을 위하여 호주측 인권조사단을 접수키로 동의함.

(3) EVANS 외상은 이붕 총리 방문시에도 인권문제를 제기했는바 이붕 총리는 뉴욕의 무주택 현황, 선진국에서의 노인들 방치문제등을 거론하면서 중국의 인권개념과 서방식의 인권개념은 다르다는 점을 강조했다함.

3. 캄보디아 문제, 이라크 사태, 호.중 양국간 경제관계 증진 방안등은 보고 생략함. 끝.

(대사대리 허세린-국장)

예고:91.12.31 일반
일반문서로 재분류됨

검토필(1991. 6. 30.)

PAGE 2

0194

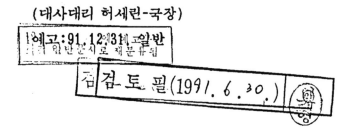

관리 번호	91 -2066

	분류번호	보존기간

발 신 전 보

번 호 : WUN-1119 910427 1423 DU 종별 :

수 신 : 주 유엔 대사. 총영사

발 신 : 장 관 (국연)

제 목 : 호주외상 방중결과

Evans 호주외상의 방중(4.23-25) 관련 주북경 호주대사관을 통해 탐지한 우리의 유엔가입문제 협의내용 하기 통보하니 참고바람.

- 호주측이 먼저 남북한의 동시 유엔가입이든 한국측의 단독가입이든 상관치 않고 환영한다는 입장을 밝히고 중국측의 입장을 문의한 바, 중국측은 북한측의 단일의석 가입안이 "Unworkable"하고 "Impractical" 하다고 언급하면서 그러나 남북한 대화를 통해서 유엔가입 문제를 해결할 것을 희망한다고 언급
- 이에 호주측은 남북한간의 합의가 이루어지지 않는 상태에서 한국만의 단독가입 신청시 중국측 태도를 문의한 바, 전기침 외교부장은 아무런 직접적인 언급을 하지 않은채 남북한간 대화를 통해 해결되어야 한다고만 언급. 끝.

예고 : 91.12.31 일반

(국제기구조약국장 대리)

검 토 필(1991. 6. 30.)

보안 통제	출

앙고재	91년 4월 27일	유엔과	기안자 성명		과 장		국 장		차 관	장 관
							전결			

외신과통제

0195

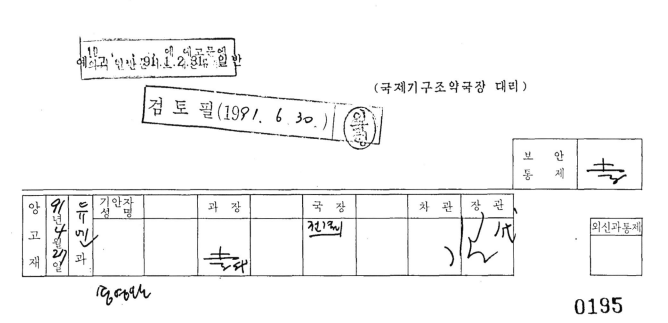

관리번호	91-3065

외 무 부

종 별 :

번 호 : AUW-0335　　　　　　일 시 : 91 0509 1100

수 신 : 장관(아동,국연)

발 신 : 주 호주 대사

제 목 : 외상예방

본직은 5.8(수) 17:00-17:30 간 EVANS 외상을 예방하였는바 주요 내용을 아래 보고함.

가. 유엔가입

0 본직은 우선 4.23-26. 간 EVANS 외상의 성공적 중국방문을 축하하였던바,동외상은 남북한 유엔가입 관련 중국의 태도에 관한 한국 정부의 평가를 먼저 문의하여 왔음.

0 이에 본직은 한국은 금년중 유엔가입을 우리외교의 최우선 목표로 하고있으며 이를 위해 우방국의 적극적인 협조를 확보코자 할뿐아니라 한국 유엔가입의당위성을 중국에 설득, 영향력을 행사해 주도록 호주등 우방국에 요청하고 있다고 말하였음.

0 EVANS 외상은 전기침 중국 외상과의 회담에서 남북한 동시 유엔가입이 이상적이나 불연이면 한국의 국제적 위상, 경제력등 모든점을 고려할때 한국이 단독으로라도 유엔에 가입함이 마땅하다고 한국 유엔가입의 당위성을 설명하였다고하며, 이에대해 중국 외상은 "남북한이 합의하여 유엔가입문제를 해결하는것이바람직하다"고 하면서 "중국은 가까운 장래에 남북한이 통일될수 있다고 본다거나 북한측 주장처럼 남북한이 단일의석으로 유엔에 가입하는것이 실현가능한 일이라고는 생각되지 않는다"고 말하고 동건에 관한 중국측입장에 대해서는 언급이 없었다고함.

0. 이에대해 EVANS 외상은 더이상 ARGUE 하지는 않았다고 말하고 중국 입장에 대한 외상자신의 평가를 본직이 문의한바 EVANS 외상은 중국측이 한국 단독가입에 대해 "REASONABLE SYMPATHETIC" 하다는 인상을 받았다고 말하였음.

0 아울러 EVANS 외상은 최근 중국이 폴랜드. 유고등 동구국가에 대해 이들국가의 한국 유엔가입에 대한 입장을 타진한바 있으며 폴랜드의 경우 국제문제에관해

아주국　장관　차관　1차보　2차보　국기국　청와대　안기부

PAGE 1　　　　91.05.09 10:49

외신 2과 통제관 FE

0196

중국으로부터의 의견문의는 금번이 최초인것으로 알고 있다면서, 이는 중국이 한국의 유엔 단독가입에 대해 상당한 검토를 하고있다는 긍정적인 증좌(INTICATION)인것으로 본다고 하였음.

0 본직은 동건 호주정부의 협조에 사의를 표하고 아울러 5.19-20 간 이원경대통령 특사의 호주방문도 한국정부의 유엔가입 노력의 일환이라고 설명하였던바, EVANS 외상은 특사의 방문을 환영한다면서 5.20 특사방문시 다시만나 이야기하자고 하였음.

나. 북한 핵안전협정 체결

0 본직은 이어 최근 남북대화 현황과 전망을 설명하고나서, IPU 평양 총회시 호주가 핵안전협정 체결촉구 결의안 채택에 주도적 역할을 하고, 그밖에도 IAEA 등을 통해 북한의 핵안전협정 체결을 위한 국제적 압력 행사에 주도적 역할을 하고 있는데 대해 사의를 표명함.

다. 한. 호 포름 성과

0 EVANS 외상은 한. 호 포름이 성공적으로 마무리된것을 기쁘게 생각한다면서 호주정부는 한. 호 FOUNDATION 예산 배정을 위해 예산당국과 적극 접촉, 노력중이라고 말하였음.

라. 기타

0 동외상은 금년 11 월 APEC 총회 참석차 방한할것임을 천명했음. 끝.

~~(대사 이창범-국장)~~

19 . . 에 예고문에 의거 예고문 91. 12. 31. 일반.

검 토 필(1991. 6. 30.) ㊞

PAGE 2

0197

"한사람이 지킨질서 모아지면 나라질서"

주 호 주 대 사 관

호주(정) 20244- 44 1991. 5. 21.

수신 장 관

참조 국제기구조약국장, 사본:아주국장

제목 Evnas 외상 친서 송부

대 : WAU-0222('91.4.4)

연 : AUW-0371('91.5.20)

주재국 Evans 외상 방중 (91.4.23-25)을 앞두고 91.4.5. 대호 장관명의 외상앞 Cable Message를 당관공한 첨부, 호주 외무무역성에 전달하였던 바, 5.20. Evans 외상이 연호 이원경 특사 면담시 자신의 방중을 설명하면서 특사에게 수교한 장관앞 친서를 별첨 송부합니다.

첨 부 : 친서 1부. 끝.

예고: 1991. 12. 31. 일반

검토필(1991. 6. 30.)

주 호 주 대 사

"한사람이 지킨질서 모아지면 나라질서"

0198

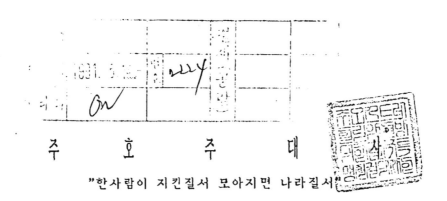

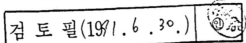

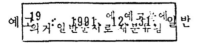

THE HON. GARETH EVANS Q.C.

MINISTER FOR FOREIGN AFFAIRS AND TRADE
PARLIAMENT HOUSE
CANBERRA A.C.T. 2600

His Excellency Mr Lee Sang-Ock
Minister of Foreign Affairs
Republic of Korea

20 MAY 1991

Excellency

Thank you for your letter of 5 April 1991, in which you reconfirmed your intention to seek UN membership in the course of this year.

I would like to take this opportunity to reinforce Australia's firm support for the principle of universality regarding UN membership, and our support for either simultaneous or separate admission to the UN by the two Koreas.

I am aware that the attitude of China, in particular, will have an important bearing on the success of your application. I am pleased to be able to inform you that in response to your representations, I took the opportunity during my recent visit to China to raise the issue with Chinese Foreign Minister Mr Qian Qichen.

In raising the matter with Mr Qian I suggested that given the ROK's international standing, it would be unreasonable to deny it UN membership. I advised him of my opinion that there was a case for either or both Koreas to become UN members, and that the two Koreas would be unlikely to agree to share a seat before reunification had occurred. Mr Qian responded that China had not yet decided its position on the matter but that it hoped that the two Koreas would continue their consultations. He agreed, however, that the single-seat formula would be impossible, as would reunification in the near future.

I would also be pleased to take this opportunity to offer you my best wishes for the future.

Your sincerely

GARETH EVANS

0199

MINISTER FOR FOREIGN AFFAIRS AND TRADE
Parliament House, Canberra

His Excellency Mr Lee Sang-Ock
Minister of Foreign Affairs
Republic of Korea

0200

報 告 畢

1991. 5. 27.
國際機構條約局
國際聯合課 (83)

長官報告事項

題 目 : 濠州 Evans 外相 親書 接受

호주 Evans 外相의 中國訪問(4.23-25)에 앞서 유엔加入에 관한 我國 立場을 中國側에 傳達해 주도록 要請한 4.5字 長官님의 Cable-message에 대하여 同 外相은 答信을 傳達하여 온 바, 關聯事項을 아래 報告드립니다.

1. 호주 Evans 外相의 親書傳達

- 濠州外相은 5.20. 이원경 特使 面談時 자신의 訪中結果를 說明하면서 同 親書 修交

2. 親書內容

- 濠州는 유엔의 普遍性原則을 確固히 支持하며, 南北韓의 同時加入 또는 韓國의 先加入을 모두 支持함.
- 中國 訪問時 전기침 外相에게 韓國의 유엔加入은 當然한 것임을 指摘하고 北側의 單一議席案은 實現不可能함을 說明
- 전기침 外相은 同 問題에 대한 中國의 立場은 상금미정이나 南北韓間 繼續 協議하길 希望한다고 言及하고 北韓의 單一議席案은 實現不可能한 안이라고 同意 表明

첨 부 : 호주 Evans 외상 친서 1부. 끝.

91
5
27

0201

관리 번호 91-3718

원 본

외 무 부

종 별 :

번 호 : AUW-0427

일 시 : 91 0531 1800

수 신 : 장관(국연, 아동)

발 신 : 주 호주 대사

제 목 : 유엔가입

대:WAU-0379

금 5.31 본직은 신임 BARRAT 외무무역성 차관보(아주국, 경제통상국, 문화국담당)을 예방, 대호 유엔가입관련 주재국의 우리입장에 대한 확고한 지지와 대중국 설득노력등에 대한 우리정부의 사의를 전달하고 향후 긴밀한 협조를 당부함. 끝. (대사 이창범-국장)

예고: 91.12.31. 일반.

검 토 필(1991.6.30.)

국기국 아주국

PAGE 1

91.05.31 18:14

외신 2과 통제관 BA

0202

정 리 보 존 문 서 목 록					
기록물종류	일반공문서철	등록번호	2020080038	등록일자	2020-08-20
분류번호	731.12	국가코드		보존기간	영구
명 칭	남북한 유엔가입, 1991.9.17. 전41권				
생 산 과	국제연합1과	생산년도	1990~1991	담당그룹	
권 차 명	V.10 한국의 유엔가입 지지교섭 : 구주지역 II				
내용목차					

0001

관리 번호	91 -51

외 무 부

종 별 :

번 호 : CZW-0024 일 시 : 91 0111 0800

수 신 : 장관(동구이,국연,경일,통이)

발 신 : 주 체코대사

제 목 : 외무성 차관면담

연:CZW-8

1. 본직은 1.10 주재국 PALOUS 외무성차관 예방, 양국관계등 논의한바, 특히작년 UN 총회시 주재국의 아국입장 지지에 사의표명및 북한과의 대화를통한 UN가입문제해결이 안될경우, 한국의 단독가입추진이 불가피함을 분명히하였음을지적하고, 본건관련 주재국의 계속적인 지지를요청함.

2. 주한공관개 설문제관련,주재국 정부로서는 대우측과의 부지교환문제에 다소 법적인문제가 있으나(대우측이물색하는 대지가 상업목적이기때문에 동부지의공개입찰불가피), 주한대사관용 부동산을 취득해야하므로 외무성으로서도 가능한 지원방안강구에 노력하겠다하였음.

3. 연호 3 각결제건 관련, 대통령 경제고문의 리비아방문결과 이들이 귀국하는대로아측에 알려주기로하였음. 끝.

(대사-국장)

예고:91.12.31 일반

1991.12.31에 예고문에 의거 일반문서로 재분류됨

검토필(1991.6.30.)

구주국 차관 1차보 2차보 국기국 경제국 통상국

PAGE 1 91.01.11 20:24

외신 2과 통제관 BW

0002

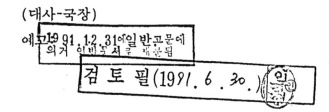

오2 통
(사본 : 기주관)

관리 번호	91 -106

외 무 부

종 별 :

번 호 : CNW-0083 일 시 : 91 0118 1000

수 신 : 장 관(미북,정이,정일)

발 신 : 주 카나 다 대사

제 목 : 카.북한 접촉

자료응신 제 8 호

대 : WCN-0037

1. 대호 카. 북한 북경접촉과 관련 1.17. 카측으로 부터 청취한 접촉결과 요지를 아래 보고함.(본직, 외무부 MCCLOSKY 아. 태 차관보 면담 및 조창범 참사관 HOULDEN 북아과 부과장 오찬 접촉)

가. 북한측 박석균 참사관이 1.16. 카나다 대사관을 처음으로 방문, 카측 JUTZI 공사와 주로 91.4.29.-5.4. 평양 개최 예정인 IPU 회의에서의 카 의회대표단 참가 준비관련 사항에 관해 의견 교환함.

나. 북한측은 카 의회 대표단의 IPU 참가를 환영하고 특히 카측 대표단이 동 회의 참가 기회에 수일간 더 체류 쌍무적 차원의 방문도 해줄것을 초청함.

다. 북한측은 IPU 회의 개최 준비관련 최고 인민회의 의장을 위원장을한 준비위원회가 구성되었다고 하면서, 숙소문제등 세부적인 회의참가 준비사항을 카 의회측이 동 준비위원회와 직접 접촉토록 해달라고 요청하고 동 준비위원회의 전화번호, FAX 번호등을 제공함.

라. 또한 북한측은 현재 영국의회 대표단이 IPU 회의 참가 사전 준비문제등협의차 평양을 방문중이라고 하면서 카 의회측이 영국 의회측과도 정보교환등 협조하면 도움이 될것이라고 함.

아울러 북한측으로선 카 의회 대표단의 방문에 최대의 협조와 편의로 제공할 것임을 다짐함.

마. 상기에 대해 카측 JUTZI 공사는 본국에 전달하겠다고 약속하고 그외의 다른문제에 관한 의견 교환은 없었다고 함.

2. 상기 관련 본직은 주재국 학자의 북한 방문결과(CNW-0030 참조)등 최근

미주국 장관 차관 1차보 2차보 국기국 정문국 정문국 청와대
안기부

PAGE 1

91.01.19 01:21
외신 2과 통제관 BW

0003

북한측의 적극적인 대주재국 접근 노력에 관심을 표하면서 상금 북한의 대남전략및 기본 태도에 변화가 없는점 등을 지거, 카. 북한 관계는 남북대화, 북한의 개방 유도등 한반도 평화정착에 기여할수 있는 방향으로 한. 카간의 긴밀한 협조하에 신중히 추진되어야 할것임을 강조해 두었음.

3. MCCLOSKY 차관보에 의하면, 카 정부로서는 북경에서의 외교관 접촉, 빅토리아 회의 관련 학자교류, IPU 회의 참석등 현재 수준의 대북한 접촉을 넘어서는 새로운 관계 진전은 고려치 않고 있으며 또 이를 위한 국내적인 동인(경제적 이익이나 여론의 압력등)도 없는 상태라고 함. 아울러 동 차관보는 대북한 관계 개선 문제는 남. 북한 관계의 진전상황, IAEA 안전조치 협정문제, 테러 포기등 북한측의 태도 변화가 전제되어야 한다는 기본 입장에 변화가 없다고 다짐하고, 다만 앞으로 일본.북한 관계의 진전상황, 유엔 가입문제에 관한 북한의 태도등을특히 주시해 나가겠다고 하였음. 끝

(대사 - 국장)

예고문 1991.12.31.에 일반고문에 의거 일반문서로 재분류됨

검 토 필(1991. 6. 30.)

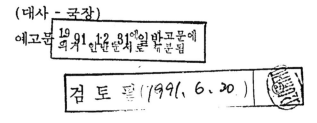

관리 번호	91 -104

외 무 부

종 별 :

번 호 : CNW-0084 일 시 : 91 0118 1000

수 신 : 장 관(미북,중근동,정특반,통일,국연,정일)

발 신 : 주 카나 다 대사

제 목 : 아.태 차관보 면담

자료응신 제 9 호

1.17. 본직은 외무부 MCCLOSKY 아. 태 차관보와 면담 걸프전쟁 관련 대 테러대책, 기타 경계 협조 문제를 비롯 양국 현안 관심사항에 관해 의견 교환한바,특기사항 아래 보고함.(조창범 참사관, GWOZDECKY 한국 담당관 배석)

1. 본직은 걸프전쟁 관련 아국의 입장 및 대응조치 내용을 설명하고 특히 테러 경계 관련 정보교환등 주재국측의 협조를 요청한바, 동 차관보는 금일 밀라노에서의 2 개소 및 뉴데리 1 개소에서 미 항공사 사무소등에 대한 폭파테러 발생 사실을 지적, 카측은 이락등 테러 세력의 위협을 매우 심각하게 받아들이고 있다면서 긴밀한 협조를 약속함. 특히 동 차관보는 테러대상은 특정국가에 국한되지 않고 전쟁 참여정도에 따라 미, 영, 불란서를 주 대상으로 하되 여타 카나다, 호주, 이태리등 다국적군 지원국가 전부를 포함하는 광범한 것으로 보이며 금일 밀라노 사건은 이태리의 다국적군 참여 발표와도 연관된 것으로 평가된다고하였음.

2. 아울러 동 차관보는 현재 카측은 외무부등 주요시설 출입자 통제 및 경비강화, 주요 공격대상 외교단의 차량번호판 일반번호판으로 교체, 이락인에 대한 비자 발급 중지, 이락. 팔레스타인등 아랍계 학생.장기체류자에 대한 사찰강화, 당지 이락대사관원 일부 추방(테러활동 조정 가능성 대비)등 안전강화 조치를 취하고 있다함.

3. 본직은 APEC 제 3 차 각료회의 관련 아측의 준비현황을 설명하고 클라크외무장관및 크로스비 통상장관이 동 회의에 참가할수 있도록 카측의 협조를 요청한바, 동 차관보는 현재 동인들의 금년 후반기 일정이 유동적이나 여타 아시아지역 방문계획과 연계 시킴으로서 참가할수 있도록 최선을 다하겠다고 하였음.아울러 제 2 차 APEC/SOM 회의엔 동차관보가 참석 예정이라고 하였음.

미주국	장관	차관	1차보	2차보	중아국	국기국	통상국	정문국
정특반	청와대	총리실	안기부					

PAGE 1

91.01.19 01:48
외신 2과 통제관 CH

0005

4. 동 차관보는 최근 말레지아 수상이 제의한 동 태평양 지역 무역기구 설립 구상에 대한 아측의 입장을 문의하면서(동구상에 싱가폴은 지지 입장이며, 여타 아세안, 중공, 일본과도 적극 거론되고 있다함), 카측으로선 연사한 구상이 세계 무역의 블럭화를 더욱 조장하는 것으로 우려되며 자신으로서는 우루과이 라운드 협상 실패경우에도 카나다를 포함 동.서 태평양 전체를 포괄하는 무역 협조체제 발전이 바람직 하다는 생각이며, 이러한 방향으로 한국측도 협조해 주기를 바란다고 하였음.

5. 동 기회에 본직은 노대통령의 연두기자 회견 내용 관련 특히 유엔 가입문제가 금년중 아국의 주요 외교추진 계획의 하나로 설정되었음을 설명하고 앞으로 카측의 계속적인 협조를 당부해 둠. 동 차관보는 북한 및 중.소의 태도에 관심을 표하면서 아국입장 지지에 적극 협조하겠다고 하였음.

6. 카. 북한관계 : 별전 보고.끝

(대사 - 국장)

예고문 : 1991. 12. 31. 에 일반고문에 의거 일반문서로 재분류됨

검 토 필(1991. 6. 30.)

PAGE 2

0006

분류기호 문서번호	국연 2031-	기 안 용 지 (전화 :)	시 행 상 특별취급	
보존기간	영구·준영구. 10. 5. 3. 1.	차 관	장 관	
수 신 처 보존기간				
시행일자	1991. 1. 19.			
보조기관 국 장		협조기관	제 1차관보 구주국장	문 서 통 제
보조기관 과 장				
기안책임자	이 수 택			발 송 인
경 유 수 신 참 조	건 의	발신명의		
제 목	장관님 서한 발송			

우리의 유엔가입을 위해 유엔총회 기조연설시 아국입장을 적극 지지함은 물론 중국의 태도변화 유도를 위하여 협력하고 있는 Collins 아일랜드 외무장관에게 별첨과 같이 장관님 명의 감사서한을 발송코자 하니 재가하여 주시기 바랍니다.

첨 부 : 동 서한(안) 1부. 끝.

예 고 : 1991. 6. 30. 일반문에 의거 일반문서로 재분류됨

0007

1505-25(2-1) 일(1)갑
85. 9. 9. 승인 "내가아낀 종이 한장 늘어나는 나라살림"

190mm×268mm 인쇄용지 2급 60g/㎡
가 40-41 1990. 5. 28

January 21, 1991

Dear Mr. Minister,

I wish to express my deep appreciation for ~~It is my great pleasure to hear of~~ your warmest congratulations conveyed to me through Ambassador Min in Dublin upon my assuming the office of Foreign Minister.

I should also like to ~~express my~~ extend our heartfelt gratitude for your keen interest in further developing the friendly and cooperative relations between our two countries as well as for your strong support ~~in various occasions to~~ for our endeavours to achieve UN membership.

I am particularly appreciative of your active and timely assistance in persuading the People's Republic of China ~~into taking~~ to take a more affirmative stand on the issue of Korea's UN membership and sincerely hope that your valuable cooperation on this matter will ~~be~~ continue.

Looking forward to ~~seeing~~ being able to meet you in the near future, I wish you ~~of your continued~~ good health and every success.

Sincerely yours,

~~Sang Ok Lee~~
LEE Sang-ock

His Excellency
Gerard Collins T. D.
Minister for Foreign Affairs
Ireland.

0008

MINISTER OF FOREIGN AFFAIRS
SEOUL, KOREA

January 21, 1991

Dear Mr. Minister,

It is my great pleasure to hear of your warmest congratulations conveyed to me through Ambassador Min in Dublin upon my assuming the office of Foreign Minister.

I should like to express my heartfelt gratitude for your keen interest in further developing the friendly and cooperative relations between our two countries as well as for your strong support to our endeavours to achieve UN membership.

I am particularly appreciative of your active and timely assistance in persuading the People's Republic of China into taking a more affirmative stand on the issue of Korea's UN membership and sincerely hope that your valuable cooperation on this matter will continue.

Looking forward to being able to meet you in the near future, I wish you good health and every success.

Sincerely yours,

Sang Ock Lee

His Excellency
Gerard Collins T.D.
Minister for Foreign Affairs
Ireland

0009

주한 스페인대사 면담 참고사항

(91.1.22(화) 15:00)

- 국제연합과 -

o Ordonez 스페인외상 중국방문 (90.11.22-24)시 유엔가입 추진관련 협조 요청

(요청경위)

- 주스페인대사 및 주한 스페인대사 경유 병행 요청 (11.19)

(요청내용)

- EC-Troika 정책협의회 맥락에서 아국 유엔가입에 대한 스페인의 관심 및 지지 표명
- 남북한 동시가입에 있어서 중국측의 건설적 영향력 행사 기대 언급

(결 과) : 주스페인대사 전문보고 (12.4)

- 스페인외상 ; 중국 '전기침' 외상에게 상기 아측 요청내용을 공식 회담에서 언급
- 중국 외상 ; 상기에 대해 남북총리회담 진행사실을 전제, 90년도내 한국의 유엔가입 신청의 총회처리는 시기상조라는 반응

o '전기침' 중국외상의 스페인 방문관련 협조요청

- 중국외상의 91.3월 스페인.폴투갈 방문예정 관련, 대스페인 협조요청 필요

(참고) : Collins 아일랜드외상, 중국외상의 상기 2개국 방문을 계기로 아국의 유엔가입을 지지하는 입장을 중국외상에게 하기 방식으로 전달용의 언급 (1.16. 주아일랜드대사 보고)

- 더블린 또는 제3국에서 중.아일랜드 외상회담 개최 제의
- 또는, 스페인과 폴투갈 외상이 EC 기본입장 범위내에서 지지 입장을 중국측에 전달토록 조치예정. 끝.

0010

EC / 2점1280

報告畢

長官報告事項

1991. 1. 22.

國際機構條約局
國際聯合課 (3)

題目 : 유엔加入問題 關聯 中國側 反應

Castro 駐韓 스페인大使는 1.22(火) 15:00 國際機構條約局長을 訪問, Ordonez 스페인 外相의 中國 訪問時(90.11) 유엔加入問題에 관한 中國側의 反應을 다음과 같이 알려왔기에 報告드립니다.

1. 유엔加入問題 關聯 中國側 反應

ㅇ Ordonez 스페인 外相은 昨年 11月 中國訪問時 우리측의 要請에 따라 전기침 中國外相과의 會談時 韓國의 유엔加入問題를 擧論하였음.

ㅇ 이에 대하여 전기침 中國外相은

- 南北韓 單一議席 유엔加入案은 非現實的인 提案이고,
- 南北韓間의 協商이 繼續 進展되어야 할 것이라고 言及하였음.

(스페인 외무성 아주국장의 관련서한 후첨)

공람	담 당	과 장	국 장	차관보	차 관	장 관
	김성진	(서명)	(서명)	(서명)	(서명)	

0011

2. 駐韓 스페인大使 其他 言及事項

ㅇ 昨年度에 행한 한국의 유엔加入 努力과 이에 대한 壓倒的인 國際的 支持 雰圍氣를 中國側이 알고 있을 것으로 생각됨.

ㅇ 今年 3月初旬 Ordonez 外相이 訪韓豫定이며, 同 外相은 韓國에 대한 關心이 크며, 85年이래 外相職을 맡고 있는 바, 今番 訪韓에 좋은 成果가 있기를 期待함.

* 國機局長은 中國外相의 스페인 訪問에 유의, 스페인 外相의 訪韓時 유엔加入問題 관련 中國關聯 좋은 소식을 가져오기를 期待한다고 言及함.

3. 參考事項

ㅇ Ordonez 스페인 外務長官, 訪韓 豫定 (91.3.4-6간)

ㅇ 中國 전기침 外相, 스페인, 폴투갈등 訪問豫定 (91.3월중)

첨 부 : 표제 서한 및 번역문 각 1부. 끝.

0012

(번 역 문)

마드리드 91. 1. 4.

페르민 쁘리에또 까스뜨로

주한스페인 대사 귀하

귀하께서 마드리드에 일시 귀국시 언급했던 바와 같이 한국문제는 장관님이 지난11월 중국을 방문하셨을때 중국 지도자들과의 면담시 취급되었습니다.

사실은, 주스페인 한국대사도 귀하께서 서울에서 직접 요청받은것 처럼 본국정부의 훈령이라면서 장관님 면담의제에 한국문제를 포함시켜 줄 것을 우리에게 요청해온 바 있었습니다.

이에 따라 장관님께서는 중국외상과 동 문제에 관해 의견을 고환하셨는데 전기침 중국외상은 남북한이 유엔에 단일의석으로 가입한다는 것은 비현실적인 제안이라면서 남북한간에 협상을 진전시킬 수 있는 장을 제공하여야 한다고 언급하셨습니다.

따라서 금차 유엔총회에서 서울의 유엔가입은 가능할 것 같지 않으며 아마도 다음 총회에서나 가능할지 모르겠습니다.

더이상 난필을 줄이며, 본인의 안부를 전합니다.

호세 로드리게스 스삐떼리

(스페인 외무성 아주국장)

0013

Ministerio de Asuntos Exteriores
El Director General de Política Exterior
para América del Norte y Asia

Madrid, 4 de enero de 1991

Excmo. Sr. D. Fermín Prieto Castro
Embajador de España en
SEUL

Querido Embajador:

Como tuve ocasión de comentarte en tu reciente visita a Madrid, el tema coreano se trató en las conversaciones que con los dirigentes chinos mantuvo el Sr. Ministro con ocasión de su viaje a la República Popular China en noviembre pasado.

Efectivamente, en su día, el Embajador de Corea en Madrid nos trasladó una petición de su Gobierno para que el Ministro incluyera el tema de Corea en su agenda de conversaciones, petición que, igualmente, te fue planteada a tí en Seul.

En este sentido, el Sr. Ministro tuvo un intercambio de opiniones con su homólogo chino y, en síntesis, el Ministro Qian Qichen indicó que el ingreso de las dos Coreas en un sólo puesto de Naciones Unidas era una planteamiento no realista y que había que dar lugar a que avanzase el proceso de negociación entre las dos Coreas. En consecuencia, el ingreso de Seul en Naciones Unidas en esta Asamblea General no parecía viable y por el contrario quizá, en la próxima Asamblea General, si lo fuese.

Sin otro particular por el momento, recibe un fuerte abrazo,

José Rodríguez-Spiteri

0014

(스페인대사와 면담본)

Concerning this request, the Minister had an exchage of views with his Chinese counterpart and, summarily, Minister Qian Qichen said that the entry of North and South Korea in the UN with a single seat was an unrealistic scenario and that the aim should be to facilitate the progress of the negoctiations between both Koreas. Thus, the entry of Seoul in the UN during this UNGA does not seem to be viable, although, perhaps, it could be achieved during the next UNGA.

0015

Ministerio de Asuntos Exteriores
El Director General de Política Exterior
para América del Norte y Asia

Madrid, 4 de enero de 1991

Excmo. Sr. D. Fermín Prieto Castro
Embajador de España en
SEUL

Querido Embajador:

Como tuve ocasión de comentarte en tu reciente visita a Madrid, el tema coreano se trató en las conversaciones que con los dirigentes chinos mantuvo el Sr. Ministro con ocasión de su viaje a la República Popular China en noviembre pasado.

Efectivamente, en su día, el Embajador de Corea en Madrid nos trasladó una petición de su Gobierno para que el Ministro incluyera el tema de Corea en su agenda de conversaciones, petición que, igualmente, te fue planteada a tí en Seul.

En este sentido, el Sr. Ministro tuvo un intercambio de opiniones con su homólogo chino y, en síntesis, el Ministro Qian Qichen indicó que el ingreso de las dos Coreas en un sólo puesto de Naciones Unidas era una planteamiento no realista y que había que dar lugar a que avanzase el proceso de negociación entre las dos Coreas. En consecuencia, el ingreso de Seul en Naciones Unidas en esta Asamblea General no parecía viable y por el contrario quizá, en la próxima Asamblea General, si lo fuese.

Sin otro particular por el momento, recibe un fuerte abrazo,

José Rodríguez-Spiteri

0016

관리 번호	91 -129

	분류번호	보존기간

발 신 전 보

번 호 : WID-0013 910122 1435 BX 종별 : 지급

수 신 : 주 아일랜드 대사. ~~총영사~~

발 신 : 장 관 (국연)

제 목 : 장관서한 전달

대 : IDW-0007

대호관련, 우리의 유엔가입을 위해 적극적으로 협력하고 있는 귀주재국 Collins 외무장관에게 별첨 본직명의 감사~~서한~~전문을 귀관 노트를 첨부하여 전달하고 결과 보고바람.

첨 부 : 동 서한 1부. 끝.

예 고 : 1991.6.30. 일반.

(국제기구조약국장 문동석)

보안 통제	

앙 고 재	91년 1월 22일	유엔과	기안자 성명		과 장		국 장		차 관	장 관
							전결			

외신과통제

0017

January 21, 1991

Dear Mr. Minister,

I wish to express my deep appreciation for your warmest congratulations conveyed to me through Ambassador Min in Dublin upon my assuming the office of Foreign Minister.

I also should like to extend our heartfelt gratitude for your keen interest in further developing the friendly and cooperative relations between our two countries as well as for your strong support for our endeavours to achieve UN membership.

I am particularly appreciative of your active and timely assistance in persuading the People's Republic of China to take a more affirmative stand on the issue of Korea's UN membership and sincerely hope that your valuable cooperation on this matter will continue.

Looking forward to being able to meet you in the near future, I wish you good health and every success.

Sincerely yours,

LEE Sang-Ock

His Excellency
Gerard Collins T. D.
Minister for Foreign Affairs
Ireland

0018

원 본

암호수신

외 무 부

종 별 :

번 호 : IDW-0011 일 시 : 91 0123 1630

수 신 : 장 관(국연)

발 신 : 주 아일랜드 대사

제 목 : 서한 전달

대:WID-0013

연:IDW-0007

대호 지시대로 조치하였음을 보고함. 끝.

(대사 민형기-국장)

국기국

PAGE 1

91.01.24 05:18

외신 2과 통제관 FE

0019

관리 번호 91-149

원 본

외 무 부

종 별 :

번 호 : UNW-0171 일 시 : 91 0123 1700

수 신 : 장관 (국연,서구일,기정)

발 신 : 주 유엔 대사

제 목 : 아일랜드 대표부 직원 접촉

대: WUN-2134(90.12.20), 0126

1. 금 1.23. 권종락 참사관은 아일랜드 대표부 CORR 정무참사관과 오찬, 금후 아국의 유엔가입 추진 문제에 관하여 상호 긴밀히 협조할것을 다짐하였음.

2.CORR 참사관은 COLLINS 외무장관의 아국 가입문제에 대한 관심이 지대하여 아일랜드 주유엔 대표부에 대해서도 아국가입 문제 관련 동향을 수시 보고하고 아국대표부와 긴밀한 접촉을 유지하라고 훈령을 내린바 있다함. 동 대표부는 주한 아일랜드 대사의 보고등 더블린으로 부터 한국관련 사항 통보를 어느지역문제에 대해서보다도 더 자주 받고있다함. 끝

(대사 현홍주-국장)

예고: 91.12.31에 일반문서로 재분류 (1991.6.30.)

국기국 차관 1차보 구주국 안기부

PAGE 1 91.01.24 07:12

외신 2과 통제관 BW

0020

원 본

관리 번호	91 -157

외 무 부

종 별 : 지 급

번 호 : CNW-0113 일 시 : 91 0124 1400

수 신 : 장 관(국연,미북,정이,정일) 사본: 주유엔 대사(중계필)

발 신 : 주 카나다 대사

제 목 : 유엔에서의 카.북한 접촉

1. 1.24.(목) 외무부 GWOZDECKY 한국 담당관은 조창범 참사관에게 전화, 뉴욕에서 북한측 제의에 따라 1.29.(화) 카. 북한 주 유엔 대표부 직원간 면담이 있을 예정임을 아래와 같이 알려 왔음.

가. 1.21. 주 유엔 북한 대표부 직원이 카나다 대표부 1 등서기관에게 유엔가입문제에 관한 카측 입장을 문의하면서 이에 관한 의견 교환을 위해 면담할 것을 희망해 왔음.

나. 이에 카 외무부는 주 유엔 대표부에 동 면담 제의를 수락하되 면담시 카 정부는 유엔의 보편성 원칙을 지지하며 남. 북한 동시가입이던, 한국만의 단독 가입이던 한국의 유엔 가입을 적극 지지하는 입장임를 설명하고, 북한측이 유엔 가입문제에관해 융통성 있는 태도를 보여야 할것임을 촉구토록 훈령했다 함.

다. 아울러 동 면담시 북한측이 유엔 가입문제외에 쌍무관계등 여타 문제를 거론할 경우엔 이는 기존 북경에서의 카. 북한 외교관 접촉 경로를 이용토록 설명하라고 훈령했다함.(카측은 카. 북한간의 실질적 문제에 관한 대화는 가급적 북경에서의 접촉으로 일원화 한다는 방침이며, 유엔 문제의 경우엔 그 특수성을 감안 주 유엔 대표부에서의 접촉을 허가 했다고 부언)

라. 주 유엔 카 대표부의 관찰로는 북한측이 영국 대표부측과도 이미 여사한 접촉이 있었던 것으로 보인다 함.

2. 상기 관련 아측은 사전 통보에 사의를 표하고 유엔 가입문제에 관한 아국 입장을 거듭 설명, 북한측 태도등 접촉 결과를 상세히 디 브리핑 해줄것을 우선 당부해 두었음. 끝

(대사 - 국장)

예고문 : 91.12.31. 일반 검토 필(1991. 6. 30.)

국기국 1차보 미주국 정문국 정문국 안기부

PAGE 1

91.01.25 06:06

외신 2과 통제관 DO

0021

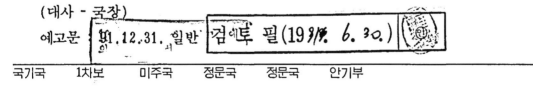

관리번호	91-174

외 무 부

종 별 :

번 호 : CZW-0063 일 시 : 91 0125 2200

수 신 : 장관(동구이.경일.국연.정이.특전.기정)

발 신 : 주 체코 대사

제 목 : 수석 외무성차관 면담

본직은 금 1.25. PAVOL 관계 UCHAN 수석 외무성 차관을 면담,협의한바, 동 요지 아래 보고함(관계관배석)

1. 남북한 관계진전에 관한 문의에 대해 본직이 현황을 설명한바, 동 차관은북한정권은 냉전시대의 잔재로서 걸프 사태가 종료 되면 세계 이목이 북한으로 쏠릴 것이라고 언급함. 체코.북한간 정권 성격에 불구 CORRECT 한 관계를유지할 뿐이라고 언급

2. 한국 정부는 북한을 계속 설득 할것이나 여의치 않을 경우에는 한국 단독을경우금추에는한국단독으로라으로라도 유엔에 가입 할 것이라고 지원을 요청한바, 차관은 체코의 아국입장에변동 없다고 답함. 다음계속 93

구주국 의전장 국기국 경제국 정문국 안기부

PAGE 1 91.01.26 09:23

외신 2과 통제관 BT

0022

관리 번호	91 -114

외 무 부

종 별 :

번 호 : CZW-0064 일 시 : 91 0125 2220

수 신 : 장관(동구이)

발 신 : 주 체코 대사

제 목 : CZW-0063연속

3. 한국회사의 대 체코 합작투자 추진 현황 설명코 체코가 입법을 통해 외국인 투자조건을 개선할 것을 촉구한바, 동 차관은 한국은 체코가 가장 빠른 속도로 경협관계를 확대키를 원하는 나라중의 하나라고 하고 노력 하겠다고 언급.리비아 삼각 결제 문제도 양국 정부가 계속협력, 해결 노력키로 함.

4. 차관은 30 억불의 대쏘 경협기사를 읽었다고 하고, 리투아니아 사태가영향을 주느냐고 문의함. 본직은 외무성 고위 당국자가 주한 쏘련대사를 불러 유감을 표시한바 있으며 경협에는 영향이 없을 것이라고 답함.

5. 차관은 주한 상무관 접수에 사의를 표하고, 빠른 시일내 주한 상주대사관 설치 방침에 변동이 없음을 확인함.끝

1991.12.31 에 일반고문에 의거 일반문서로 재분됨

검 토 필(1991.6.30.)

구주국 의전장 국기국 경제국 정문국 안기부

PAGE 1

91.01.26 09:33

외신 2과 통제관 BT

0023

관리 번호	91 -268

외 무 부

종 별 : 지 급

번 호 : FRW-0397 일 시 : 91 0202 1030

수 신 : 장관(구일,국연,경기,정일)

발 신 : 주 불 대사

제 목 : EPC 아주지역 관계 실무자회의

1. 1.30 브라셀에서 개최된 표제회의에 주재국 대표로 외무성 LACOMBE 아주국 심의관및 BOISSY 한국 담당관이 참석한바 동 담당관을 통해 파악한 동 회의 결과 아래 보고함(EC 회원국은 대 아주 외교정책협의를 위해 각국 외무성 아주 관계 담당 국장 또는 부국장급의 표제회의를 매 2 개월 1 회 정기적으로 브라셀에서 개최함)

- 금번 회의시 주 의제는 일본의 EC -일본간 정기 각료급 고위 정책협의회 개최 요청에따른 회원국간 입장 정립으로써, 연 1 회 동 고위 정책 협의회를 개최키로 합의함(현재 미국 및 카나다와는 연 2 회 정례 각료급 고위 정책 협의회개최중)

- 북한의 최근 대 EC 접근 동향과관련 EC 제국의 대북한 관계 개선은 상금 거론할 단계가 아니라는데 의견 일치함(동 관련 과거 동독- 북한 관계로 인한 독일 측의 특수 입장을 이해 하고 있으며 평양 주재 전 동독 대사관의 이익은 현재 스웨덴이 대변하고 있다함)

- 아국의 유엔 가입 문제에 대하여는 각국의 고유 입장을 존중하나, 가급적EC 공동 입장을 수립, 표명키로 합의

- 기타 토의 주제는 중국 인권 문제에따른 EC 측의 대중국 공동 입장 정립 및 캄보디아 문제등이었음.

2. 동 한국담당관은 또한 서울 개최 제 47 차 ESCAP 총회에 주재국 대표로 MRS. AVICE 아태.중남미 담당상이 참석할 가능성이 크다고 참고로 언급함. 끝

(대사 노영찬-국장)

예고: 91.12.31 일반

19 . . . 에 예고문에 의거 일반문서로 재분류됨

검토필(1991.6.30)

구주국 차관 1차보 2차보 국기국 경제국 정문국

PAGE 1 91.02.02 20:16

외신 2과 통제관 FI

0024

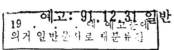

관리 번호	91-279

외 무 부

종 별 :

번 호 : CNW-0159 일 시 : 91 0204 1730

수 신 : 장 관(미북,국연,동구일,정이,정일)

발 신 : 주 카나 다 대사

제 목 : 외무부 아.태 차관보 접촉

대 : WCN-113

2.1.(금) 본직은 외무부 MCCLOSKY 차관보와의 만찬석상에서 대호 관심사항에 관해 의견 교환한바, 특기사항 아래 보고함.

1. 본직의 년내 유엔 가입 실현이 금년중 아국의 최대 외교과제임을 설명하고 카측의 계속적인 협조를 요망한바, 동 차관보는 중국이 설사 이번에 거부권을행사하게 되는 상황이 되더라도 명분없는 거부권 행사에 따른 국제적인 압력 가중때문에 다음번엔 거부권 행사를 반복하기는 어렵게 될것이라는 본직의 견해에 전적이 공감을 표명하면서 카 정부로서는 한국의 유엔 가입 실현을 위해 최대한으로 필요한 지원을 하겠다고 다짐하였음.

2. 또한 본직은 대호 KAL 사건 문제와 관련 ICAO 본부가 당지에 소재하고 있음에 비추어 카측의 의견을 DISCREET 하게 타진해본바, 동 차관보는 상금 고르바쵸프가 국내 정치적으로 매우 어려운 입장에 처해 있고 또 한. 소 외교관계가 수립된지 얼마되지 않은점을 고려할때 이러한 시점에서 고르바쵸프를 난처하게 하는 것을 시기적으로도 바람직하지 않을 것이라는 사견을 표명함.

3. 토론토 최중화 사건(TRW-0031 참조, 최홍의 장남으로 81 년 전두환 전대통령 암살음모사건 혐의자로 수배중이다가 91.1.22. 경찰에 자수 재판중) 관련 본직은 동 사건이 토론토를 거점으로 일부 한국계 카나다인들을 이용한 북한측의파괴적인 아국 국가안보 침해 행위의 표본임을 지적, 여사한 북한측의 책동 방지를 위해서도 일부 친북 토론토 교민사회 움직임과 관련한 아측의 관심을 카측은 이해하여야 한다고 전제하고 양국 관계 기관간의 정보교환등 긴밀한 협조체제의 제도화가 조속히 이루어 져야 할것임을 강조한바, 동 차관보는 동 사건에 관해서는 카 외무부로서도 각별한 관심을 갖고 FOLLOW-UP 하고 있다면서 한국측의 관심을 충분히 이해하고 그 방향에서

미주국 장관 차관 1차보 2차보 구주국 국기국 정문국 정문국
정와대 안기부

PAGE 1 91.02.05 13:32
외신 2과 통제관 BW

0025

적극 협조 하겠다고 하였음.

4. MCCLOSKY 차관보는 최근 당지 중국대사와의 면담시 극히 보수적인동 대사가 현재 북한이 정치적으로나 경제적으로 매우 어려운 상황에 처해 있음을 시인한점은 주목할 일이라고 논평함. 동 대사는 90.9 월 당지 부임전 주북한 대사를 역임하였으며, 보수적 성향의 매우 교조주의적인 사람으로 보였다함.(본직이 최근 당지 중국대사에게 개별 오찬을 제의하였던바, 일정이 바쁘다는 이유로 회피하는 태도였음)

5. MCCLOSKY 차관보는 저간 한국정부가 주 카나다 대사를 신중히 정선해준데 대해서 사의를 표시하고 후임대사와도 긴밀한 협조관계를 유지해 나가겠다고 하였음. 또한 자신은 해외공관장 물망에 오르고 있는 것은 사실이나 아직 자기의결심을 하지 못하고 있다고 말하고 SCHUMACHER 주한 대사는 금년 여름 외무부 경제정책담당 차관보로 승진, 귀임하게될 가능성이 크다고 하였음. 끝

(대사 -국장)

예고문 : 91.12.31 일반 에 예고문에 의거 일반문서로 재분류됨

검 토 필 (1991. 6. 30.)

PAGE 2

0026

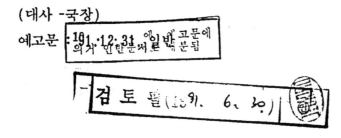

관리 번호	91-288

외 무 부

종 별 :

번 호 : CNW-0163 일 시 : 91 0205 1700

수 신 : 장 관(미북,아동,의전,통일,국연,정특반)

발 신 : 주 카나다 대사

제 목 : 외무부 장관 주최 송별 오찬

1. 클라크 외무장관은 2.5.(화) 외무부 귀빈식당에서 본직을 위한 송별 오찬을 주최했는바, CAMPBELL 외무통상차관, SHIELDS 의회담당 정무차관(하원의원), FLIS 하원의원(자유동 외교 CIRTIC), COLMAN CITT 의장, 수상실 GRAUER 비서실차장, FERCHAT 원자력 공사회장, LUCAS 의전장, MCCLOSKY 아. 태 차관보, MCGOWN 농업부 수석차관보, 일본대사, 태국대사등이 참석함.

2. 클라크 장관은 오찬 연설에서 저간 본직의 활동 성과를 평가하면서 작년9 월 방한시 한국민의 활기있는 모습에 크게 감명을 받았다고 전제하고 최근 월성 2 호기 구매 계약체결은 양국 관계 발전에 있어 중요한 계거였다고 하고, 한. 카 양국은 상호 5 대 교역국으로서 정치.안보.경제등 모든 분야에서 긴밀한 협력을 증진하고 있음에 만족을 표명함.

3. 또한, 동 장관은 한국의 유엔 가입 실현을 위한 카나다의 지지를 재확인하고 동 문제에 관해 한국측과 계속 긴밀하게 협조할 것임을 다짐함.

4. 한편 동 장관은 자기가 제의한바 있는 북태평양 안보 대화 체제를 위한 아국의 협력을 기대하고 또 UR 협상의 중요성을 감안할때 본직이 제네바에서도 카나다 대표와 긴밀히 협조해 줄것을 당부하였음.

5. 동 장관은 본직과의 대화시에 마하티르 말레지아 수상의 동 아시아 공동시장 구상에 대하여 다소 우려를 표시하면서 ASEAN 측은 APEC 의 역할이 ASEAN 과 다소 중복 된다는 생각을 갖고 있는듯 하다고 지적하고 서울 회의가 중요함을강조하면서 마하티르 수상의 구상과 관련한 아국, 일본등의 입장에 관심을 표명하였음.

6. 본직은 답사에서 제 2 원자로의 대 한국 판매와 CLARK 장관의 서울 방문등이 한. 카 관계 증진에 촉진적 요소가 되었다고 지적하고 작년 노대통령의 카나다 방문이 부득이 연기되었으나 적당한 시기에 실현될 것이라고 전망하고 한. 카 관계는 앞으로

미주국 장관 차관 1차보 2차보 의전장 아주국 국기국 통상국
정특반

PAGE 1 91.02.06 08:02
외신 2과 통제관 BT
0027

경제, 외교, 안보등 모든 분야에서 더욱 활발히 진전될 것이라는 확신을 표명함.

7. 매크로스카 차관보는 클라크 외무장관이 이임하는 대사를 위하여 송별 오찬을 주최하는것은 이례적이며, 최근에 그러한 사례가 별로 없었다고 동석한 조공사에게 언급하였음을 참고로 첨언함.

(대사 - 장관)

예고문 : 91.12.31. 일반

19 . . . 에 예고문에 의거 인반문서로 재분됨

검 토 필 1991. 6. 30

PAGE 2

0028

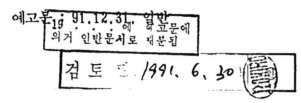

관리 번호	91-274

외 무 부

종 별 :

번 호 : ITW-0234 일 시 : 91 0211 1945

수 신 : 장관(국연,구일,동구일,사본:주EC주재대사(직송필)

발 신 : 주 이태리 대사

제 목 : EC 정무총국장 회의결과

당관 문병록 참사관은 금 2.11. 금번 EC 정무 총국장회의 (2.6.-7. 브릿셀)관련, 동 회의 참석후 귀국한 외무성 NELLI FERROCI EC 정무담당과장과 면담한바 동인의 언급 내용을 아래 보고함.

1. 유엔가입문제

0 한국 외무차관이 주한 화란대사를 통해 요청한 유엔가입에 관한 EC 의 공동지지 문제를 협의하였으며, 이태리를 포함한 EC 회원국은 한국의 유엔가입 문제에 깊은 이해를 표명하였음.

0 EC 회원국은 보편성 원칙에 입각하여 유엔회원국의 확대를 찬성하며, 한반도 문제관련 남. 북한 공히 유엔에 가입하는 것이 BEST OPTION 이라고 생각하고 있음.

0 특히 최근의 국제분위기로 보아 한국이 유엔에 가입할 시기가 도래하였으며 동가입이 ESSENTIAL 하다고 생각하고 있으나 북한측의 반대입장을 주목하고 있음.

0 이에따라 EC 는 SECOND CHOICE 로서 한국의 단독 유엔 가입을 지지함.

이상이 EC 의 공동 입장임.

0 그러나 이러한 입장을 금번 중국외상의 구주순방시 EC 의 공동입장으로 공식제기하기에는 적기가 아니라고 생각하므로 (THE TIME IS NOT YET RIPE) 동외상의 방문국가가 개별적으로 상기 입장을 표명하기로 하였음.

2. 구주정치 동맹(EPU)

0 구주정치 동맹추진을 위해 공동외교, 안보정책, 권한 영역의 범위, 민주적 합법성문제를 협의중이며 아직 효율성문제는 토의되지 않고 있음.

0 공동 외교안보정책 문제에 있어 이태리, 독, 불, 화란, 벨지움등 대부분의국가는 추진방법에 있어서 대체적으로 견해를 같이하고 있는 반면 영국, 아일랜드, 덴마크가 이에 반대입장을 취하고 있음.(이태리측 구체적 입장은 ECW-0129 과 같으므로 생략)

국기국	장관	차관	1차보	2차보	구주국	구주국	청와대	안기부

PAGE 1

91.02.12 08:07

외신 2과 통제관 BW

0029

0 이태리측으로서는 동문제 협의를 금년말까지 완료할 목표로 추진하고 있으며 2.19. 외상회의 및 3.4. IGC 각료회의에서 보다 구체적으로 토의될것임. 3.4. 회의에서는 오전에 EPU 회의를 갖고 오후에 중동문제, 소련문제등 광범위한 문제를 협의하게 될것임.

3. 대소원조문제

0 소련의 발트 3 국 문제관련 어떻게 고르바쵸브대통령을 설득시키느냐하는문제가 분명하게 결정되지 않았음.

0 EC 는 계속 소련의 PERESTROIKA 를 지지하고 있으며 소련측과 대화를 계속 유지하고 있음.

0 대소원조관련 동 원조를 중단하지는 않을 것이나 지원속도를 완화시키면서 소련국내정치 움직임을 관찰할 것임.

0 동건은 3.4. 각료회의시 보다 구체적으로 토의될 것임.끝

(대사 김석규-국장)

예고:91.12.31. 일반

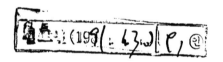

관리 번호 91-336

원 본

외 무 부

종 별 :

번 호 : ITW-0235 일 시 : 91 0211 1955

수 신 : 장관(국연,구일)

발 신 : 주 이태리 대사

제 목 : 유엔가입문제

1. 당관 문병록 참사관은 금 2.11. 주재국 외무성 STARACE 유엔과장을 오찬에 초대, 지난해 이태리정부가 EC 의장국으로서 유엔연설및 메로렌덤을 통해 아국의 유엔가입입장을 강력히 지지하여준데 대해 거듭 사의를 표명하고 금년도에는 아국의 유엔가입이 반드시 이루어질수 있도록 대중국설득등 이태리정부의 계속적인 지지를 요청하였음.

2. 동과장은 금번 중국외상 구주순방시 한국정부가 EC 측에 공동지지 입장을 표명하여 주도록 요망한데 대해 EC 회원국은 동 지지입장을 개별적으로 표명하도록 하기로 하였다고 언급하면서, 이태리정부의 계속적인 지지입장을 천명하였음. 동인은 현재 유엔안보리의 협조 분위기로 보아 중국만이 단독으로 거부권을 행사함으로서 타 회원국에 고립되는 입장을 견지하기는 어려울 것이라고 하면서 자신의 견해로는 한국이 유엔가입을 신청할 경우 북한은 한국의 단독가입을 원치않으므로 역시 유엔가입을 신청하게 될것으로 본다고 전망하였음.

3. 동인은 또한 이태리의 경우 5 번이나 유엔가입을 신청했으나 좌절되었으며 6 번째에야 가입되었다고 소개하면서 설령 한국의 유엔가입이 금년에 실현되지 않으면 내년, 내후년을 향해 계속 노력하는 것이 필요할것이라는 견해를 밝혔음. 끝

~~(대사 김석규-국장)~~

19 . . . 에 예고문에 의거 일반 예고:91.12.31 일반

검토필(1991.6.30)

국기국	장관	차관	1차보	2차보	구주국	청와대	안기부

PAGE 1

91.02.12 07:20

외신 2과 통제관 BW

0031

관리 번호 91-403

외 무 부

종 별 :

번 호 : RMW-0073 일 시 : 91 0213 1840

수 신 : 장관(동구이)

발 신 : 주 루마니아 대사

제 목 : 주재국 외무장관 방한

1. 금 2.13 주재국 TUDOR 아주국장은 본직을 초치(채참사관 수행), 현안중인 NASTASE 외무장관 방한관련 아래 아측입장을 타진해왔으니 회시바람.

가. 방한시기는 금년 전반기중 5,6 월이 편의함.(전 최장관 주재국 공식방문시 NASTASE 장관 답방시기를 전반기로 합의)

나. 방한시 기 가서명한 문화협정 정식서명 희망(항공협정도 가능할 경우 포함)

다. 방한초청은 전임장관에 의해 신임장관에 대해 계승된 것으로 간주여부

2. 본직은 이와관련 우선 방한초청은 신임장관에 의해 계승된 것으로 간주해도 무방할 것이라고 언급하고, 본부입장을 청훈, 회시할 것을 약속함.

3. NASTASE 장관부부는 금년 전반기 방한을 고대하고 있으며(외상 취임후 아국 최장관을 최초 공식방문 외상으로 접수), 특히 주재국이 유엔 안보이사국인점(45 차 총회에서 아국입장 지지언급)과 수교후 아국의 발전선례를 주재국의 개혁, 발전 모델로 삼고 관계증진에 역점을 두고 있는 실정을 감안, 상기 전반기기간중 아측 장관의 편의한 일정을 2 개안 정도 제시할 것을 건의함. 끝

(대사 이현홍-국장)

예고: 91.12.31 일반 예고문에 의거 일반문서로 재분류됨

검 토 필(1991. 6. 30.)

구주국 장관 차관 1차보 2차보

PAGE 1 91.02.14 07:24

외신 2과 통제관 DO

0032

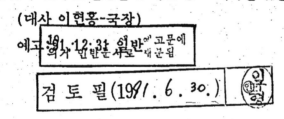

관리번호	91-164

외 무 부

종 별 :

번 호 : SDW-0144 일 시 : 91 0219 1700

수 신 : 장관(정이,국연,해기,기정)

발 신 : 주 스웨덴 대사

제 목 : 남북고위회담 중단 반응보고

대:AM-0043,0046

당관 황규정 공사가 2.19 외무성 국제기구국 SJOADER 유엔담당 과장을 방문한 자리에서 대호 관련 최근 한반도정세와 한국의 유엔가입 문제등에 관하여 설명한바, 동 과장은, 한반도 정세에 관심을 가지고 있으며, 남북한간의 문제는 대화를 통하여 평화적으로 해결되어야 한다고 생각하며, 특히 한국은 UN 산하 및 관련제반 국제기구에 가입, 그 활동면에 있어서나 기여도에 있어서 비중이 큰나라인데, 지금까지 유엔에 가입하지 못하고 있음은 극히 부자연스러운 일이라고 말하고, 남북한이 동시에 가입하면 더욱 좋겠지만, 한국만이라도 조속히 가입할수 있게되기를 희망한다고 말하였음. 끝

(대사 최동진-국장)

예고:91.12.31 일반

검토필(1991. 6. 30.)

정문국 차관 1차보 2차보 국기국 청와대 안기부 공보처

PAGE 1

91.02.20 03:09

외신 2과 통제관 CH

0033

관리 번호	91 -423

외 무 부

종 별 :

번 호 : POW-0104 일 시 : 91 0219 1900

수 신 : 장관(구이,국연,정홍,통이)

발 신 : 주 폴투갈대사

제 목 : 대통령 비서실장접촉

연:POW-0101

1. 본직은 2.19 주재국 NUNES BARATA 대통령 비서실장을 이임인사차 방문, 환담함

2. 동 비서실장은 한-포 양국간 최근 관계에 대해서 언급하며, 양국간 통상면의 문제점이었던 포산 대리석 수입이 실현되고, 또 PORTO 포도주 수입의 장애문제가 해결된점을 평가하고, 포.한 양국관계가 앞으로 더욱긴밀해 질것을 희망함

3. 본직은 북한의 제 4 차 고위회담 중단등 남북대화 현황에 대해서 설명하고, 아국의 유엔가입 문제가 국제사회의 중요현안으로 계류되어 있음과 이문제와관련된 최근정세를 설명하고, 금년중 유엔가입 실현을위해 주재국 포함 EC 의 적극 지지가 필요함을 설명한바, 동인은 아국입장에 대한 이해와 지지노력을 다짐함

4. 동 비서실장은 SOARES 대통령의 취임식은 3.9 로 계획되고 있으나, 금번취임식에는 따로이 외국특사를 초청치 않는다는 기본 방침을 정하고 있음을 확인하였음

5. 아국 국회의장, 대법원장의 주재국 방문시등 주재국 대통령에대한 구두 방한초청이 있었던점과 관련, 동 비서실장은 SOARES 대통령의 현재 극동 순방계획은 없으나, 앞으로 대통령 재임기간중 만약에 극동방문계획이 있을 경우는한국측에도 알려주겠다고 하였음. 끝

(대사유혁인-차관)

예고: 91.12.31 일반 (19 에 고문에 의거 일반문서로 재분류됨)

검토필(1991.6.30)

구주국	장관	차관	1차보	2차보	국기국	통상국	정문국	청와대
안기부								

PAGE 1

91.02.20 08:58

외신 2과 통제관 BW

0034

관리번호 91-433

원 본

외 무 부

종 별 :

번 호 : HOW-0082 일 시 : 91 0220 1600

수 신 : 장관(정연,구일)

발 신 : 주 화란 대사

제 목 : 유엔가입 문제

대: WECM-0007

1. 주재국 외무부 REINDERS 유엔정치문제 담당과장의 요청으로 당관 엄 참사관은 2.20. 동 과장을 접촉함.

2. 동 과장은 최근 EPC 등 회의에서 남. 북한 UN 가입문제에 관한 북한측 입장 변화여부에 대해 북한측이 UN 가입에 반대하지 않는다는 견해와 같이 상충되는 평가로 약간의 혼동이 있다고 하면서, 이에 대한 아측의 평가와 UN 가입문제에 대한 아측계획을 문의함.

3. 엄 참사관은 이에 대해 아래 내용으로 설명함.

가. 남. 북 고위회담 및 남. 북 실무회의에서 UN 가입문제에 관한 협의 결과를 설명하면서, 북한의 종래 남. 북 통일전 UN 가입 반대 입장에 비추어 보면, 통일이전이라도 남. 북한 단일의석으로 UN 가입을 제의한 북측 입장은 종전입장에서 다소 융통성을 보인것으로 이해될 수 있으나, 아측으로서는 그와 같은 북한측의 제안은 아국의 UN 가입을 저지 또는 지연시키려는 전술로 평가함.

나. 이는 북측의 제안이 비합리적이며, 비현실적일 뿐 아니라, 3 차에 걸친 유엔 가입 문제에 관한 남. 북간 접촉에서 북한이 합리적 제안 제시나 타협보다는 단일의석 가입을 집요하게 주장하므로써 합의도출에 실패한 점, 근래 국제정세 및 한반도 주변정세 변화, 특히 아국의 대 중.쏘 관계 개선 및 아국의 유엔가입에 대한 압도적인 지지등 정황으로 지난해 유엔총회시 아국의 유엔가입 가능성이 어느때보다도 높아졌다는 사실로 미루어 자명함.

다. 아국정부는 최근 정세, 특히 그동안 아국의 유엔가입에 걸림돌이 되어왔던 중.쏘의 입장변화를 토대로 금년중 유엔가입을 외교목표의 최우선 순위의 하나로 두고 있음.

국기국 장관 차관 1차보 2차보 구주국 청와대 안기부

PAGE 1 91.02.21 06:56

외신 2과 통제관 CF

0035

라. 현재로서는 중국의 태도가 다소 유동적이므로, 중국의 입장변화가 우리의 유엔 가입에 관건이 되고 있으나, 중국측도 어느정도 변화를 보이고 있는 것으로 알고 있음 (대호 2 항 내용 설명). 아국은 중국의 입장을 면밀히 관찰해오고있는바, 주재국을 비롯한 EC 제국이 중국 고위당국과 접촉기회에 아국의 UN 가입에 대한 확고한 지지입장을 표명해 준다면, 중국측의 입장변화 유도에 유리하게 작용할 것으로 생각함. 지난 2 월초 EPC 정무총국장회의와 관련한 아측의 요청도 이러한 맥락에서 이루어진 것임.

마. 아국의 유엔가입 추진에 관하여는 우방국과 긴밀히 협조해 나갈것으로 알고있음.

4. 동 과장은 주재국은 한국의 UN 가입지지에 변함없는 입장을 견지하고 있으며, EPC 회의등 각급회의에서 아국의 요청이 반영되도록 적극 노력해오고 있다고 말하고, 지난해 UN 총회시 아국 가입에 대한 대다수 국가의 지지발언등에 비추어 중국만이 유일하게 반대하기에는 어려운 상황이 아니겠느냐고 반문하면서, 중국의 동향에 대한 정보가 있으면 아측에 신속히 알려 주겠다고 언급함. 또한 동 과장은 사견임을 전제로 금년 UN 총회시 아국이 UN 가입신청을 제출할 경우, 북한이 뒤따라 제출할 가능성도 없지 않을 것으로 생각된다고 언급함. 끝.

(대사 최상섭-국장)

예고 1991.12.31에 일반 고문에 의거 일반문서로 재분류됨

검 토 필(1997. 6 .30.)

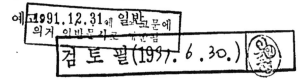

관리 번호 91-172

외 무 부

종 별 : 지 급

번 호 : YGW-0147 일 시 : 91 0221 1700

수 신 : 장관(동구이,중근동,정이,국연,아이,기정)

발 신 : 주 유고 대사

제 목 : LUKOVAC 외무성차관보 면담

대:AM-46

연:YGW-94,106

1. 본직은 금 2.21 09:00 주재국 외무성 아주및 아중동담당 LUKOVAC 차관보를 면담하고 (김영석서기관 대동) 주재국 국내정세및 걸프전 관련 유고의 대외활동 현황에 관한 설명을 청취한바 동요지 아래 보고함

가. 걸프전 해결노력

0GORBACHEV 제안에대한 이라크측의 회답내용을 현재 대기중인바 금번 쏘측제안은 지상전 돌입에따른 확전가능성을 피해야 한다는 인식에서 나왔다는 점에서 거반 비동맹 15 개국 외상회담과 취지를 같이 하는것임

0 LONCAR 외무장관은 15 개 비동맹외상회담시 합의에따라 현재 일단 인도,이란, 쿠바 외무장관과 같이 테헤란을 거쳐 금주말 이락 방문계획으로 있으나, 동일정은 이락 외무장관의 쏘련측제안에대한 반응여하에따라 확정될것임. 쿠바가포함된 것은 이락과 우호관계에 있기때문에 사담 후세인 대통령접근이 용이하기 때문임

0 고르바쵸프의 제안에 대하여 부시미대통령의 반응이 미온적이기는 하나 전면으로 거부한것은 아니라고 해석하고있고 이라크도 전과는 달리 유엔안보리결의안 660 호를 언급한바 있으므로 이를 바탕으로 타결점을 모색하고있음. 쏘련이유엔 상임이사국이며 아직은 국제문제에 영향이 있는만큼 쏘련의 제안내용에 관심이 많음(금번 쏘련 협상제안은 지역문제에관한 적극 참여하여야 한다는 쏘련내 강경파의 주장에따라 고르바쵸프가 제기하게 되었다는 설이있으며, 특히 친쏘적인 사담 후세인은 보존하여야 한다는 의도가 동제안의 배경이라는 설이 있음을참고로 보고함)

0 중국정부 특사로서 2.18 방문한 YANG FUCHEN 외무차관(중동,아프리카담당)은 걸프사태 해결을 위한 유고및 비동맹움직임을 전적으로 지지하고 이라크군의 쿠웨이트

구주국	장관	차관	1차보	2차보	아주국	미주국	국기국	정문국
청와대	안기부	안기부						

PAGE 1

91.02.22 05:25

외신 2과 통제관 CE

0037

철수가 협상에 선결조건이라는 점을 강조하였으며 지난번 유엔안보리의 결의시 기권한것은 정치적, 외교적 해결을 좀더 추진하여야 되다는 입장때문이었다는 설명이있었음. 또한 종전후 지역평화 확보를 위한 협의에있어서 역내제국이 중심이 되어야 한다는 의견이였음. 동외무차관은 시리아. 터키 경유 베오그라드에왔고 앞으로 쏘련, 이란을 순방예정이며, 아중동담당차관으로서 극동문제에관한 언급은 없었음

나. 주재국 국내정세: 언론보도를 보면 유고가 어떻게 한나라로 존속하는지신기할정도이나 공화국간의 대화및 입장조정이 계속되고 있으므로(2.22 사라예보에서 제 4 차 연방. 공화국지도부 연석회의 예정) 머지않아 상황도 가라앉고 해결책이 나올것으로 봄. 결국 공화국이 조금씩 포기하고 타협하는 방향이될것임

2. 본직은 또한 동기회에 아국의 남북한 유엔동시가입 노력을 설명하고 이를 위한 유고측의 협조를 요청하는 한편 최근 북한측의 일방적인 남북고위급 회담중단 결정을 남. 북한 관계현황에관해 대호 2 항 내용을 중심으로 설명해준바,동차관보의 반응요지는 아래와 같음

가. 금번 중국외무차관이 LONCAR 외무장관의 중국방문을 초청하여 왔는바 금년중 방문할 계획임. 중국의 북한지지도는 강하나 남. 북한간 대화분위기에따라 앞으로 변화가 있을것으로 보임

나. 남북고위회담 결렬은 유감임. 북한측은 항상 TEAM SPIRIT 훈련을 문제시하고 있으며 금번에는 내부권력 승계문제까지 겹쳐 심리적 긴장이 대단한것으로 느껴졌음(김일성의 건강에 관하여 관심표명)

다. 참고로 오는 9 월 가나 비동맹외상회담시 결정이 되겠으나 북한측이 차기(92) 비동맹 정상회담을 유치할 생각이 있는것으로 듣고 있는바 현재 아주지역국가로서 인니가 이미 신청중이고 남미의 베네주엘라 니카라과등도 관심을 표명하고 있어 평양주최 가능성은 희박한것으로 보임.끝

(대사 신두병-국장)

예고:91.12.31 까지 고문에 의거 일반문서로 재분류

검 토 필(1991. 6. 30.)

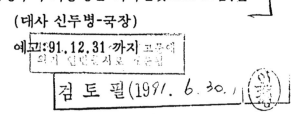

공 란

공　　란

관리 번호	91-486

원 본

외 무 부

종 별 :

번 호 : CZW-0132 일 시 : 91 0222 1420

수 신 : 장관(국연,동구이)

발 신 : 주 체코 대사

제 목 : UN 가입문제

대:국연 2031-3802

1. 최참사관이 2.21 NIJEDLY 국제기구국장 면담시 대호 아국의 안보리문서를 언급한데 동국장은 다음 반응을 보였기 참고로 보고함.

가. 한국측문서를 읽었는바, 사실상의 가입신청 의사를 표명한것으로서, 현금 휴회상태인 45 차 총회기간내에라도 가입신청을 할수있다는 느낌을 받았음.

나. 한국의 가입관련, 중국만이 문제로 될수있음에 비추어 대중국 대비가 필요할것임.

다. 북한의 단일의석 가입안은 비현실적인 것으로서 아무도 지지하지 않은것임.

2. 한, 중국 관계 설명후 중국입장을 여하히 예상하느냐고 문의한데 대해, 동국장은 거부권행사는 하지않으리라 보지만 알수없다고 답하였음.

(대사-국장)

19 예고: 연말일반문서에 의거 일반문서로 재분류됨

검 토 필(1991.6.30.)

국기국 장관 차관 1차보 2차보 구주국 청와대 안기부

PAGE 1

91.02.22 22:19

외신 2과 통제관 DO

0041

관리 번호 91-490

외 무 부

종 별 :

번 호 : FNW-0055 일 시 : 91 0222 1600

수 신 : 장 관(구이,국연,정이)

발 신 : 주 핀랜드 대사

제 목 : 외무장관 면담

1. 본직은 2.22(금) PAASIO 외무장관(사민당 당수)을 면담한 바, 동 면담요지 아래 보고함(이순천 참사관 및 PATANEN 한국담당 참사관 배석)

가. PAASIO 장관은 1966 년에 UNESCO YOUTH PROGRAMME 에 의하여 한국을 방문한 적이 있는데 한국의 경제발전 특히 HI-TECH 발전을 높이 평가하며 이는 한국인들의 근면한 노력의 결과라고 생각함.

나. 주재국은 조선분야에서 한국과 경쟁을 하고 있는데 아국의 조선기술, 한국 자동차의 대주재국 수입과 높은 품질에 대하여 많은 이야기를 듣고 있음.

다. 본직이 79 년도 박동진 전 외무장관 방한시 핀 외무장관의 방한 초청사실을 상기시킨 바, 동인은 선거후 어느 각료직을 맡을지 모르겠으나 방한을 적극희망한다고 말함.

라. 본직은 최근의 남북대화 중단문제 및 아국의 유엔가입에 관한 정부입장을 상세 설명한 바, 장관은 금번 가을 총회시 아국이 가입을 시도할 것인가를 묻고 남북한 동시가입은 김일성이 살아있는 한 어려울 것이라고 생각하며, 주재국은 아국의 가입이 성공하기를 희망한다고 함(WE WISH YOU A SUCCESS.)

마. 장관은 또한 10 년안에 한국이 통일되지 않겠느냐고 묻고 북한이 지나친 개인숭배 사상을 고취시켜왔음을 강조하였으며, 김정일이 김일성을 승계할 것인가에 대하여도 많은 관심을 표명함.

2. 평가 및 건의

가. 주재국은 과거 친소 중립정책 및 분단국에 대한 등거리 외교정책에 따라 남북한 관계에 엄정중립을 지켜왔으나 최근에는 한국과의 관계증진이 명분 또는 실리면에서 이익이 된다고 평가하고 있으며, 아국의 유엔가입에 긍정적인 입장을 취하고 있고 아국과의 경협, 통상등 실질관계 증진을 희망하고 있음.

구주국	장관	차관	1차보	2차보	국기국	정문국	청와대	안기부

PAGE 1 91.02.23 02:54

외신 2과 통제관 FI

0042

나. 특히 PAASIO 장관은 사민당 당수로서 3.17 로 예정된 주재국 의회총선에서 사민당이 연립정당인 보수당과 함께 재집권이 확실시되고 있는 바, 적절한 시기에 외무장관의 방한을 공식 추진할 것을 건의함. 끝

(대사 윤억섭-장관)

예고:1991.12.31 일반 고문에 의거 일반문서로 재분류됨 검토필(1991.6.30.)

PAGE 2

0043

관리 번호	91 -556

외 무 부

종 별 :

번 호 : NRW-0159 일 시 : 91 0227 1620

수 신 : 장관(구이,국연,기정동문)

발 신 : 주 노르웨이 대사

제 목 : 외무차관 면담보고

1. 본직은 2.27(수) VINDENESS 주재국 외무부 사무차관을 면담, 경제, 정치분야등 전반적 한국문제와 양국관계를 설명하고 의견을 교환하였음. 특히 본직사업 경제분야에서 양국협력관계가 증진되고 있는데 만족을 표시하고 앞으로도 선박을 위시한 경제분야에서 더욱 폭넓은 협력가능성이 있음을 지적하고 양국이 이를 위해 노력하자고 당부하였음. 본직은 이어 유엔가입문제를 언급, 아국의 유엔가입 타당성과 북한의 반대 허구성을 들어 주재국의 지지를 요청하였음

2. 동차관은 본직 설명에 동감을 표시하면서 양국관계가 경제분야를 비롯한여러면에서 크게 발전되고 있음을 자신도 기쁘게생각하며 이를 위해 앞으로 최선의 노력을 다하겠다고 말하였음. 유엔가입문제에 대해서 동차관은 아국입장을 잘이해하며 전적으로 동감한다고 말하였음. 동차관은 북한대사가 찾아와 유엔문제에 대해 설명하는 기회가 있었는데, 이자리에서 동차관은 유엔의 보편성원칙에따라 한국이 유엔에 가입하지 않는것이 오히려 이상한 일이며, 북한이 왜 유엔에 가입하는것을 반대하느냐고 반문한 일이있었다고 말하였음. 끝

(대사 김병연-차관)

예고: 91.12.31 일반

19 에 일반고문에 의거 일반문서로 재분류됨

검토필(1991. 6. 30.)

구주국 차관 1차보 국기국 안기부

PAGE 1

91.02.28 04:44

외신 2과 통제관 CW

0044

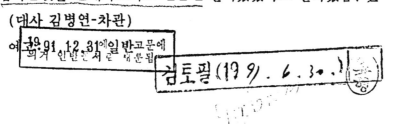

관리 번호	91 -553

외 무 부

종 별 :

번 호 : NRW-0160 일 시 : 91 0227 1625

수 신 : 장관(구이,국연,국기,중동,기정동문)

발 신 : 주 노르웨이 대사

제 목 : 정무국장 면담보고

1. 본직은 2.27(수) KOLBY 주재국 외무부 정무국장을 면담하였음. 이자리에서 본직은 한국문제를 설명하는 가운데 특히 유엔가입문제에 언급, 금년 유엔총회에서 아국이 유엔에 가입할수있도록 주재국의 지지를 요청하였음. 본직은 또한금년 10 월 제 26 차 유네스코총회에서 함태혁대사의 집행위원 입후보에 대한 지지도 아울러 요청하였음

2. 이에대해 동국장은 아국의 유엔가입문제에 대해서는 잘알고있으며 본직의 요청을 참고하겠다고 답변하였으며, 유네스코 집행위원문제에 대해서도 실무적 보고가 올라오면 유념해서 검토하겠다고 말하였음

3. 동국장은 양국관계에 언급, 한. 놀관계가 현재 매우 우호협조적인데 만족을 표시하고 특히 작년 최호중외무장관의 주재국 방문을 높히 평가하였음. 동국장은 가끔 북한대사가 방문하여 북한입장을 설명하는 경우가 있으나 별로 관심을 두지 않는다고 부연하였음

4. 동국장은 작년 11 월에 주재국 정부가 교체되었지만, 정부교체에도 불구하고 외교정책은 변경이 되지 않는다고 말하고, 주재국 외교의 중점은 주로 유럽문제에 두어졌으나 이제는 걸프전후처리문제에 최대관심을두고 있으며 주재국은 노딕칸트리 차원에서 걸프문제에 관심을 표명하고있다고 설명하였음. 끝

(대사 김병연-국장)

예고: 91.12.31. 일반

검토필(1991. 6. 30.)

구주국	차관	1차보	중아국	국기국	국기국	청와대	안기부

PAGE 1

91.02.28 05:52

외신 2과 통제관 CW

0045

관리 번호	91 -552

외 무 부

종 별 :

번 호 : CZW-0146 일 시 : 91 0227 1640

수 신 : 장관(동구이,국연)

발 신 : 주 체코대사

제 목 : 외무차관 초청건의

연 CZW-87

1. 주재국 외무성 SOUKUP 아주국장대리는 2.26 최참사관에게 PALOUS 외무성차관이 4 월중 중국, 파키스탄, 베트남 방문 준비중이라고 언급함(북한 및 몽고로 부터 초청을 받고 있으나, 금번 기회에는 방문치 않을것이라고 언급)

2. 최참사관이 방한 가능성을 타진한데 대해, 사실상 사회주의국 방문은 "체코 청중들이 좋아하지 않기 때문에 자유시장 진영을 포함시키는것이 균형에 맞을것" 이라고 언급하였음.

3. 대응감안, 아측 사정이 좋다면 차관명의 방한 초청의사 전달을 건의함.

가. 동차관은 외무장관의 직계로서 "시민포럼" 내 진보주의그룹에 속하고 급진 개혁세력인 현 KLAUS 재무장관에 대항하여 시민포럼 의장 후보로 추대된바 있는 정치적 비중다대.

나. 대통령의 신임이 두터우며, 전도 유망한 인사(당년 43 세).

다. UN 가입문제관련, 중국 입장 타진등.

4. 참고로 전기침 중국 외상이 2.27 구주순방중 프라하관항에 40 분 기착하는바, 동차관이 맞을것이라 함(외무장관 및 수석 외무차관 부재)끝

(대사-차관)

예고: 91.12.31 일반

1991. 12. 31. 에 예고문에 의거 일반문서로 재분류됨

검 토 필(1991. 6. 30.)

구주국 차관 1차보 국기국

PAGE 1

91.02.28 06:19

외신 2과 통제관 CW

0046

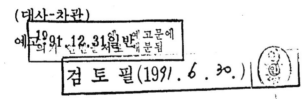

관리번호 91-555

원 본

외 무 부

종 별 :

번 호 : DEW-0104 일 시 : 91 0227 1700

수 신 : 장관(국연) (사본:주 싱가폴 대사-중계필)

발 신 : 주 덴마크 대사대리

제 목 : 유엔가입문제

대:WECM-0010

1. 주재국 외무부 SIMONSEN 아주과장은 2.26. 당관 추서기관과의 오찬시 남북한 유엔가입문제에 대한 북한측 태도변화등을 문의하면서, 최근 일부 재외공관으로부터 상반되는 북한 반응보고가 있었다고 말하고 그중에는 한국이 독자적으로 유엔가입을 신청하는 경우 북한도 즉시 가입 신청할 것이라고 언급한 내용도 있다함.

2. 이에대해 추서기관은 동 과장에게 연호 의거, 북한측이 우리 우방국들의동향 탐색을 위해 의도적으로 혼선을 야기시키는 반응을 보이는 것 갑다고 설명하고 북한측 동향파악에 계속적인 협조 요청함. 끝.

(대사대리-국장)

예고:원본접수처-91.12.31. 일반 검토필(1991.6.30)

사본:접수처-독후파기

국기국 장관 차관 1차보 청와대 안기부

PAGE 1 91.02.28 05:31

외신 2과 통제관 CW

0047

관리 번호 91-592

원 본

외 무 부

종 별 :

번 호 : YGW-0168 일 시 : 91 0302 1530

수 신 : 장관(국연,동구이,기정)

발 신 : 주 유고 대사

제 목 : UN가입

1. 본직은 금 3.2(토) 주재국 LONCAR 외무장관과 접촉하여 양국간의 전반적인 협력에 관해 협의하였는바 동협의과정에서 본직은 특히 유고정부가 한. 유고간 쌍무차원에서 뿐만아니라 비동맹의장국의 입장에서도 한국의 UN 가입을 적극지지하여 줄것을 요청하였음

2. 이에대해 동장관은 유고외무장관으로서 한국의 UN 가입추진에 적극 협력할뜻이 있음을 장관님께 보고해줄것을 당부하면서 아울러 한국과 비동맹과의 연결에 앞으로 특별히 관심을 갖겠다고 첨언하였음을 보고함. 끝

(대사 신두병-장관)

예고:91.12.31 일반

검 토 필(1991. 6. 30.)

국기국 장관 차관 1차보 2차보 구주국 안기부

PAGE 1 91.03.03 00:09

외신 2과 통제관 BW

0048

관리 번호	91-636

원 본

외 무 부

종 별 :

번 호 : CNW-0291　　　　　　일 시 : 91 0305 1900

수 신 : 장 관(국연,국기,미북), 사본 : 박건우대사

발 신 : 주 카나다 대사대리

제 목 : 유엔관계관 면담

대 : EM-0005

연 : CNW-0220

1. 조공사는 3.5.(화) 외무부 WASTDAL 국제기국국장을 면담(SVOBODA 유엔과장동석), 대호 중공의 최근 태도를 설명함. WESTDAL 국장과 SVOBODA 과장은 주재국의 아국지지 입장이 확고함을 재확인하면서, 대중공 교섭문제에 관해 뉴욕에서 미.영 등 핵심 우방국간에 협의 공동 보조를 취하도록 하는것이 좋겠다는 견해를 피력함.

2. 한편 SVOBODA 과장은 연호 함태혁대사의 유네스코 집행위원 입후보를 지지하기를 결정했다고 언명함. 끝

(대사대리 조원일 -국장)

예고문 : 91.12.31. 일반

19 91.12.31.에 예고문에 의거 일반문서로 재분류됨

검토 필 (1991. 6. 30.)

국기국　미주국　미주국　국기국

PAGE 1

91.03.07　09:24

외신 2과　통제관 BW

0049

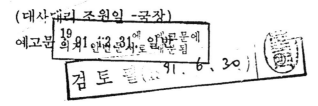

관리 번호 91-624

원 본

외 무 부

종 별 :

번 호 : NRW-0170 일 시 : 91 0306 1600

수 신 : 장관(국연,구이,기정동문)

발 신 : 주 노르웨이 대사

제 목 : 유엔가입 문제

대:EM-4,3

1. 당관 손상하참사관은 3.6(수) 주재국 외무부 RAVN 유엔과장을 면담, 대호 성명문을 전달하고 아국입장을 설명하였음

2. 이에대해 동과장은 유엔 보편성원칙에 따라 아국이 유엔에 가입하는것은 원칙적으로 이론을 제기할 여지가 없으며 북한의 단일의석 가입안이 비현실적이라는데 동감을 표시하였음. 동과장은 한국이 유엔가입을 신청하는경우, 주재국은 상기 사실을 참고하여 방침을 결정하게될것으로 보지만, 한국이 최종입장을 결정하기 전에 남북한간에 충분한 타협이 이루어지기를 바란다고 말하였음

3. 당관의 평가로는 주재국은 아국의 유엔가입 타당성을 인정하기 때문에 아국의 가입을 반대하지않을것으로 판단됨. 다만, 주재국의 NON-COMMITTAL 정책과 북한을 의식하여 아국 지지여부에대한 명확한 대답은 하지않을 것으로 보임

4. 당관은 대호 성명문을 외무부 주요인사와 언론계 등 각계에 전달하였음. 끝

(대사 김병연-국장)

예고:91.12.31 일반문서로 재분류 의거 인반문서로 재분됨 검토필(1991. 6. 30.)

국기국	장관	차관	1차보	2차보	미주국	구주국	청와대	안기부

PAGE 1 91.03.07 01:53

외신 2과 통제관 CF

0050

관리 번호	91 -213

원 본

외 무 부

종 별 :

번 호 : ITW-0345　　　　　일 시 : 91 0307 1720

수 신 : 장관(국연,구일,정이)

발 신 : 주 이태리 대사

제 목 : IPU 평양총회

대:WIT-0220

연:ITW-337

금 3.7. 당관 홍부홍 공사는 주재국 외무성 FERRI 아주담당공사와 면담기회에 표제 주재국의 IPU 대표단 파견 예정관련, 최근의 북한태도와 아국입장을 설명하고, 동인이 앞으로 주재국 IPU 대표단을 위한 BRIEFING 등 자료 준비시, 특히 북한이 핵안전 협정에 서명을 계속 거부하고 있고, 남북한 유엔가입(동시 혹은 단독)을 계속 반대하고 있으며, 남북대화를 일방적으로 취소하고 있는 현실정과 북한당국이 아직도 ONE KOREA POLICY (한국의 존재 불인정, 무력적화 통일 야욕 상존)를 변함없이 고수하고 있는 사실등을 충분히 설명하여 주재국 IPU 대표단으로 하여금 한반도 문제에 대해 올바른 이해를 갖도록 해줄것을 당부하였으며, 특히 북한의 핵안전 협종 조기 서명, 남북한 유엔 가입 수락및 남북대화 지속들을 촉구하여 줄것을 요망한바 이를 적의 반영토록 노력하겠다고 언급하였음을 보고함. 끝

(대사 김석규-국장)

예고:91.06.30. 까지

국기국　1차보　구주국　정문국　안기부

PAGE 1　　　　91.03.08　03:50

외신 2과　통제관 CW

0051

관리 번호 91-664

원 본

외 무 부

종 별 :

번 호 : PDW-0205 일 시 : 91 0308 1125

수 신 : 장관(국연, 동구이)

발 신 : 주 폴란드 대사

제 목 : 유엔가입 추진

대 : EM-0004

연 : PDW-0188

1. 최참사관은 3.8 외무성 WORONIECKI 유엔국장과 면담, 대호 성명문을 전달하면서 금년중 아국의 유엔가입 신청방침을 설명하고 중국의 태도가 중요함에 비추어 중국에 대한 계속적인 설득및 중국 태도변화에 관한 정보수집에 협조해 줄것을 당부함.

2. 이에대해 동 국장은 폴란드의 아국 유엔가입 지지입장은 확고하며, 중국에 대해서도 아국입장을 반영토록 노력하고자 하니 수시로 아국의 가입노력 내용과 구체적인 요청사항을 알려주면 좋겠다 하였음. 끝

(대사 김경철-국장)

예 고 : 1991.12.31. 에 일반문서로 재분류 됨

검 토 필(1991. 6 .30.)

국기국 구주국

PAGE 1

91.03.09 07:47

외신 2과 통제관 FE

0052

관리 번호	91 -684

원 본

외 무 부

종 별 :

번 호 : FNW-0073 일 시 : 91 0311 1450

수 신 : 장 관(국연,구이)

발 신 : 주 핀랜드 대사

제 목 : 유엔가입

1. 본직은 3.11 BLOMBERG 외무부 정무국장을 면담, 유엔가입에 관한 아국 입장을 설명하고 아국의 유엔가입 신청시 주재국의 지지를 당부함.

2. 동인은 아국의 유엔가입 타당성에 대한 본직의 설명에 동감을 표시하고,주재국은 과거에는 분단국에 대한 등거리 외교정책을 추구하여왔으나 이제는 유엔의 보편성원칙에 따라 아국의 입장을 이해하고, 지지한다고 말함.

3. 동 유엔가입문제는 본직 및 당관 관계관이 수시로 주재국 당국자와 접촉, 아측 입장을 주지시키고 있는 바, 향후 접촉 결과 추보위계임.끝

(대사 윤억섭-국장)

예고:91.12.31 일반 19 . . . 에 예고문에 의거 인반문서로 재분류됨 검토필(1991. 6. 30.)

국기국 장관 차관 1차보 2차보 구주국

PAGE 1

91.03.12 08:02

외신 2과 통제관 BW

0053

관리번호 91-032

원 본

외 무 부

종 별 :

번 호 : POW-0165 일 시 : 91 0313 1900

수 신 : 장관(국연,아이,정홍,구이,조광제 주폴부갈대사

발 신 : 주폴부갈대사대리

제 목 : 유엔가입문제

대:EM-0007,0006,국연2031-7646

1. 당지 최 유력지 D/N 지는 3.12 자 국제란에서 -한국, 유엔가입 희망-제하, 아국이 중국, 미, 일등과의 국제적 교섭을 통해, 북한과의 동시 가입을 추진하고 있다고 연합통신을 인용 보도함(당관은 대호(WPO-0006) 영문 자료등을 주재국 주요정책 결정 관련부서 및 핵심 언론에 적의배포, 지지 확산 노력하고 있음)

2. 금 3.13 의 당지 아주권 국가 참사관단 완에서 당지 중국대사관 차석 HAN ZHAOKANG 참사관은 옆자리의 주참사관에게 최근 남북대화 현황에 대해 문의해와, 북측의 남북고위급 회담 중지 조치와 일부 체육교류 실현등에 대해 설명해줌

3. 동인은 유엔가입 문제와 관련해, 최근 남북한간 어떠한 접촉이 있었느냐고 질문해와, 작년말 까지의 남북 고위급 접촉 및 실무회담에서 동문제가 협의된바 있으나, 북한은 단일의석 가입 주장을 계속하였고, 최근까지도 유엔안보리 문서 배포등 고집을 꺽지않고 있음을 알리고, 유엔 단일의석 구상의 비현실성에 대해 설명함

4. 또 아국은 금년중 남북한 동시가입을 실현시키기 위해, 북한측과 대화를계속할것이나, 무작정 기다릴수는 없으며, 국제여론도 근 반세기가 되도록 미해결 상태로 남아있는 한국 유엔가입 문제를 더이상 미룰 필요가 없다는 것이므로, 금년중에는 필히 가입신청을 내게 될것으로 전망된다 하고, 이제 세계 거의 모든 국가가 한국과 우호관계를 맺고 있는 만큼, 중국의 태도만이 걸려 있으므로중국의 지지가 요망된다고 말함. 또 작년에와서 기존, 통일후의 가입 주장을 단일의석 가입주장으로 수정한 북한이 한번더 입장을 수청치 못할 이유가 없을것이며, 만약 한국이 먼저 가입케될 경우에도 여타 유엔기구들이 이미 가입하고 있으며, 또 더이상의 국제적 고립을 꺼리고 있을 북한이 곧 이어 유엔가입을 신청케 될것으로

국기국 장관 차관 1차보 2차보 아주국 구주국 구주국 정문국

PAGE 1 91.03.14 07:47

외신 2과 통제관 BW

0054

전망된다고 첨언함

5. 동 참사관은 아측 설명을 경청하고, 앞으로 본 문제에 관한 남북한간 접촉이 어떻게 될것인지를 기다려 보자는것이 자국의 입장이라고 거듭 말하였음. 끝

(대사대리 주철기-국장)

예고:91.12.31 일반

관리 번호	91-729

원 본

외 무 부

종 별 :

번 호 : ITW-0388 일 시 : 91 0313 2010

수 신 : 장관(국연,구일,중동일,미북,아프이,기정)

발 신 : 주 이태리 대사

제 목 : 외상면담 보고

본직은 금 3.13(수) DE MICHELIS 외상과의 오찬(ESCAP 회원국 대사 주최)에서 갖은 대화중 주요 사항 다음과 같이 보고함.

1. 본직은 작년도 유엔총회시 EC 12 개국을 대표하여 한국의 유엔가입을 지지해준데 감사를 표하고, 금년도에는 우리가 정식으로 가입신청을 할 것인바 중국을 설득하는 문제를 포함하여 이태리의 변함없는 지지와 협조를 기대한다고 말하였던바 동 외상은 이태리의 강력한 지지를 확언하고 중국에 대해서도 가능한 협조를 시사하였음.

2. 걸프전으로 연기된 외상의 방한이 언제쯤 실현될 것인지 문의한바, 현재걸프전후의 뒷처리 문제와 이태리 국내정치(현정부의 계속 존속여부)라는 2 가지 문제가 걸림돌이 되고 있는데 동 문제의 진전을 보아 다시 아세아 방문을 계획하겠다고 하며, 일본, 한국, 호주를 우선 대상으로 고려하고 있으며 중국도 생각하고 있다고 하였음.

3. 소말리아 사태와 관련 아국대사와 직원의 대피를 위해 이태리 정부가 보여준 후의에 감사를 표한바, 당연히 할일을 했다고 하며 도움이 될 수 있어 기쁘다고 말하였음.

4. 동장관은 EC TROIKA 외상으로 장기간의 중동여행에서 작 3.12. 귀국하였는바 중동문제의 장기적 해결을 위해 자신이 구상하는 헬싱키 스타일의 지중해/중동지역 안보협력회의(CSCM)를 안드레오띠 수상과 협의후 유엔에 제의하겠다고 하며 제의 시기는 유럽 정상회의(4.5. 로 예정) 전후가 될 것이라 언급하였음. 동 외상은 이태리가 국제사회에서 특별한 역활을 할수는 없지만 이태리에 합당한역활을 할 수 있고, 또한 해야 한다고 생각하며, 세계 모든 나라가 자기 몫을 하는 NEW WORLD ORDER 를 이룩해야 한다고 강조하였음. 끝

국기국	장관	차관	1차보	2차보	미주국	구주국	중아국	중아국
안기부								

PAGE 1 91.03.14 08:10

외신 2과 통제관 BW

0056

new world order 초

(대사 김석규-국장)

예고:1991.12.31 일반(국문서 재분류 기준에 의거 일반문서로 재분류됨) 구일)

사본:91.12.31. 파기

검토필(1991 .6 .30.)

PAGE 2

0057

관리 번호	91 -153

원 본

외 무 부

종 별 :

번 호 : AVW-0312 일 시 : 91 0314 1700

수 신 : 장 관(국연,국기,구이,경일,정홍)

발 신 : 주 오스트리아 대사

제 목 : 아국의 유엔가입 지지 다짐

대:EM-0007

연:AVW-0311

1. 한. 오 부자보장협정 서명(91.3.14)에 앞서 행한 상호 축사에서 본직은 ALOIS MOCK 오스트리아 외상이 1989 가을 유엔총회에서 행한 아국의 유엔가입 지지 연설을 상기하면서, 금년도에 있을 한국 가입문제 심의시에 계속 오스트리아가 한국의 가입을 지지해 줄것을 요망하였음.

2. 이에대해 MOCK 외상은 아국의 유엔가입에 대한 확고한 지지를 다짐하면서 안보리에서 한국문제가 어떻게 처리될것인지에 관하여 관심을 표시하였음.

3. 본직은 소련과 중공의 거부권때문에 4,300 만명의 인구를 가진 세계굴지의 무역구가인 한국의 유엔가입이 실현되지 못하였으나, 한, 소관계의 정상화로 소련은 한국의 가입을 확실히 지지할것이며, 중공은 한국의 가입에 대한 압도적인 국제여론의 지지에 비추어 반대하지 못할것으로 보이며, 특히 오스트리아와 같은 비상임이사국들이 한국의 가입을 지지하고 있는것이 분명해질수록 중공의 거부권 행사는 불가능할것이라고 말하였음.

4.MOCK 외상은 한국의 유엔가입을 위해 상호 협조하기로 확약하였음.

5. 본직은 또한 지난 2.26 IAEA 이사회에서 오스트리아가 북한의 핵안전협정 조기체결을 촉구한것에 사의를 표하고 이문제는 한반도의 평화와 안보를 위하여 대단히 중요한 문제임을 지적하면서 계속 북한에 대하여 압력을 행사해 주기를 요망하였음.

(대사 이장춘)

예 고:1991.12.31 일반 고문에 의거 일반문서로 재분류됨

검토필(1991.6.30)

국기국 차관 1차보 구주국 국기국 경제국 정문국 청와대 안기부

PAGE 1

91.03.15 05:08

외신 2과 통제관 CF

0058

관리 번호	91 -761

원 본

외 무 부

종 별 :

번 호 : RMW-0129 일 시 : 91 0314 1740

수 신 : 장관(국연,동구이)

발 신 : 주 루마니아 대사

제 목 : 유엔가입관련 주재국 외상 반응

1. 금 3.14 본직은 NASTASE 외무장관을 면담, 유엔가입관련 아국 외무장관 성명에 언급하고(국제기구담당 차관 및 국제기구 국장에게 문서로 전달), 조만간유엔가입을 추진하게 될 것이라고 알리고, 그 배경을 설명함. 특히 배경설명가운데서 제 45 차 총회시 루마니아 대통령 기조연설 한국관련 언급내용을 상기시키고,71 개국이 보편성 원칙에 따라 한국가입을 지지하고 있으며,여기에는 루마니아도 포함되어 있다는 확인요지의 언급을 함.

2. 동 외무장관은 그간 대다수국의 지지에도 불구하고 한국측이 양국총리회담 등 남북간에서 이 문제를 토의하고 한국측이 유엔가입 신청을 미루어 온 것은현명한 대책이었으며, 남북간 회담에서 이이상 이 문제에 관한 합의가 이루어질 전망이 없다면, 여사한 정세하에서 유엔가입문제를 검토한다는 입장은 무리가없는 것으로 본다고 언급함.

3. 동 외무장관의 발언은 정식 지지교섭이 아닌 현상하에서의 신중한 반응이었으나, 기본적으로 45 차 총회시의 주재국 입장을 재확인하는 것으로 이해되었음.

4. 시기적으로 적합하다면 이 문제에 대한 확고한 지지는 6 월 동 외무장관방한시 외무장관 회담(단독)에서 다짐을 받을 수 있을 것으로 전망됨. 끝.

(대사 이현홍-국장)

예고:91,12.31 일반 고문에 의거 일반문서로 재분류됨

검 토 필(1991. 6. 30.)

국기국 장관 차관 1차보 2차보 구주국 청와대

PAGE 1

91.03.15 07:33

외신 2과 통제관 CA

0059

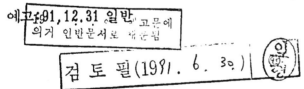

발 신 전 보

	분류번호	보존기간

번 호 : WAV-0241 910315 1920 FD 종별 :

수 신 : 주 오지리 대사.총영사 (사본 : 주유엔대사) WUN -0536

발 신 : 장 관 (국연)

제 목 : 신문보도

3.15.자 동아일보는 2면 1단으로 '한국 유엔가입지지 오스트리아 재확인' 제하 '빈 최맹호 특파원발'로 다음과 같이 보도하였으니 참고바람.

알로이스 모크 오스트리아 외무장관은 14일 한국의 유엔가입 지지를 재확인했다. 모크 외무장관은 이날 한국과 오스트리아간의 투자보장 협정 조인식에 참석한뒤 가진 이장춘 대사와의 환담에서 이같이 밝히고 「한국의 유엔가입이 실현될 수 있도록 노력하겠다」고 말했다.

한국의 유엔가입 신청에 따른 중국의 거부권행사 가능성과 관련, 이곳 외교관측통들은 「한국이 압도적인 국제적 지지를 받을 경우 중국의 거부권행사는 어려울 것이며 기권가능성이 있다」고 내다봤다.

이날 조인된 양국간의 투자보장협정은 오는 5월 1일부터 효력이 발생한다. 끝.

(국제기구조약국장 문동석)

보 안 통 제	

앙 고 재	년 월 일	과	기안자 성 명	과 장	국 장	차 관	장 관

외신과통제

0060

관리 번호 91-806

외 무 부

종 별 :

번 호 : NRW-0195 일 시 : 91 0316 1010

수 신 : 장관(구이,국연,정이,통이,기정동문)

발 신 : 주 노르웨이 대사

제 목 : 주재국 외무장관 면담보고

1. 본직은 3.15(금) STOLTENBERG 주재국 외무장관을 예방하고 아국의 유엔가입문제, 남북대화, 경제, 통상문제등 아국 관심사항과 현안문제에 관해 설명하였음. 본직은 이자리에서 제 4 차 남북고위급회담을 북한이 일방적으로 취소한 배경과 아국의 남북대화노력을 자세히 설명하였던바, 동장관은 지대한 관심을 갖고 본직의 설명을 청취하였음

2. 본직은 아국의 유엔가입문제에 언급, 아국의 유엔가입 당위성및 입장, 북한의 가입반대와 단일의석안에 비합리성을 일일이 열거하고 유엔가입이 한반도 평화와 통일에 기여할것임을 설명한 다음, 북한의 반대로 남북한 동시 가입이 불가능할경우 한국만이라도 우선 가입하는데 주재국이 적극 지지하여주도록 요청하였음. 이에대해 동장관은 이해를 표시하고 아측입장을 검토하겠다고 말하였음

3. 본직은 양국간 경제, 통상분야, 특히 선박분야에서 긴밀한 협력이 이루어지고 있는데 만족을 표시하고 양국경제수준으로 보아 다른 분야에서의 협력가능성도 매우 큰만큼 상호 이익이되는 결과가 나오도록 최선을 다하겠으며 이를 위해 주재국의 협조를 요청하였음

4. 본직은 작년 8 월 최호중장관 방문시 주재국 외무장관(당시 BONDEVIK 장관)을 방한초청한 사실을 상기시키고 가까운 장래에 동장관의 방한이 실현되기를 희망하였음. 이에대해 동장관은 한국을 비롯한 아시아지역의 중요성을 강조하면서 앞으로 방문 기회를 만들도록 노력하겠다고 말하고 장관님에 대해 자신의 각별한 안부를 전해주도록 당부하였음. 끝

(대사 김병연-장관)

예고:91.12.31 일반문에 의거 일반문서로 재분류됨

검토필(1991. 6. 30.)

구주국	장관	차관	1차보	2차보	국기국	통상국	정문국	청와대
안기부								

PAGE 1 91.03.16 22:01

외신 2과 통제관 DO

0061

관리 번호	91 -829

외 무 부

종 별 :

번 호 : NRW-0196 일 시 : 91 0318 1640

수 신 : 장관(구이,국연,통이,기정동문)

발 신 : 주 노르웨이 대사

제 목 : 외무부 정무차관 면담보고

1. 본직은 3.18(월) HELGA HERNES 주재국 외무부 정무차관(여)을 면담하고 양국관계에 관한 의견교환을 갖었음. 이자리에서 본직은 동차관이 군축문제, 환경문제등 주요 국제문제에 해박한 지식과 경험을 갖고있고 이 방면의 학술저서도다수 갖고있는 사실을 지적, 동차관같은 석학이 국제평화와 안전을 위해 한반도 문제가 평화적으로 해결되도록 적극적인 관심과 지원을 하여주도록 당부하였음

2. 이어 본직은 아국의 유엔가입입장을 소상히 설명하고 특히 남북동시가입을 위해 계속 북한을 설득하겠으나 북한이 끝내 반대하는경우 아국 단독가입 신청을 금년중 하게될것으로 본다고 말하고 주재국의 지지를 요청하였음. 이에대해동차관은 한국의 유엔가입을 반대할이유가 없으며 한국 가입에 대한 국제적 분위기도 성숙된것으로 본다고 말하고 그러나 주재국은 주요 대외문제를 인접국과 협의하는 관례 때문에 이문제도 여기에서 협의 결정될것으로 본다고 말하였음

3. 본직은 선박을 비롯한 경제통상분야에서 양국간 협력에 만족을 표시하고앞으로 더욱 긴밀한 협조가 이루어지기 희망한바, 동차관은 노르웨이 선박의 선령이 비교적 높아 교체필요성이 있다고들었다고 전하면서 한국의 조선능력이 뛰어난만큼 이방면에서 더욱 긴밀한 관계가 이루어질것으로 기대한다고 말하였음

4. 동차관은 1962 년에 아국을방문, 이화여대에서 강연한바 있음을 첨언함. 끝

(대사 김병연-차관)

예고: 91.12.31 일반 (19 . 문에 의거 일반문서로 재분류됨)

검토필(1991 . 6 . 30 .)

구주국 1차보 2차보 국기국 통상국 청와대 안기부

PAGE 1

91.03.19 10:23

외신 2과 통제관 FE

0062

관리 번호	91-849

원 본

외 무 부

종 별 :

번 호 : ECW-0258 일 시 : 91 0319 1030

수 신 : 장관 (국연,구일) 사본: EC 주재대사-직송필

발 신 : 주 EC 대사

제 목 : 유엔가입 문제

대: EM-07

1. 본직은 3.18. JANNUZZI EPC (구주정치협력) 사무국장을 면담, 유엔가입 문제에대한 아국입장을 상세 설명하고, 국제사회에서 대부분의 국가들이 남북한의 유엔 동시가입 또는 한국의 단독가입을 지지하고 있으며, 소련도 긍정적인 반응을 보이고 있으나 중국만 다소 유동적 태도를 보이고 있음을 지적, EC 회원국들이 중국의 태도변화 유도를 위해 측면 지원하여 줄것을 요청하였음

2. 이에대하여 JANNUZZI EPC 사무국장은 EC 회원국들은 한국의 유엔가입을 계속 지지하고 있으며, 특히 남북한의 유엔 동시가입은 독일과 예멘의 경우처럼 한반도의 평화통일을 촉진할 것이라는데 의견을 같이하고 있다고 언급함. 이어 동 국장은 EC 의장국과 접촉시 5 월중 개최예정인 EPC 아주국장회의와 기타 EPC 각급 회의에서 한국의 유엔가입문제 (대중국 설득문제 포함) 가 긍정적으로 거론될수 있도록 노력하겠다고 말함. 끝

(대사 권동만-국장)

예고: 91.12.31. 일반

검토필(1991.6.30)

EC 英国支持 입장 对華 추진

국기국 차관 1차보 2차보 구주국 청와대 안기부

PAGE 1

91.03.20 07:19

외신 2과 통제관 FE

0063

관리 번호	91 -896

외 무 부

종 별 :

번 호 : BLW-0162 일 시 : 91 0320 2030

수 신 : 장관(동구이,경이,국연,정이,기정동문)사본:김좌수 주 불가리아 대사

발 신 : 주 불가리아 대사대리

제 목 : 주재국 부수상겸 외무장관 방한제의

연:BLW-0155

대:경이 20624-8386

1. 당관 방참사관은 3.20(수) 최근 부임한 외무부 TONEV 아주국장을 방문, 동국장의 신임을 축하하고 대호 아국정부의 인도주의적 원조에 관하여 통보한 후,연호 VULKOV 부수상겸 외무장관의 방한계획 검토 결과에 관하여도 문의한 바, 동국장은 다음과 같이 동 부수상겸 외무장관의 방한을 공식 제의하여 왔음.

가.VULKOV 부수상겸 외무장관은 5.5-10 간 한국및 일본을 동시 방문계획임.

나. 현재로서는 5.5-8 간 한국을 먼저 방문한 후 5.8-10 간 일본을 방문할 계획이나,5.5-8 간이 아국측에 적당하지 않을 경우 동기간중 일본을 먼저 방문한후 5.8-10 간 방한을 제의하는 바, 양기간 중 아국 외무장관께서 편리하신 기간을 지정하여 주면 좋겠음.

다. 동 방문계획과 관련, 아국 외무장관이 동부수상겸 외무장관앞 공식 초청장을 보내주기 바라며, 가능하면 동초청장에 상기기간중 아측이 편리한 기간을명시하여 주면 더욱 좋겠음.

라. 동 부수상겸 외무장관 방한시 토의 희망사항 및 수행원등 구체적 내용은 결정되지 않았으나, 아국측의 회답을 확인한 후 당관과 구체적으로 협의하고자함.

2.VULKOV 부수상겸 외무장관의 방한은 주재국 정부인사로는 한. 불 역사상 최초의 고위급인사가 될 것이라는 점과 동장관이 농민당 당수로서 주재국 정계거물급인사라는 점등에 비추어, 양국 우호협력강화에 크게 기여할 수 있을 것으로 사료되오니, 동장관에 대한 아국 외무장관명의의 공식 초청장을 조속 발송하여 줄 것을 건의함.

3. 방참사관은 동방문시 TONEV 국장에게 남북총리회담등 최근 남북대화 진전사항 및 아국정부의 유엔가입에 관한 입장 특히, 북한의 SINGLE SEAT MEMBERSHIP 주장의

구주국 장관 차관 1차보 2차보 국기국 경제국 정문국 안기부

PAGE 1 91.03.22 00:08

외신 2과 통제관 CA

0064

비합리성 및 부당성에 관하여 설명한 바 있음. 끝.

(대사대리 방병채-국장)

예고: 91.12.31. 일반 수신처)

1991.12.31. 에 일반문서로 재분류됨 (의거 인반문서로 재분류됨)

91.5.31. 파기(사본 수신처)

검토필(1991. 6. 30.)

PAGE 2

0065

관리 번호 91-902

외 무 부

종 별 :

번 호 : CZW-0220 일 시 : 91 0321 1440

수 신 : 장관(동구이,국연)

발 신 : 주 체코 대사

제 목 : 외무차관 방한

연: CZW-46

1.PALOUS 외무차관 방한관련, 동인의 정치적 비중 감안, 다음일정 주선건의함.

가.4.22(월)도착 당일(17:15 김포도착), 차관주최 만찬.

나.4.23(화) 오전 대사예방및 한.체코 차관회의, 서울포럼주최 오찬, 오후 시내관광후 공항향발(19:00 방콕향발).

2. 당관이 오.만찬 가능성을 언급하고 접촉희망 인사가 있을경우 이를 알려달라고 한데 대해.체코측은 한승주교수(서울포럼회장). 이진우의원.구주국장. 정보문화국장. 동구 2 과장을 거론한바, 상기 만찬, 오찬등 계기 적절히 접촉될수 있도록 조치바람.

3. 공식수행원은 SOUKUP 아주국장대리이며, 주한대사대리가 차관방한전 부임할경우 동인도 공식수행원 자격으로 공식일정에 참가할것이라함.SOUKUP 국장대리는 87-90 주중대사관 참사관 근무한바있음.

4. 참고로 동차관은 문화행사 참관희망도 표명한바있으니, 시간 사정상 차관주최 만찬에 연계된 민속공연도 고려바람.

(대사 선준영-차관)

91.12.31. 일반. 예고문에 의거 일반문서로 재분류됨

검 토 필(1991. 6. 30.)

구주국 차관 1차보 2차보 국기국

PAGE 1 91.03.22 09:04

외신 2과 통제관 BW

0066

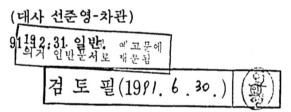

관리번호 91-926

원 본

외 무 부

종 별 :

번 호 : RMW-0153 일 시 : 91 0322 1720

수 신 : 장관(국연,동구이)

발 신 : 주 루마니아 대사

제 목 : 유엔가입 신청

연:RMW-0129

1. 3.22 본직은 TINKER 주재국 외무성 국제기구국장 초청 오찬 석상에서 연호관련, 아국 유엔가입정책 설명을 하고 앞으로 유엔가입을 신청할 경우 주재국 지지요청을 함.

2. 동 국장은 아측이 요청할 경우 아국입장 지지를 할 것이며(아직 정식교섭이 아니므로 사견임을 전제) 중국의 입장이 관건이 아니겠느냐는 입장을 표시함.

3. 동 국장 언급가운데서 북한측은 남북 운동단일팀 구성이 보여준 바와 같이 유엔가입 문제와 관련 남북한간 합의에 의존하여야한다는 입장을 표명한 것으로 간주됨.

4. 본직은 운동단일팀 구성과 유엔가입문제의 근본적 성격차이를 설명하고 유엔가입의 길이 통일을 촉진하는 방안임을 설명함.

5. 동 국장(1973 WHO 회의에서 북한지지 FLOOR LEADER 로 활약)은 아측의 유엔가입이 반드시 북한의 유엔가입 후속조치를 유발하게 되리라고 보기는 어려우며 토정권(특히 김일성 부자)의 예측불허 성격으로 보아 경우에 따라서는 북한측의 VIOLENT 한 도전이 있을 가능성을 배제할 수 없다는 견해표명이 있었음. 끝.

(대사 이현홍-장관)

예고:91.12.31 일반

19 에 의거 일반문서로 재분류됨

검 토 필(1991. 6.30.)

국기국 차관 1차보 2차보 구주국 청와대 안기부

PAGE 1

91.03.23 08:51

외신 2과 통제관 CA

0067

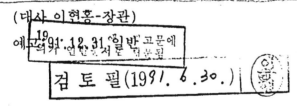

0068 가

관리 번호	91-960

원 본

외 무 부

종 별 :

번 호 : NRW-0219 일 시 : 91 0325 1640

수 신 : 장관(국연,구이,기정동문)

발 신 : 주 노르웨이 대사

제 목 : 아주국장 면담보고

1. 본직은 3.25. SEEBERG 주재국 외무부 아주국장을 면담, 양국관계 전반에관해 의견을 교환하였음. 이자리에서 본직은 특히 아국의 유엔가입 입장을 설명하고 주재국의 지지를 요청하였음

2. 이에대해 동국장은 본직이 장관, 차관, 정무국장등 외무부 수뇌와 그동안 만나 유엔문제에 관해 설명한 내용을 알고있다고말하고 주재국은 남북문제에서는 중립을 유지하는 입장이지만 유엔의 보편성원칙에 비추어볼때 결국 노르웨이정부는 한국의 유엔 가입을 지지하는 방향으로 기울것이라는 자신의 비공식적인 견해를 밝히고 자국정책상 지지여부를 공식적으로 밝히지 못하지만 한국입장이 반영되도록 계속 노력하겠다고 말하였음

(대사 김병연-국장)

예고:91.12.31 일반 의거 일반문서로 재분류 하지만 하 검토필(1991.6.30.)

국기국	1차보	2차보	구주국	청와대	안기부

PAGE 1

91.03.26 10:30

외신 2과 통제관 FE

0068

관리 번호	91 —959

원 본

외 무 부

종 별 :

번 호 : POW-0191 일 시 : 91 0325 1900

수 신 : 장관(국연,국기,구이,정홍)

발 신 : 주 폴투갈 대사대리

제 목 : 외무성 국제기구국장 접촉

1. 당관 주참사관은 3.22(금) 주재국 외무성 SANTANA CARLOS 국제기구국장 부부를 당지 미국, 브라질공사, 스위스, 벨지움, 미국참사관 부부등 차석 외교단들과 함께 자택 만찬 초청한 계기에 동 국장에게 유엔가입문제 관련한 최근 상황과 금년중 가입 관철을 추진하고있는 아국 정부의 최근 입장을 설명함. 또 주재국개최 세계청소년축구 선수권 대회와 같은 스포츠분야 남북한 단일팀 구성과, 유에가입 문제는 전혀 사안이 다른것으로서 북한이 스포츠단일팀 구성합의를 전례로서 유엔 단일의석 가입주장과 연계짓는것은 타당치 않음을 설명함

2. 동국장은 아측 설명에 긍정적 이해를 표시하고, 한국의 유엔가입이 실현될때가 된것으로 본다하며, 자국은 기존입장에 따라 한국의 강비을 지지할것이라말함. 아측은 CAVACO 수상의 작년 유엔총회 기조연설에서와 같이, 금년중 가입실현을 위해 주재국의 계속된 적극 지지가 요망된다하고, 또 앞으로 북한이 이문제관련 대외무성 접근시는 북한도 시의를 파악, 남북한 동시가입을 수락토록 촉구해 주기를 당부한바, 동국장은 노력하겠다고 답함

3. 아측은 상기 만찬 참석자들의 문의에 따라 최근 남북하관계 현황, 북한의 대일접근 동향등을 설명하고, 북한이 핵무기 보유를 하는일이 없도록 국제사회가 북한이 IAEA 의 안전조치를 수락토록 확보해야할것이라고 설명해 주었음. 스위스 참사관은 자국정부가 최근 북한 김일성 치료차 북한을 방문하려던 의사요원의 북한 여행을 금지한것에 대해 먼저 언급하며, 김일성 건강문제를 거론해 북한의 김일성 장수연구소등 현실상을 설명해줌

4. 만찬 참석자들은 IAEA 의 대북한 시찰 필요성에대해 공히 동감을 표시하며, 향후 김 사후에는 남북한도 결국 동.서독의통일 전례의 방향대로 나가게되지안겠느냐는 의견을 말하여, 아국정부의 현 입장은 어디까지나 남북한간

국기국 차관 1차보 구주국 국기국 정문국 청와대 안기부

91.03.26 10:07
외신 2과 통제관 FE

0069

동등한입장에서 협력과 교류 증진을 통하여, 점진적으로 통일을 달성코자하는것
이라고 설명함. 끝

(대사대리주철기-국장)

예고:91.12.31 일반 고문에 의거 일반문서로 재분류

검토필(1991.6.30.)

PAGE 2

0070

관리번호 91-964

원 본

외 무 부

종 별 :

번 호 : BLW-0184 일 시 : 91 0325 2040

수 신 : 장관(국연,동구이,기정동문 사본:김좌수 주불가리아대사)

발 신 : 주 불가리아 대사대리

제 목 : 유엔가입실현 교섭

대:WBL-0151

1. 당관 방참사관은 3.25(월)외무부유엔 및 군축국 SVETLOMIR BAEV 국장을 방문, 동국장이 부국장으로부터 최근 승진전보된데 데해 축의를 표하고, 작년 유엔총회시 주재국 ZHELEV 대통령이 유엔총회연설에서 유엔헌장의 보편성원칙에 따라 나미비아와 리히텐슈타인의 유엔가입을 지지하므로써, 아국의 유엔가입을 사실상 지지해준데 대하여도 사의를 표함. 또한 방참사관은 최근 장관님의 아국의 유엔가입문제와 관련한 기자회견 내용을 골자로 아국정부의 유엔가입 입장을 설명하고, 금년 유엔총회시 불가리아정부가 아국의 입장을 적극지지하여 줄 것을 요청한 바, 동국장은 요지 다음갈이 말함.

가. 불가리아정부는 현재 남, 북한간에 진행중인 대화에서 동문제가 타결되기를 PREFER 하고 있음.

나. 그러나 남, 북한간의 대화에서 동문제에 관한 합의가 이루어지지 않는 경우라도 한국정부가 독자적으로 유엔가입을 신청하게되는 경우, 불가리아정부는유엔헌장의 보편성원칙에 따라 한국의 유엔가입 신청을 지지하는 입장을 취할 것임.

다. 한국이 이미 불가리아와 외교관계를 수립하고 있는 주권국가인 점에 비추어 유엔헌장의 보편성원칙에 따라 지지하는 것은 당연한 것으로 생각함.

라. 한국정부가 금년중 유엔가입을 신청할 경우 극히 일부소수 국가의 반대는 있을 것이나, 대다수국가의 지지를 받아 유엔회원국이 될 수 있을 것으로 봄.

2. 방참사관은 아국지지입장 설명에 사의를 표하고, 금년 유엔총회에서 아국의 유엔가입 문제가 제기될 시 주재국 대표의 기조연설에 아국의 가입을 적극 지지하는 내용을 포함시키는 등 주재국정부가 유엔총회에서 LEADING ROLE 을 담당하여 줄 것도

국기국 차관 1차보 2차보 구주국 구주국 청와대 안기부

91.03.26 09:29

외신 2과 통제관 BW

0071

요청한 바, 동국장은 최선을 다하겠다고 말한바 있음.

3. 당관은 아국의 유엔가입 신청시 이를 지지하는 주제국 입장이 계속 유지되도록 외교노력을 경주해 나가겠음. 끝.

(대사대리 방병채-국장)

예고: 91.12.31. 일반(원본수신처)

19 에 예고문에 의거 일반문서로 재분류

91.4.30. 파기(사본수신처)

검토필(1991.6.30.)

관리 번호	91 —1018

	분류번호	보존기간

발 신 전 보

번 호 : WHG-0290 910326 2258 DQ 종별 :

수 신 : 주 헝가리 대사. [redacted]

발 신 : 장 관 (동구이)

제 목 : 한·헝가리 외무장관 회담

1. 3.26(화) 오전 개최된 한-헝가리 외무장관 회담 결과 요지를 하기 통보하니 참고 바람.

가. 국제정세

o 양측은 걸프전 관련, 군사적 도발에 대한 유엔역할 증대 및 국제사회의 공동 응징 노력을 높이 평가하고, 국제경제 불안정성에 대한 공동 협력 필요성에 인식 일치

나. 지역정세

o 아측은 남.북 총리회담 진전사항, 북방외교성과, 제3차 서울개최 APEC 각료회의 의의 및 일.북한 관계 정상화 추진에 대한 아측 입장 설명

o 헝측은 EC 가입 추구, PENTAGONALE 및 헝가리.체코.폴란드 3국 협력체제등 설명

다. 양자 관계

o 헝측은 아국의 금년중 유엔가입 추진에 대한 적극적 지지 표명(중국 외상 귀지 방문시 반응 포함)

o 아국의 UNESCO 집행위 입후보 ~~[illegible]~~에 대한 헝측 지지 표명

/계속.....

보안 통제	(서명)

앙 고 재	91년 3월 26일	동구2과	기안자 성명	과 장	국 장	차 관	장 관
			정광춘	(서명)	(전결)		(서명)

외신과통제

0073

o 헝측은 IPU 장국 대표단의 평양회의 참석후 판문점 경유 방한을 희망한 바, 아측은 북한의 과거 반대입장을 ~~비추어 성사되기 어려울 것으로 보다~~ 지적하였으나 아측의 환영입장 표명

o 헝측은 은행차관 조기 확대 제공 희망을 재표명한 바, 아측은 관계부처의 적극적인 검토 촉구 입장 설명

o 헝측은 양국간 교역의 ~~균형된 교역~~ 확대 추구와 쿠웨이트등 제3국에서의 협력을 희망 한 바, 아측의 적극 협력의사 표시

o 아측의 Aatall 수상의 금년중 방한 실현 희망 표명 및 헝측, 본직 헝가리 방문 초청

o 헝측은 4월중 Kadar 대외경제 장관 및 Surjan 국민복지부장관 방한시 양국간 협력 증진 방안 협의를 희망하고, 아국정부 고위인사 (교통, 체신, 상공, 문화부장관등)의 헝가리 방문 필요성 강조

o 회담후 사증면제협정 서명

2. 동 외무장관 회담결과 상세는 정파편 송부 예정임.

(구주국장 권영민)

예고 : 91.12.31. 일반 예고문에 의거 일반문서로 재분류됨

검토필(1991. 6. 30)

0074

韓· 헝가리 外務長官 會談 結果 報告

1991. 3.27
外 務 部

91.3.26(火) 開催된 "韓· 헝가리 外務長官會談" 結果를 아래 報告드립니다.

1. 主要 會談 結果

가. 國際情勢 評價

o 걸프戰 關聯, 軍事的 挑發에 대한 유엔 役割 增大 및 國際社會의 共同 膺懲 努力과 兩國의 寄與 評價

o 國際經濟 不安定에 대한 協力 必要性 共同 認識

나. 東北亞 및 韓半島 情勢 (我側 說明)

o 南北韓 總理會談 關聯事項 및 我側의 信賴構築 努力

o 서울 開催 豫定, 第 3次 APEC 閣僚會議 意義等 亞太地域 協力 强化를 위한 我國의 主導的 役割

0075

o 日· 北韓 關係正常化 推進 關聯, 我國 立場 說明

o 韓· 헝가리 修交를 위시한 北方外交의 成果

* 헝側, 평양 開催 IPU總會 참가후 판문점 경유 訪韓 希望 表明 (我側은 積極 歡迎하나, 北韓의 反對 立場 說明)

다. 中· 東歐 地域情勢 및 헝가리 對外政策 (헝側 說明)

o 對西歐 關係强化 및 對蘇 自主外交 推進

o 隣近 國家와의 地域協力 追求

- 중남부 유럽 5個國間 協議體 構成

- 체코· 폴란드와 3國間 地域協力 追求

라. 兩者 關係

o 我國의 유엔加入問題

- 我國의 今年中 유엔 加入 推進에 대한 헝側의 積極的인 支持 표명

* 今年 3月初 中國 外交部長의 헝가리 訪問時, 中國側은 北韓의 對유엔 政策 非現實性을 表明하였다고 說明

o 兩國間 通商 및 經協 增進

- 交易의 均衡 擴大 追求 및 쿠웨이트等 第 3國 共同 進出 努力 强化

- 金融協力等 經濟協力 積極 推進

0076

o 高位人士 交流 擴大

- 我側, '안탈' 헝가리 總理의 今年中 訪韓 實現 希望
- 헝側, 外務長官 헝가리 訪問 招請
- 經濟關係 閣僚 相互 訪問 積極 推進

o 我國의 UNESCO 執行委 立候補에 대한 헝側 支持 表明

마. 査證免除協定 署名

o 非營利目的의 90日間 無査證 入國 相互 許容
o 署名 30일후 발효 豫定

2. 評 價

o 今年中 유엔加入 推進 努力에 대한 헝側의 積極的 支持 確保
o 交易의 均衡 擴大 및 經協 擴大 必要性에 대한 認識 一致
  - 헝側의 金融協力 擴大 要請 關聯, 我側의 肯定的 對應努力 必要
o 査證免除協定 締結로 兩國 國民間 交流 擴大 期待

0077

관리 번호	91 —979

분류번호	보존기간

발 신 전 보

번 호 : WUN-0662 910327 1845 FG 종별 :

WUS -1197

수 신 : 주 유엔 대사. 총영사 (사본: 주미대사)

발 신 : 장 관 (국연)

제 목 : 유엔가입관련 불가리아측 입장

최근 불가리아 외무성 유엔 및 군축국장은 남북한의 유엔가입문제 관련 아래 요지로 언급한 바 참고바람.

o 불가리아 정부는 현재 진행중인 남북대화에서 동문제가 타결되길 바람.

o 그러나 남북간에 합의가 이루어지지 않아서 한국이 독자적으로 유엔가입 신청하게 되는 경우에는 한국의 유엔가입을 지지할 것임. (동 지지는 한.불 외교관계 기수립, 유엔의 보편성원칙등에 비추어 당연할 것임)

o 한국이 금년중 유엔가입신청할 경우, 대다수 국가의 지지를 받아 유엔회원국이 될 수 있을 것으로 봄. 끝.

예 고 : 1991.12.31 에 일반고문에 의거 인반문서로 재분류

검 토 필(1991.6.30.)

(국제기구조약국장 문동석)

보안 통제	

앙 고 재	91년 3월 27일	유엔과	기안자 성명		과 장		국 장		차 관	장 관
			김성진				전결			

외신과통제

0078

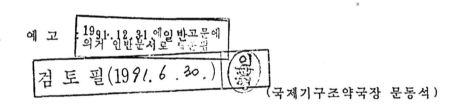

71-1019

원 본

외 무 부

종 별 :

번 호 : UNW-0711 일 시 : 91 03271900

수 신 : 장관(국연)

발 신 : 주 유엔 대사

제 목 : 스웨덴 대사 접촉

본직은 금 3.27(수) J.K.ELIASSON 스웨덴 주유엔대사를 신임인사차 방문,아국의 유엔가입문제에 대하여 지지는 물론 강력한 협조를 요청하였는바 동대사의언급요지 아래 보고함.

1.스웨덴 정부는 유엔의 보편성 원칙을 존중하므로 한국의 유엔가입이 한국을 위해서나 유엔을 위해서나 모두 유익한것으로 생각하기 때문에 현단계에서 한국의 가입을 지지하는데 어려움이 없을것으로 봄.

2.다만 스웨덴이 중립국 감시위원단의 일원인점에 비추어 혹시 어떠한 제약이 있을것인지 여부는 본국정부와 협의하겠으며 관련 진행상황을 계속 알려주기바람.

3.중국의 태도에 영향을 미칠수있는 요소로서 핵심 비동맹국의 지지를 확보하는것이 중요할것이라는 사견을 첨언하였음.

(대사 노창희-국장)

예고:91.12.31 일반 / 일반문서로 재분류 (1991.6.30.)

국기국

PAGE 1

91.3.27. 1900
외신 2과 통제관

0079

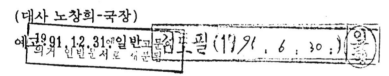

관리 번호	91 — 986

외 무 부

종 별 :

번 호 : CNW-0379 일 시 : 91 0327 1715

수 신 : 장 관(미북,의전,국연,통일,경일,정일,기정,공보처,국방부,상공부)

발 신 : 주 카나다 대사

제 목 : 신임장 제정

대 : WCN-0237

1. 본직은 예정대로 3.27.(수) 오전 나티신 총독에게 신임장을 제정하였음.이자리엔 외무부 마크로스키 아. 태 담당 차과보(정부대표), 의전차장, 스마이스 총독 비서실장대리등 총독실 직원, 본직의 처 및 공관원 8 명 부부등이 참석하였음.

2. 동 신임장 제정식에서 본직은 한. 카 양국의 역사적 유대와 협력강화, 아국의 평화통일 정책 및 유엔 가입노력에 대한 카나다의 계속적 지원, 아. 태 지역 및 세계무대에서의 양국의 역할 강화 협조등을 다짐하는 대호 내용의 신임장 제정사를 낭독하였으며, 이에 대해 나티신 총독은 노대통령께 대한 각별한 문안 전달과 가까운 시일내 카나다 공식방문 희망을 피력하고 양국 우호관계의 발전, 아. 태 협력 한반도 및 북태평양 지역의 안보문제등 제반 정치.경제 분야에서의 양국간 협력강화, 특히 아국의 평화통일 및 유엔 가입 노력에 대한 카나다의 지속적 지지등을 다짐하는 별첨 내용의 답사를 하였음.

3. 이어 본직은 나티신 총독과 총독서재에서 약 15 분간 단독 면담(마크로스키 아. 태 차관보 배석)한바, 이자리에서 본직의 대통령의 각별한 안부 말씀을다시 전달하고 양국관계의 가일층 심화를 위한 공동 노력을 다짐한데 대해 나티신 총독은 노대통령께 대한 문안 전달을 다시 요청하면서, 자신이 88 년 대통령 취임식시 특사로 방한하여 노대통령을 직접 뵌적이 있음을 상기, 자신의 총독재임중 가까운 장래에 꼭 노대통령 내외분을 카나다에서 모실수 있게 되기를 바란다고 하고, 특히 노대통령 취임식 참석이후 한국에 대해 각별한 관심을 갖고지켜보아 왔는바, 한국이 노대통령의 탁월하신 지도력하에 착실히 발전해 오고있는데 대해 재삼 경의를 표한다고 하였음.

4. 또한 나티신 총독은 자신이 본직의 신임장 제정사에 대한 답사에서도 밝힌대로

미주국 장관 차관 1차보 2차보 의전장 국기국 경제국 통상국
정문국 청와대 안기부 국방부 상공부 공보처

PAGE 1

91.03.28 08:28

외신 2과 통제관 BW

0080

한국의 평화통일 정책과 유엔 가입 노력에 대한 카나다의 지지는 확고한것(DETERMINED) 이라고 거듭 강조하면서 자신의 동 언급 내용을 본국에 보고해달라고 하였음.

5. 아울러 나시신 총독은 양국 협력관계의 가일층 발전을 희망하면서 자신이 농업이 발달된 사스카츄완주 출신임을 지적, 앞으로 특히 농업분야에서의 양국협력 증진에 대한 기대를 표명 하였음.

6. 한편, 본직은 신임장 제정에 앞서 3.26.(화) 외무부 마크로스키 차관보및 태넌트 북아. 태국장을 각각 부임 인사차 예방, 앞으로 양국 협력 관계의 가일층 발전을 위한 상호간의 긴밀한 협조를 다짐한바, 특히 마크로스키 차관보는 카측의 노대통령 카나다 방문 초청이 그대로 유효함(STANDING INVITATION) 을 지적, 가까운 시일내 노대통령의 카나다 방문 실현에 대한 기대를 표명한바 있음. 끝

(대사 - 장관)

별첨 : 나티신 총독 답사(CNW-0381)

예고문 : 91.12.31. 일반

19 . . . 에 예고문에 의거 인반문서로 재분됨

검 토 필(1991. 6 .30.)

PAGE 2

0081

관리 번호	91 —985

외 무 부

종 별 :

번 호 : CNW-0381 일 시 : 91 0327 1730

수 신 : 장 관(미북,의전)

발 신 : 주 카나다 대사

제 목 : CNW-0379 의 별첨

SPEECH ON THE OCCATION OF THE PRESENTATION OF THE LETTER OF CREDENCE BY THE AMBASSADOR OF KOREA

,, EXCELLENCY,

I AM PLEASED TO RECEIVE THE LETTER OF CREDENCE APPOINTING YOU AMBASSADOR EXTRAORDINARY AND PLENIPOTENTIARY OF THE REPUBLIC OF KOREA. WELCOME TO CANADA.

PLEASE EXTEND MY WARMEST GREETING TO YOUR PRESIDENT, HIS EXCELLENCY ROH TAE-WOO, AND EXPERESS MY HOPE THAT THERE WILL SOON BE AN OCCASION TO RECEIVE HIM ON A STATE VISIT TO CANADA.

THE RELATIONS BETWEEN OUR TWO COUNTRIES CONTINUE TO EXPAND AND THE MUTUAL COMMITMENT TO THE RELATIONSHIP CONTINUES TO STRENGTHEN. SUCH CLOSE TIES ARE NO SURPRISE CONSIDERING THE BONDS OF OUR FRIENDSHIP, FORGEN IN A TIME OF WAR 40 YEARS AGO. THESE TIES HAVE BEEN RENEWED AND AUGMENTED IN RECENT MONTHS AS THE RESULT OF COMMON SUPPORT FOR THE UN RESOLUTIONS ON IRAQ'S AGGRESSION IN THE PERSIAN GULF.

IT IS ALSO SATISFYING THAT OUR RELATIONSHIP HAS BROADENED AND MATURED IN RECENT YEARS. FOR EXAMPLE, THERE ARE NEW LEVELS OF COOPERATION IN THE REALM OF CULTURE, INCLUDING THE ART, SPORT AND EDUCATION. IN ALL THESE FIELDS, KOREANS AND CANADIANS CONTINUE TO DISCOVER AREAS OF MUTUAL INSPIRATION, UNDERSTANDING AND APPRECIATION.

VOTRE EXCELLENCE,

LE DIALOGUE ET LA COOPERATION D'ORDRE POLITIQUE ET ECONOMIQUE ENTRE NOS DEUX PAYS NE CESSENT DE S'ELARGIR ET DE S'INTENSIFIER. NOS

미주국 장관 차관 1차보 2차보 의전장 국기국

PAGE 1 91.03.28 09:06

외신 2과 통제관 CA

0082

CONSULTATIONSPORTENT SUR DES QUESTIONS CHAQUE ANNEE PLUS NOMBREUSES ET DEBOUCHENT SUR UNE TOUJOURS PLUS VASTE CONVERGENCE DE VUES ET D'INTERETS. IL EST SATISFAISANT DE CONSTATER QUUNE ETROITE CONCERTATION NOUS A PERMIS DE COLLABORER AVEC EFFICACITE DANS DES DOMAINES D'INTERET COMMUN, ET NOTAMMENT EN CE QUI CONCERNE LA COOPERATION ECONOMIQUE EN ASIE-PACIFIQUE ET LA SECURITE DANS LA PENINSULE COREENNE ET LE PACIFIQUE NORD.

OUR COMMITMENT TO PROSPERITY, DEMOCRACY AND PEACE ON THE KOREAN PENINSULA REMAINS RESOLUTE AND AT THE VERY HEART OF OUR RELATIONSHIP. IN THIS REGARD, I CAN ASSURE YOU OF CANADA'S CONTINUING SUPPORT FOR YOUR COUNTRY IN ITS PURSUIT OF PEACEFUL REUNIFICATION AND MEMBERSHIP IN THE UNITED NATIONS.

EXCELLENCY, ON BEHALF OF THE CANADIAN PEOPLE AND GOVERNMENT, I EXTEND MY WARMEST WELCOME TO YOU AND YOUR FAMILY. YOU MAY BE ASSURED OF OUR FULLEST COOPERATION AS YOU UNDERTAKE YOUR MISSION IN CANADA. 끝

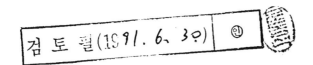

관리번호	91-1003

원 본

외 무 부

종 별 :

번 호 : UNW-0712 일 시 : 91 0327 1900

수 신 : 장관(국연,미북,기정)

발 신 : 주 유엔 대사

제 목 : 카나다 대사면담

1. 본직은 3.27 FORTIER 카나다 대사를 예방, 연내가입 추진의 확고한 의지와 이를위해 각수도를 통한 지지교섭의시행, 중요국에 대한 특사파견계획, 안보리 문서 배포계획등을 설명하고 CG 국가로서 카나다의 적극적인 협조를 당부하였음.

2. 동인은 카나다로서는 과거에도 그래왔지만 앞으로도 기꺼이 최선을 다해협조할 것을 다짐하고 최근 중국의 태도에대해 문의해온바, 본직은 전기침 외상의 구주 순방시 언급내용등을 설명해주고 앞으로 국제적인 지지여론이 확산되고 아측이 대중 설득노력을 계속해 나가면 중국으로서도 여러사정을 감안할때 혼자서만 반대하지는 않을것으로 생각한다고 한바, 동인은 전적으로 동감이라고 하고 자신으로서도 대중설득을 위해 계속 노력하겠다 하였음. 끝

(대사 노창희-국장)

예고:91.12.31에 일반문에 의거 일반문서로 재분류됨

검 토 필(1991. 6. 30.)

국기국 차관 1차보 2차보 미주국 청와대 안기부

PAGE 1

91.03.28 11:05

외신 2과 통제관 BW

0084

관리 번호	91 -1024

외 무 부

종 별 :

번 호 : BBW-0225 일 시 : 91 0328 1800

수 신 : 장관(구일)

발 신 : 주 벨기에 대사

제 목 : 외무장관 방한

1. 주재국 외무부 NARTUS 아주국장은 금 3.28 오전 당관 유서기관과의 면담에서 EYSKENS 외무장관 방한관련 다음 사항을 통보해 옴

가. 항공일정

0 도착: 5.5(일) 08:30(KL-865 편, 암스텔담 출발)

0 이한: 5.8(수) 09:30(KE-702 편, 동경 향발)

나. 수행원 명단(4 명)

0 ROELANTS 사무차관

0 NARTUS 아주국장

0 D'AES 장관 비서관(양자관계 담당)

0 VERBEKE 외무부 대변인

(장관 부인의 방한은 현재로서 고려하고 있지 않다고 함)

2. 동인은 외무장관 회담 의제(안)로서 다음 사항을 제의하면서 회담의 형식 및 토의 의제에 대한 아측 입장을 문의한바 회시바람.

가. 국제정치 일반(POLITIQUES GENERALES)

0 벨기에측은 예컨대 유엔 안보리 활동(한국의 유엔가입 문제 포함)에 대해서 설명 희망

0 상기의 주요 국제문제 전반에 대한 평가 및 의견 교환을 할수있으며, 한국측이 특별히 관심있는 문제가 있으면, 주제 통보를 요망함(예:GULF 사태, GATT문제등)

나. 지역문제(QUESTIONS REGIONALES)

0 벨기에측은 구주 정세에 대해서 설명하되 특히 다음 주제 언급

-92 년 구주통합

-신구주 건설(구주안보 협력 회의등 구주안보 문제 포함)

구주국	장관	차관	1차보	2차보	청와대	안기부	국기국 의전장

PAGE 1

91.03.29 10:27

외신 2과 통제관 CA

0085

0 한국측은 주로 아시아 지역 정세에 대해서 설명하되 벨기에측 관심 주제는 다음과 같음.

-APEC 등 아. 태 협력문제

-한반도 및 동북아 정세

-한.EC 협력관계

다. 양자관계 문제(QUESTIONS BILATERALES)

0 정치관계

0 경제관계

3. 참고사항

0 벨기에측은 5.5(일) 은 비공식 일정으로 간주, 자유시간을 갖기를 희망함.

0 EYSKENS 장관 일행은 방한후 5.8(수)-5.10(금) 일본을 방문할 예정이라함.끝.

(대사 정우영- 국장)

예고: 91. 6. 30 일반

19 에 예고문에 의거 재분류됨 일반

관리 번호	91 -999

	분류번호	보존기간

발 신 전 보

번 호 : WUN-0677 910328 1832 FL 종별 :

수 신 : 주 유엔 대사.//총영사

발 신 : 장 관 (국연)

제 목 : 유엔가입문제 (카나다 반응)

1. 주카나다 대사의 신임장 제정식시 나티신 카나다 총독은 답사에서 한국의 평화통일 정책과 유엔가입 노력에 대한 카나다의 지지는 확고한것 이라고 강조하고 동 언급내용을 본국정부에 보고하여 달라고 하였다 함.

2. 총독 답사중 관련부분

OUR COMMITMENT TO PROSPERITY, DEMOCRACY AND PEACE ON THE KOREAN PENINSULA REMAINS RESOLUTE AND AT THE VERY HEART OF OUR RELATIONSHIP. IN THIS REGARD, I CAN ASSURE YOU OF CANADA'S CONTINUING SUPPORT FOR YOUR COUNTRY IN ITS PURSUIT OF PEACEFUL REUNIFICATION AND MEMBERSHIP IN THE UNITED NATIONS. 끝.

예 고 19 1991.12.31. 일반문에 의거 인반문서로 재분류

검 토 필 1991 6 30

(국제기구조약국장 문동석)

보안 통제	

앙 고 재	91년 3월 28일	UN 과	기안자 성명		과 장	국 장	차 관	장 관
			송영완			전결		

외신과통제

0087

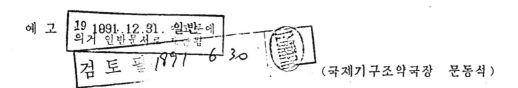

원 본

관리 번호	91 -1031

외 무 부

종 별 :

번 호 : UNW-0732 일 시 : 91 0329 0030

수 신 : 장관(국연,구일)

발 신 : 주 유엔 대사

제 목 : 주유엔 이태리 대사면담

1. 본직은 금 3.28 TRAXLER 이태리 대사를 신임인사차 예방, 아국정부가 금년에 가입절차를 취하겠으며 이에따른 교섭이 이미 개시되고있고, 5 월초에 이태리에도 대통령특사가 방문할 예정임을 알려주면서 이태리가 아국의 유엔가입 문제에 대하여, 지지뿐만 아니라 국제적 지지분위기 확산을 위하여 주도적으로 협조하여 줄것을 요망하였음.

2. 동 대사는 한국의 입장을 충분히 이해하고 있으므로 적극 지지에는 어려움이 없다고하면서 중국의 입장과 태도추이에 대하여 관심을 표명하였음. 이에대하여 본직은 중국이 아직까지는 분명한 태도를 유보하고 있지만 앞으로 지지분위기가 성숙되면 이에따를 것으로 예상한다고 답변하였음. 동 대사는 중국이 아국의가입문제에 대하여 거부권을 행사할 것으로 보지는 않는다고 말하면서 근년에 들어와서 안보리 상임이사국들은 거부권을 행사하기 보다 컨센서스 경향을 보여주고 있다고 언급하였음. 동 대사는 상임이사국들이 과거와 달리 거부권을 행사하기 보다는 거부권을 상호존중, 의식하여 합의에 이르게 되는것은 거부권의 존재가 컨센서스에 도움이 되는면도 있다고 부연하면서 아국의 가입문제도 그러한 방식으로 해결될 것이라고 조심스럽게 전망하였음.

3. 또한 동대사는 최근 아국 군장성의 정전위 수석대표 임명에 대하여 북한이 거부하고 있는 이유를 이해하지 못하겠다고 말하면서 아국의 유엔가입을 어렵게하거나 또는 구실로 삼고자 하는 의도가 있는것으로 본다고 말하였음.

4. 동 대사는 솔직한 개인적 문의라고 전제하면서 중동사태 처리과정등에서미국이 중국에대하여 많은 빚을 졌다고 보는데 한국문제 처리에 있어서 어떠한영향을 미치지 않겠는가라고 질문하였는바, 본직은 아측이 미국측과 모든사항을 긴밀히 협조, 협의하여 가면서 처리하고 있으며 미국측이 아측을 전적으로 지지하고 있다고

국기국 장관 차관 1차보 2차보 구주국

91.03.29 15:20

외신 2과 통제관 BA

0088

답변하였음. 덧붙여 본직은 중동문제가 조만간 안보리에서 일괄 타결될 것으로 예상하고 있으며 이후에 다른 돌발적인 국제적 사태가 발생하지 않는다면 미국측이 아국의 가입을 실현하기 위하여 전적인 협조를 제공하는데 어려움이 전혀 없을것이며 오히려 중국이 국제적 다수여론의 압력을 받을 것이며 미국이 중국으로 부터 압력을 받을 것으로는 생각치 않는다고 말하였음.

5. 동 대사는 유엔내 EC 12 개국간 협의체제를 설명하면서 아국문제에 관하여도 EC 내 협의과정을 거쳐 공동입장을 수립하게 될것이라고 언급하였는바, 본직은 적절한 기회에 EC 공동지지 표명은 큰 도움이 될것으로 기대한다고 말하면서 적극적 협조를 요망하였음. 끝

(대사 노창희-국장)

~~예고:91.12.31. 일반~~ 일반문서로 재분류(1991. 6. 30.)

19 . . . 에 예고문에 의거 일반문서로 재분류됨

0089

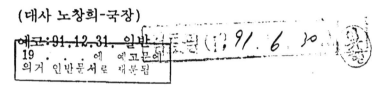

관리 번호	91 -1045

외 무 부

종 별 :

번 호 : CZW-0244　　　　일 시 : 91 0329 1200

수 신 : 장 관(동구이,국연)

발 신 : 주 체코 대사

제 목 : 외무차관방한

연:CZW-0220

1.SOU UP 아주국장 대리는 3.27 최승호 참사관에게 PALOUS 차관방한시 자신이외에 RUDOLF HYKL 수석비서관이 공식수행 3 으로 추가되었다 하였음.

2. 외무부 직제 개편의 일환으로 제 4 지역국(아시아대륙국 및 인지반도국)및 제 6 지역국(일본.ASEAN. 대양주)이 통합될 예정이며, 자신이 국장으로 내정되었다 하였음.

3. 차관일행 3 명의 체재비 아측부담 건의함. 끝.

(대사선준영-차관)

예고:91.12.31. 일반.

19 에 예고문에 의거 일반문서로 재분류됨

검 토 필(1991. 6. 30.)

구주국　차관　1차보　국기국

PAGE 1　　　　91.03.30 00:37

외신 2과 통제관 DG

0090

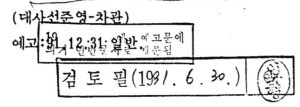

관리번호 91-1046

외 무 부

종 별 :

번 호 : PDW-0270 일 시 : 91 0329 1420

수 신 : 장관(동구이, 국연)

발 신 : 주 폴란드 대사

제 목 : 외상 방한문제

연 : PDW-0230

1. 마예프스키 외무차관은 3.29 본직 면담시, 스쿠비세프스키 외상에게 전달한 장관님 서한과 관련, 동 회신 사본을 본직에게 전교하였는바, 동 서한에서 현존관계에 만족을 표하고 양국관계의 발전을 위해서 동 외상은 금년 하반기 방한이 가능하며 구체적 시기는 상호 협의해 결정하자고 언급되었음.

2. 동 서한은 내주에 주한대사를 통하여 장관님께 전달할 것이라고 말함. 끝

(대사 김경철-장관)

예 고 : 91.12.31. 일반 고문에 의거 인반문서로 재분됨

검 토 필(1991. 6. 30.)

구주국 장관 차관 1차보 2차보 국기국 청와대 안기부

PAGE 1

91.03.30 01:03

외신 2과 통제관 DG

0091

관리 번호	91 -1999

원 본

외 무 부

종 별 :

번 호 : BLW-0202 일 시 : 91 0401 1520

수 신 : 장관(국연,동구이,기정동문)사본:김좌수 주불가리아대사

발 신 : 주 불가리아 대사대리

제 목 : 유엔가입실현 교섭

연:BLW-0184

1. 당관 방참사관이 4.1.(월) 외무부 아주국 TONEV 국장 방문시, 아국의 유엔가입에 관한 입장을 설명하고, 연호 최근 BAEV 외무부 유엔 및 군축국장의 아국의 유엔가입에 관한 지지입장 언급에 관하여도 설명하였던바, 동 TONEV 국장은아국의 유엔가입에 관한 지지입장이 자국정부의 GENERAL IDEA 라고함.

2. 동국장은 유엔가입문제는 유엔총회에서보다 안보리에서의 결정이 중요한것으로 사료된다고 하면서, 아국의 유엔가입에 관한 중국의 입장은 어떤지 문의하여, 방참사관은 최근 아국과 중국과 관계에 비추어 중국은 아국의 유엔가입에 관한 입장에 FAVORABLE 한 입장을 취하고 있는 것으로 생각한다고 답함.

3. 방참사관은 동국장에게 아국정부가 금년 유엔총회에 아국의 유엔가입을 공식신청할 경우, 주재국 정부가 이를 지지하는 LEADING ROLE 을 담당하여 줄 것을 요청한바, 동국장은 아국이 헝가리와의 관계가 긴밀한 점에 비추어, 불가리아정부가 LEADING ROLE 을 한다면 헝가리가 불평을 할지 모르겠다고 하면서 아국이 유엔가입을 공식신청할 경우 다시 구체적으로 논의하자고 말함. 끝.

(대사대리 방병채-국장)

예고:91.12.31. 일반 고문에 의거 일반문서로 재분류됨

검 토 필(1991.6.30.)

국기국 차관 1차보 2차보 구주국 구주국 청와대 안기부

PAGE 1

91.04.01 22:41

외신 2과 통제관 CA

0092

관리 번호	91-1998

원 본

외 무 부

종 별 :

번 호 : POW-0210　　　　일 시 : 91 0401 1900

수 신 : 장관(국연,구이,구일,경기,사본-주EC대사직송필)

발 신 : 주 폴부갈대사

제 목 : 아주국장접촉

대:EM-0007, ECW-0258

1. 주재국 외무성 CARDOSO 아주국장은 4.1 당관 주참사관과 접촉시, EC 아주국장회의가 4.9(화) 브라셀에서 개최될 예정이며, 의제로는 EC-일본간 공동선언 채택문제, 캄퓨차문제등이 포함되고 있으며, 한반도 문제도 포함돼있다 하면서, 한국의 유엔가입문제 관련 최근 동향을 문의해옴

2. 아측은 유엔가입 관련한 최근 동향과 북한대외동향 아국입장을 설명하고, 서울에서 ESCAP 총회가 4.1 부터 열리고 있으며, 중요국가 대표들이 참석하고있고, 또 4 월중 유엔 사무차장급들의 방한등 유리한 분위기가 조성되고 있음도 알리고, 금년에는 꼭 유엔가입이 실현되도록, EC 의단합된 적극적 지지가 요망됨으로, 금번 브라셀회의에서도 주재국이 이를위해 지원해 줄것을 요청한바,동인은 노력하겠으며 금번회의 결과를 알려 주겠다고 말했음. 끝

(대사조광제-국장)

예고:91.12.31 일반

검토필(1991.6.30)

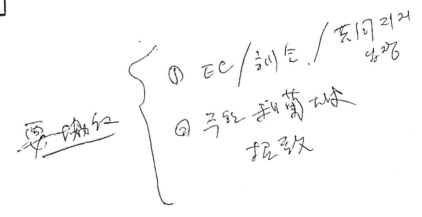

국기국　구주국　구주국　경제국

PAGE 1　　　　91.04.02　05:56

외신 2과 통제관 FI

0093

관리 번호	91 — 2003

분류번호	보존기간

발 신 전 보

번 호 : WUK-0609 910402 1402 FN 종별 :

수 신 : 주 수신처 참조 대사. ~~총영사~~ (사본 : 주포르투갈대사)

WFR -0667 WBB -0143
WID -0069 WEC -0191
WPO -0135

발 신 : 장 관 (국연)

제 목 : EC 아주국장 회의 개최

1. 주폴투갈대사 보고에 의하면 4.9(화) 브랏셀에서 EC 아주국장회의가 개최될 예정이며, 동 회의 의제로 EC-일본간 공동선언 채택문제, 캄푸치아문제와 한반도문제가 포함되어 있다하는 바, 동 회의 관련사항 지급 파악보고바람.

[redacted]

2. 아울러, EC 정무총국장회의(Political Committee) 및 아주국장회의 (Working Groups)의 금년 4-7월간 회의일정도 [redacted] 파악 보고바람. 끝.

19 . . . 에 예고문에 의거 일반 1991.12.31. 일반

검토필(1991.6.30) (서명)

(국제기구조약국장 문동석)

수신처 : 주영, 불, 벨지움, 아일랜드 대사, 주 EC 대표부 대사

구주3과: (서명)

보 안 통 제	(서명)

앙 고 재	91년 4월 2일	국연 과	기안자 성명		과 장		국 장		차 관	장 관
			김성진		(서명)		정연			(서명)

외신과통제

0094

관리번호 91-2022

외 무 부

종 별 :

번 호 : CZW-0262 일 시 : 91 0402 1945

수 신 : 장 관(동구이,국연)

발 신 : 주 체코 대사

제 목 : 외무차관 방한

연:CZW-0244

SOUKUP 아주국장대리는 4.2 최승호 참사관에게 PALOUS 외무차관의 방한 관련 다음 언급하였기에 참고로 보고함.

1. 아시아 순방일정이 거의 확정됨. 중국측 사정으로 다소 어려움 있었으나, 현재 모두 순조로이 주선되었음.

2. 차관 서울 도착 수일전 대사대리가 부임할수 있도록 최선 노력중임.끝.

(대사 선준영-차관)

예고:91.12.31. 일반

검 토 필(1991. 6 .30 .)

구주국 차관 1차보 2차보 국기국

PAGE 1

91.04.03 07:28

외신 2과 통제관 BW

0095

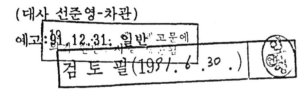

36

관리번호	91-278

외 무 부

종 별 :

번 호 : UNW-0770 일 시 : 91 0402 2230

수 신 : 장관(국연,동구이,아프일,기정)

발 신 : 주 유엔 대사

제 목 : 주유엔 유고대사 면담

구주국	담당	과장	심의관	국장
공람				
지시사항				

1. 본직은 금 4.2(화) DARKO SILOVIC 주 유엔유고 대사를 예방, 면담하고 아국의 유엔가입 문제에 관하여 의견을 교환하였음. 본직이 먼저 아국정부가 유고와의 국교수립에 대단히 만족하고 있으며 유고와의 관계를 중요시하고 있다고 언급한데 대하여 동 대사는 전적인 동감을 표시하였음. 이어 본직이 금년도 유엔가입에 대한 아국정부의 의지를 설명하고 비동맹지도국이며 현 의장국인 유고의 적극적 지원이 절실히 요청된다고 강조한데 대하여 동 대사는 유고로서는 유엔의 보편성원칙에 따라 아국의 유엔가입을 지지하는데 하등 어려움이 없다고 말하면서 소.중의 가입문제에 대한 반응에 관심을 표하였음.

2. 동 대사는 유고 외무부내 비동맹전문가 이며 현재 뉴욕비동맹 조정위의 의장으로서 아국의 유엔가입과 관련 비동맹국가의 동향에 대하여 많은 관심을 표명하였음. 본직이 비동맹 국가중 쿠바, 짐바브웨등이 아국의 가입을 찬성하지 않을것으로 예상된다고 언급한데 대하여 동 대사는 아국이 중국의 거부권과 쿠바및짐바브웨의 반대를 극복하여 안보리에서 가입안이 채택되더라도 혹시 총회에서쿠바등이 표결을 주장할 가능성을 배제할수 없을것이라고 말하면서 동인의 견해로는 쿠바, 짐바브웨, 월맹, 라오스등 5-6 개국 정도가 북한을 지지하여 아국의 가입을 반대할 것으로 전망하고 비동맹에 대한 만반의 대비가 필요할 것이라고 권고하였음.

3. 이에 덧붙여 동 대사는 비동맹의 분위기는 유엔과 달라 소수국가라 할지라도 강경하고 집요하게 논쟁을 전개하는경우 이에대한 뚜렷한 대안이 없으면 그대로 전체의사인 것으로 받아들여지는 가능성이 많음에 아국이 유의하여야 할것이라고 말하였음. 특히 91.9.2-7 가나 개최 비동맹 전체외상회의가 유엔총회 직전에 개최되는 만큼 북한이 이를 만약의 경우에 대비한 최후의 저지선으로 활용할 가능성이 있다고

국기국 차관 1차보 2차보 구주국 중아국 청와대 안기부

PAGE 1 91.04.03 13:02

외신 2과 통제관 BW

0096

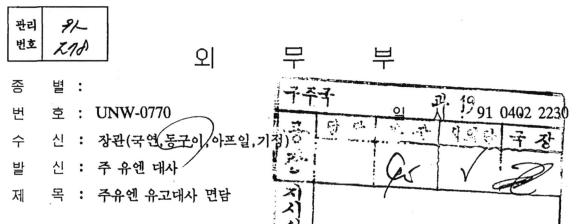

하면서 무엇보다도 의장국인 가나에 대하여 각별한 교섭노력이 필요함을 지적하였음.
이와관련 동 대사는 현 가나외상이 국제현실과 자국의 이익에 대한 정확한 판단력이 부족하고 대체로 이념적 성향을 강하게 지니고 있는 인사이므로 비동맹회의에서 쿠바, 짐바브웨등의 강경노선에 편승, 동조할 개연성이 없지 않다고 말하고 이에대한 대비로 가나 J.RAWLINGS 국가원수에 대한 직접접촉, 교섭이 바람직 할것이라는 의견을 표명하였음.

4. 동 대사의 상기언급중 비동맹에 관한 견해 특히 대 가나 정부 교섭문제는 유의할 필요가 있다고 판단됨. 끝

(대사 노창희-차관)

예고:91.12.31. 일반

검토필(1991. 6. 30.) 외

1991.12.31. 에 예고문에 의거 일반문서로 재분류됨

PAGE 2

0097

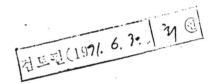

관리번호	91-2028

원 본

외 무 부

종 별 :

번 호 : UNW-0771 일 시 : 91 0402 2230

수 신 : 장관(국연,동구이,기정)

발 신 : 주 유엔 대사

제 목 : 주유엔 루마니아 대사접촉

1. 본직은 금 4.2.(화) MUNTEAUNU 주유엔 루마니아 대사를 면담하고 아국의유엔가입문제에 관하여 루마니아측의 지지와 협조를 요청하였음.

2. 본직이 먼저 루마니아의 아국입장 지지에 대하여 사의를 표하였던바, 동대사는 루마니아로서는 한국의 유엔가입을 지지하는데 아무런 어려움이 없다고말하였음.

3. 그러나 금일 접촉과정에서도 아국의 유엔가입에 대한 루마니아 태도는 헝가리와같이 확고한 것은 아닌것으로 감촉되었음. 끝

(대사 노창희-국장)

예고:91.12.31. 일반

에 예고문에 의거 일반문서로 재분류됨

검 토 필(1991. 6. 30.)

국기국 차관 1차보 구주국 청와대 안기부

91.04.03 13:04

외신 2과 통제관 BW

0098

관리번호 91-2020

원 본

외 무 부

종 별 :

번 호 : UNW-0772 일 시 : 91 0402 2230

수 신 : 장관(국연,동구이,기정)

발 신 : 주 유엔 대사

제 목 : 주유엔 헝가리 대사 접촉

1. 본직은 금 4.2.(화) ERDOS 주유엔 헝가리대사를 , 면담하여 아국의 유엔가입 문제를 설명하고 헝가리측의 적극 협조를 요청하였음. 동 대사는 1989 이후헝가리는 한국의 유엔가입에 대하여 적극 지지입장을 표명하여 왔으며 지난달 HORN 헝가리 외무장관 방한시 명백히 한바와같이 헝가리는 어떠한 형태이든지 한국의 유엔가입을 적극 지지하는 입장이라고 말하였음.

2. 본직이 양국관계의 특수성을 언급한데 대하여 동 대사는 1989 년 당시 헝가리의 대한 수교결정은 그야말로 역사적인 의의를 지닌 용단이라고 하면서 양국관계의 진전에 큰 기대를 가지고 있다고 말하였음. 덧붙여 동 대사는 동구권의정치 경제적 혁명의 성공은 소련에 직접 영향을 줄것이며 나아가서 중국과 북한에도 영향을 미치게 될것이라하고 한국등 우방국들(헝가리와)적극 협력하는것이 필요하다는 점을 강조하였음.

3. 헝가리의 아국 유엔가입지지 입장은 확고한 것으로 보이며 아국과의 관계강화를 고려한 측면지원도 가능시 될것으로 감지되었음. 끝

(대사 노창희-국장)

예고 1991.12.31에 일반문서에 의거 인반문서로 재분됨

검 토 필(1991. 6. 30.)

국기국 차관 1차보 구주국 청와대 안기부

PAGE 1

91.04.03 13:04

외신 2과 통제관 BW

0093

관리번호	91-2040

원 본

외 무 부

종 별 :

번 호 : BBW-0237 일 시 : 91 0403 1630

수 신 : 장관(국연,구일)

발 신 : 주 벨기에 대사

제 목 : EC 아주국장 회의

대:WBB-0143,0127

1. 벨기에 및 룩셈부르크 외무부 관계자를 접촉, 탐문한바,4.9(화) 개최되는 표제 회의에서는 한반도 문제도 의제에 포함되어 있다하며, 한반도 문제에 대해서는 미리 정해진 주제없이 전반적인 의견 교환이 있을것이나, 필연적으로 아국의 유엔가입 문제등이 주로 거론될것으로 예상된다함.

2. 당관 유서기관은 NARTUS 벨기에 아주국장 및 STEINMETZ 룩셈부르크 아주담당관에게 아국의 유엔가입 문제관련, 중국의 전향적 자세 유도를 위하여 EC 가적극적인 협조 방안을 강구토록 발언하여 줄것을 요청한바, 동인들은 이를 쾌히 수락함. NARTUS 국장은 동건 관련 아측 입장은 지난번 제 1 차관보 방문시 상세한 설명을 포함, 잘 알고 있으며 벨기에의 적극 지지 입장에 비추어 재설명의 필요가 없으니, 혹시라도 그간 아국의 추진 계획에 새로운 요소가 있으면 알려달라고 말함.

3. 차기 정무총국장 회의는 4.18-19 룩셈부르크에서 개최될 예정이라함.

4. 표제회의 결과는 추보하겠음.

~~(대사 정우영-국장)~~

19 의 예고문에 의거 91.12.31 일반

검토필(1991.6.30)

국기국 1차보 2차보 구주국

PAGE 1

91.04.04 06:14

외신 2과 통제관 CH

0100

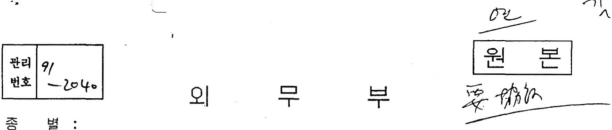

연 76

관리 번호	91 —2058

원 본

외 무 부

종 별 :

번 호 : TUW-0275 일 시 : 91 0403 1743

수 신 : 장관(국연,국기,구이)

발 신 : 주 터 대사

제 목 : 외무성 다자정무 차관보 면담 (조회전문 재수신)

본직은 4.2. 외무부 FILIZ DINCMEN 다자정무 차관보를 방문, 면담한바, 요지 아래보고함.

1. 본직은 공관장회의 일시귀국을 앞두고 인사겸 협의차 방문했다고한바, 동차관보는 양국관계에는 아무 문제가 없으며 계속 원만하다고 언급하였음

2. 본직은 이기회를 이용 아국의 UN 가입문제를 설명하였으며, 특히 3 차에걸친 총리회담및 실무자회담에서 북한의 단일의석 가입안 고집으로 회담이 아무런 결과를 얻지못했으므로, 부득이 아국만이라도 먼저 유엔에 가입을 추진코저하는것이 정부입장임을 알려주고 터키의 적극적인 지원을 당부하였음.

3. 동차관보는 터키의 지지는 양국 우호관계에 비추어 별문제 없을것이라고말하고, 아국의 안보리상임이사국 접촉여부및 이들의 반응을 문의하므로 본직은 접촉을 개시한것으로 알고있으며, 이들의 반응에관하여는 본부 정보미접이나,사견으로는 중국을 제외한 4 개 상임이사국의 찬성획득은 별문제가 없을것으로보며, 다만 중국의 태도가 문제인바 중국도 한국의 유엔가입을 지지하는 국제여론을 고려하게될것으로 보이나 현재로서는 중국의 의중을 파악하기가 힘들것으로 안다고 하였음. 또한 본직은 가능하다면 터키가 중국의 의중을 한번 SOUND OUT 해주기 바란다고 말하였음.

4. 본직은 금번 서울 공관장회의에서 상세 내용통보및 훈령이 있을것이 예상되므로 귀임후 동차관보를 재접촉, 협의하겠다고 하였음.

5. 본직은 아국정부의 금년도 UNESCO 집행위원및 IMO 이사국 입후보를 주재국이 필히 지지해 줄것을 요청해두었음.

(대사 김내성-국장)

예고:91.12.31. 일반 문에 의거 일반문서로 재분류됨

검토필(1991.6.30) 홍

국기국 차관 1차보 구주국 국기국 청와대 안기부

PAGE 1 91.04.05 01:38

외신 2과 통제관 BW

0101

관리번호 91-2035

외 무 부

종 별 :

번 호 : CZW-0267　　　　　일 시 : 91 0403 1800

수 신 : 장 관(동구이,국연)

발 신 : 주 체코 대사

제 목 : 외무차관 방한

대: WCZ-0244,0246

1. PALOUS 외무차관 수행원 공식직책명 다음과 같음.

가. PHDR. JIRI SOUKUP, ACTING DIRECTOR, 4TH TERRITORIAL DEPARTMENT

나. MR. RUDOLF HYKL, CHIEF SECRETARY OT DEPUTY MINISTER DR. PALOUS

2. 이들은 4.22(월)17:15 LH-718 편 김포도착, 4.23(화)19:00 NW-023 편 방콕향발함. 끝.

(대사 선준영-국장)

예고: 1991. 12. 31. 일반 (예고문에 의거 일반문서로 재분류됨)

검 토 필(1991. 6. 30.)

구주국 차관 국기국

PAGE 1　　　　　91.04.04 06:24

외신 2과 통제관 CH

0102

관리 번호 91-2152

원 본

외 무 부

종 별 :

번 호 : UNW-0785 일 시 : 91 0403 1900

수 신 : 장관(국연,동구이,기정)

발 신 : 주 유엔 대사

제 목 : 주유엔 불가리아 대사접촉

1. 본직은 금 4.3.(수) D.T.KOSTOV 주유엔 불가리아 대사를면담, 먼저 양국간 우호협력관계가 수교이래 계속 증진되고 있음을 만족스럽게 생각한다고 말한바, 동대사는 공감을 표시하면서 현재 대 변혁을 기도하고있는 불가리아등에 대하여 한국등 우방국들이 적극적으로 협력하여 주는것이 필요하다는 점을 강조하였음.

2. 본직이 이어 아국의 유엔가입 문제를 설명하고 협조를 요청한바, 동대사는 불가리아는 이미 밝힌바대로 한국의 가입을 지지하며, 남북한 합의에 의한 남북한 동시가입이 가장 좋은 방법이라고 생각하나, 현실적으로는 그러한 합의의 가능성이 현재로서는 없다고 보고있으며 따라서 한국이 유엔단독가입을 신청할경우 이를 지지할것이라고 말하였음. 끝

(대사 노창희-국장)

예고 1991.12.31에 일반 고문에 의거 인반문서로 재분됨

검 토 필(1991. 6. 30.)

국기국 차관 1차보 2차보 구주국 청와대 안기부

PAGE 1 91.04.04 10:19

외신 2과 통제관 CA

0103

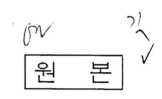

관리번호 91-2071

원 본

외 무 부

종 별 : 지 급

번 호 : FRW-0981 일 시 : 91 0404 1100

수 신 : 장관(국연)

발 신 : 주 불 대사

제 목 : EC 아주국장 회의

대:WFR-0667

1. 당관 정해웅서기관이 4.3. 주재국 외무부 PHILIPPE BOISSY 한국담당관을 면담하고, 대호관련 문의한바, 금번 EC 아주국장회의의 의제는 관례대로 중국, 대만, 캄퓨차, 한반도 문제가 될것이라 함.

2. 한반도 문제에 관해서는 남북한 대화에 관한 의견교환, 한국의 유엔가입문제등이 논의될 것이나, EC 각국이 이미 한국의 유엔가입 지지입장에 관해서는 의견일치를 보고있으므로, 한반도 문제가 주요의제는 아니라함.

3. EC-일본간 공동선언 채택이 준비되고 있으며, 이는 EC-미국, EC-카나다간 채택된 공동선언을 모델로한 선언이 될것이라 함.

4.EC 정무총국장 회의 및 아주국장 회의의 금년 4 월-7 월간 회의일정은 확인하여 알려주기로 함. 끝.

~~(대사 노영찬-국장)~~

예고:91.12.31. 일반

검토필(1991.6.30)

국기국 차관 1차보 2차보 구주국

PAGE 1

91.04.04 19:40

외신 2과 통제관 DO

0104

원 본

관리번호 91-2070

외 무 부

종 별 :

번 호 : IDW-0085 일 시 : 91 0404 1730

수 신 : 장관(국연,구일,정일)

발 신 : 주 아일랜드 대사

제 목 : EC 아주국장회의 (자응 6호)

대:WID-0069

1. 당관 유참사관이 외무성 B.ROGERS 아태과장에게 확인한바 4.9 WORKING GROUP 회의에서 대호의제가 토의될 예정이며 그외에 중국-일본관계, EC-아세안 관계도 포함되어 있다함.

2. 동인은 EC-일본간 교섭이 아직 초기단계로서 단기간 (수개월)내에 결실을 보기는 어려울것으로 보이며 한반도문제와 관련 한국정부가 금년중 유엔가입 신청을 시사하고 있기때문에 유엔가입문제도 거론될 가능성은 많으나 한반도문제는 5분정도의 짧은의견교환에 그칠것으로 본다고 언급하였음.

3. 유참사관의 한반도문제 거론시 유엔가입에관한 아측입장지지요청에 대하여 동인은 유엔에배포된 우리의문서와 당관이제공한 자료등을 검토중이라하며 아측입장을 대변토록 노력하겠다고 약속하였음.

4. 주재국은 동회의에 S.WHELAN 아태국장이 4.7 일까지 휴가임으로 현재로서는 아태과장이 참석예정이라함. 끝

예고:91.12.31 일반

검토필(1991.6.30)

국기국 차관 1차보 구주국 정문국

PAGE 1 91.04.05 05:35

외신 2과 통제관 CF

0105

ON 7h

관리번호	91-2067

원 본

외 무 부

종 별 :

번 호 : UNW-0800 일 시 : 91 0404 1830

수 신 : 장관(국연,동구이,기정) (사본:주폴란드 대사)(중계필)

발 신 : 주 유엔 대사

제 목 : 주유엔 폴란드 대사접촉

1. 본직은 금 4.4.(목) S.PAWLAK 주유엔폴란드 대사를 면담, 수교이래 양국 우호협력 관계가 강화되고 있음에 만족을 표시하고 폴 정부가 유엔가입 문제등 아국입장을 적극지지, 협조하여 주고있는데 사의를 표명한바, 동 대사는 공감을 표시하면서 앞으로도 계속 적극 지원하여 줄것을 다짐하였음.

2. 동 대사는 사견이라고 전제하면서, 중국은 안보리에서 모든 문제에 대하여 조심스럽게(CAUTIOUS) 대처하고 있으며 다른 상임이사국들의 입장과 상이한 태도를 취하는것을 피하고자 하는 경향을보여주고 있는바, 그예로 최근 걸프 관련 결의안 채택에서 보듯이 미.소의 태도를 주시하면서 그에 역행하는 행동은 취하지 않고자 노력하고 있다고 말하였음. 이러한 개인적 관찰과 제반여건에 비추어, 중국도 한국의 가입문제에 대하여 거부권을 행사할것으로 예상되지는 않는다고 말하였음.

3. 동 대사는 1957-58 년간 중립국 감시위원단의 일원으로 한국에서 근무한바 있었고 87-88 간 북한을 방문한 바도있는 지한인사로서 북한에 대한 혐오감을 노골적으로 표시하였음. 덧붙여 동 대사는 한. 폴 양국관계 발전에 큰 기대를 표명하면서 폴란드가 당면한 과도기의 어려움을 극복하는데 한국이 협력하여 줄것을 희망하였음.

4. 동 대사는 자국 외무부 인사이동에 따라 곧 본국 귀임예정이라 하면서 귀국후 주 폴란드 아국대사와 접촉하겠다 하였음을 참고로 첨언함. 끝

(대사 노창희-국장)

예고:91.12.31.일반 예고문에 의거 일반문서로 재분류됨

검 토 필(1991.6.30.) ㊞

국기국 차관 1차보 2차보 구주국 청와대 안기부

PAGE 1 91.04.05 10:12

외신 2과 통제관 DO

0106

관리 번호	91 -2078

원 본

외 무 부

종 별 :

번 호 : YGW-0293 일 시 : 91 0405 1620

수 신 : 장관(국연,동구이,기정동문)

발 신 : 주 유고 대사

제 목 : LONCAR 외상면담

연:YGW-292

본직은 공관장회의참석 출국을 앞두고 금 4.5 오전 LONCAR 주재국 외무장관을 인사차 방문하여(김영석서기관 대동) 대통령 특사파견등 양국관계 전반에 관해 면담한바, LONCAR 외상 언급요지 아래보고함

1.5.8-11 간 특사파견 제의를 환영하며 특사방문시 만찬을 같이 하기를 희망함. 고위급 특사를 맞아 의의있는 대담을 갖기를 기대함. 본인으로서는 5.9 및5.10 이 좋으나 최종적으로는 대통령의 일정에 맞추겠음

2. 아국의 유엔가입추진에 대하여 적극 협조할[5H비동맹제국에 이해시키는 문제와 관련 비동맹 의장국으로서 한국정부와 긴밀히 협의하게 되기를 바람

3. 과거 1 년간 양국관계 발전에 만족하나 특히 수출입 분야에서는 한층더 확대균형이 바람직함. 특히 한국의 합작투자참여및 제 3 국 공동진출 방식에 관심이있으며, 유고 국내정세가 불안정하다고하나 오히려 지금같은 과도기가 발판구축에 적기임

4. 이상옥장관의 유고방문을 초청함

5. 한국방문시 만난바 있는 대우 김우중 회장및 삼성 이필곤 부회장의 유고방문이 조만간 이루어져 그간 거론된 협력사업의 결실을 기대함. 끝

(대사 신두병-장관)

예고:91.12.31 일반

19 에 의거 일반문서로 재분류됨

검 토 필(1991.6.30)

국기국 1차보 구주국 안기부

PAGE 1

91.04.06 05:41

외신 2과 통제관 CA

0107

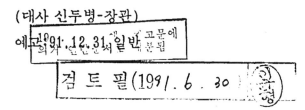

관리 번호 91-2082

원 본

외 무 부

종 별 :

번 호 : UKW-0814 일 시 : 91 0405 1740

수 신 : 장관(국연,구일)

발 신 : 주 영 대사

제 목 : EC 아주국장회의 개최

대: WUK-0609

대호 당관 조참사관이 4.5.(금) HUGH DAVIES 극동과장에게 탐문한 바, 금번회의는 다음주 개최될 정무총국장회의에 제출할 EC-일본간의 공동선언 문안 작성이 주 목적이며, 한국문제에 관해서 영측은 거론할 사항이 없으나 거론하는 나라가 있으면 간략한 의견교환은 있을 수 있을 것이라고 말했음. 끝

(대사 이홍구-국장)

예고: 91.12.31 일반 (예고문에 의거 일반문서로 재분류)

검토필(1991.6.30)

국기국 1차보 구주국

PAGE 1

91.04.06 05:26

외신 2과 통제관 CA

0108

관리 번호	91 -2117

원 본

외 무 부

종 별 :

번 호 : UNW-0820 일 시 : 91 0405 1930

수 신 : 장관(국연,서구이,기정)

발 신 : 주 유엔 대사

제 목 : 주유엔 오지리 대사접촉

1. 본직은 금 4.5.(금) P.HOFENFELLNER 주 유엔 오지리대사를 면담, 금일 안보리의장을 통하여 배포 의뢰한 아측각서 1 부를 수교하면서 아국의 유엔가입 문제 추진현황을 설명하고 안보리 이사국으로서 오지리의 적극적인 협조를 요청하였음.

2. 동대사는 오지리가 서방국가중 가장 먼저인 87 년 부터 한국의 유엔가입을 공개적으로 지지하여 왔으며 앞으로도 적극 협조하겠다고 다짐하였음. 본직이아국의 가입에 대한 중국의 태도및 전망을 문의한데 대하여 동 대사는 중국이 최종순간까지 태도를 밝히지는 않겠지만 한국에 대한 국제적 지지가 확대되어 가고있기 때문에 별 문제는 없을것으로 본다고 전망하였음.

3. 본직은 오지리가 안보리 이사국으로서 강력한 아국 지지입장을 표명하게되면, 중국의 태도결정에 큰 영향을 주게될 것으로 믿는다고 하면서 협조를 요망한바, 동 대사는 전적인 공감을 표시하였음. 끝

(대사 노창희-국장)

예고 1991. 12. 31 에 일반고문에 의거 일반문서로 재분됨

검토필(1991. 6. 30)

국기국 차관 1차보 구주국 청와대 안기부

PAGE 1

91.04.06 10:50

외신 2과 통제관 BW

0109

관리 번호	91 —2171

원 본

외 무 부

종 별 :

번 호 : RMW-0200 조회전문 재수신분 일 시 : 91 0407 1520

수 신 : 장관(국연,동구이)

발 신 : 주 루마니아 대사

제 목 : 유엔 가입문제

연:RMW-0153,0129

1. 4.5 본직은 일시귀국 인사겸 아국 유엔가입 문제와 관련 ENE 차관(국제기구 담당)과 면담하고 동 차관의 평가와 견해를 구함. 이에 대하여 동차관은PROFESSIONAL 견해임을 전제 아래와 같은 평가도 있는 것으로 알고있다고 언급하였기 참고로 보고함.

1) 한국 유엔가입 문제를 헌장상의 보편성 원칙에 따라 논의하는 경우, 아무도 이의를 제기할 수 없을것임.

2)그러나 한국의 가입문제를 남북한 당사자간의 정치적 문제 차원에서 고찰할 때 일부국가의 입장이 매우 어렵게 됨.

3)북한의 입장은 유엔에는 하나의 KOREA 만이 대표되어야 하며 둘이될 수 없다는 것임.(북한은 자기들이 KOREA 를 대표한다는 주장을 하였으나 설득력이 없었음)

4) 중국도 북한과 같은 견해인 것으로 보였으며(사석에서 중국대사와의 의견교환임을 전제), 일단 한국이 유엔가입을 하면 북한이 후에 가입신청을 하더라도 BLOC 할 가능성이 있을 것으로 중국측은 생각함.

5) 소련입장이 한국측 단독가입에 너무 쉽게 동조할 것으로 생각해서는 안될 것임.(아측이 소련의 입장을 낙관적으로 보고있는 것으로 이해하고, 일종의 일종의 경고로 감지됨.

6)한국측이 이문제를 LIGHTLY 취급해서는 안될것이며, 만일 한국이 루마니아의 안보리 재임시중 단독가입 형식으로 신청할 경우, 정치적 차원에서 그리고 GOVERNMENT(행정부 의미)가 남북한 당사자들과의 쌍무관계 제반 성격을 감안, 입장을 취하게 될 것이라는 의견을 피력함.

2. 1) PROFESSIONAL VIEW 라는 전제이기는 하지만 ENE 차관의 평가에는 북한,

국기국 장관 차관 1차보 구주국 청와대 안기부

PAGE 1 91.04.08 15:28

외신 2과 통제관 BA

0110

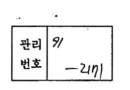

중국측의 REPRESENTATION 이 반영되고 있는것으로 해석되었으며, 그간 유엔가입 문제와 관련 이들에 의해 한국 단독가입 희망측면이 더욱 진하게 묘사된 것으로 보임.

2) 특히 동차관의 평가는 그간 외상, 관계국장 의견(연호참조)에 비추어 북한입장에 긍정적 동조국 입장도 간과해서는 안되며, 한국측이 좀더 남북간의 합의노력을 계속하고 신중히 검토해야 할것이라는 견해로 간주됨.

3) 본직은 북한 정통성 주장에 대한 비합리, 비현실성과 1973 년 이후부터의 우리의 유엔동시가입 입장을 재확인시키고, 남북한 당사자간에 이미 이문제를논의해온 결과를 감안, 총회에 가입신청을 하게 될것이며, 남북한간의 불신과 긴장 해소를 통해 통일을 이룩하기 위해서는 현재 양 당사자간을 규제하는 아무런 LEGAL ARRANGEMENT 가 없는 현상황보다는 UN 에 동시가입, 최소 UN 헌장의 법적규제를 받으면서 계속 남북한 관계를 개선, 발전시켜감이 평화와 통일에 기여하게 될 것이라고 동 차관을 설득함. 끝.

(대사 이현홍-차관)

예고:91.12.31 일반
19 . . . 문에
의거 일반문서로 재분됨

91.6.30.

PAGE 2

0111

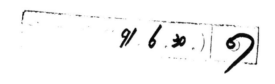

국제기구국장

관리 번호	91 -2353

외 무 부

종 별 :

번 호 : RMW-0200 일 시 : 91 0407 1520

수 신 : 장관(국연,동구이)

발 신 : 주 루마니아 대사

제 목 : 유엔 가입문제 (부분조회중)

(송)

연:RMW-0153,0129

1. 4.5 본직은 일시귀국 인사겸 아국 유엔가입 문제와 관련 ENE 차관(국제기구담당)과 면담하고 동 차관의 평가와 견해를 구함. 이에 대하여 동차관은PROFESSIONAL 견해임을 전제 아래와 같은 평가도 있는 것으로 알고있다고 언급하였기 참고로 보고함.

1) 한국 유엔가입 문제를 헌장상의 보편성 원칙에 따라 논의하는 경우, 아무도 이의를 제기할 수 없을것임.

2)그러나 한국의 가입문제를 남북한 당사자간의 정치적 문제 차원에서 고찰할 때 일부국가의 입장이 매우 어렵게 됨.

3)북한의 입장은 유엔에는 하나의 KOREA 만이 대표되어야 하며 둘이될 수 없다는 것임.(북한은 자기들이 KOREA 를 대표한다는 주장을 하였으나 설득력이 없었음)

4) 중국도 북한과 같은 견해인 것으로 보였으며(사석에서 중국대사와의 의견교환임을 전제), 일단 한국이 유엔가입을 하면 북한이 후에 가입신청을 하더라도 BLOC 할 가능성이 있을 것으로 중국측은 생각함.

5) 소련입장이 한국측 단독가입에 너무 쉽게 동조할 것으로 생각해서는 안될것임.(아측이 소련의 입장을 낙관적으로 보고있는 것으로 이해하고, 일종의 일종의 경고로 감지됨.

6) 한국측이 이문제를 LIGHTLY 취급해서는 안될것이며, 만일 한국이 루마니아의 안보리 재임시중 단독가입 형식으로 신청할 경우, 정치적 차원에서 그리고 GOVERNMENT(행정부 의미)가 남북한 당사자들과의 쌍무관계 제반 성격을 감안,.......을 취하게 될 것이라는 의견을 피력함.

2. 1) PROFESSIONAL VIEW 라는 전제이기는 하지만 ENE 차관의 평가에는 북한,

국기국 차관 1차보 구주국 청와대 안기부

PAGE 1

91.04.08 08:15

외신 2과 통제관 BW

0112

중국측의 REPRESENTATION 이 반영되고 있는것으로 해석되었으며, 그간 유엔가입 문제와 관련 이들에 의해 한국 단독가입 희망측면이 더욱 진하게 묘사된 것으로 보임.

2) 특히 동차관의 평가는 그간 외상, 관계국장 의견(연호참조)에 비추어 북한입장에 긍정적 동조국 입장도 간과해서는 안되며, 한국측이 좀더 남북간의 합의노력을 계속하고 신중히 검토해야 할것이라는 견해로 간주됨.

3) 본직은 북한 정통성 주장에 대한 비합리, 비현실성과 1973 년 이후부터의 우리의 유엔동시가입 입장을 재확인시키고, 남북한 당사자간에 이미 이문제를논의해온 결과를 감안, 총회에 가입신청을 하게 될것이며, 남북한간의 불신과 긴장 해소를 통해 통일을 이룩하기 위해서는 현재 양 당사자간을 규제하는 아무런 LEGAL ARRANGEMENT 가 없는 현상황보다는 UN 에 동시가입, 최소 UN 헌장의 법적규제를 받으면서 계속 남북한 관계를 개선, 발전시켜감이 평화와 통일에 기여하게 될 것이라고 동 차관을 설득함.
끝.

(대사 이현홍-차관)

예고: 91.12.31 에 일반고문에 의거 인반문서로 재분됨

검 토 필(1991.6.30.)

[redacted]

PAGE 2

0113

관리 번호 91-2166

원 본

외 무 부

종 별 :

번 호 : ITW-0509 일 시 : 91 0408 1535

수 신 : 장관(국연,구일,사본:주유엔대사:중계필)

발 신 : 주 이태리 대사

제 목 : 유엔가입문제 관한 정부각서

대:EM-9

금 4.8. 당관 황부홍 공사는 주재국 외무성 FERRI 아주담당공사를 면담, 대호 각서를 수교함과 동시 아국입장을 설명, 주재국 정부의 적극적 지지 협조를 요망하였는 바 요지 아래 보고함.

1. 동인은 동각서의 아국입장이 이태리 및 EC 입장과 같다고 언급하면서 환영하였음. 동인은 금일 EPC 아시아 그룹회의 참석차 브랏셀로 출장예정인바, 자신이 금번 아시아 그룹회의에서 동아국 정부각서를 참석자들에게 배포하고 EC 의지지 입장을 다시 한번 다짐해 보겠다고 하였음.

2. 동인은 이태리 정부는 북한의 남북한 단일의석 가입안은 해결책이 아니라고 보며, 아국의 유엔가입 입장을 지지하고 있는 바, 문제는 중공의 거부권 행사문제를 여하히 극복하며(대결없이) 가입무제를 추진 실현해 나갈것인가가 문제라고 언급함. 이와관련, 황공사는 이러한 문제 극복을 위해서도 이태리 및 EC 가더욱 강력한 지지를 표해주어야 하겠다고 강조 설명하였음. 끝

(~~대사 김석규-국장~~)

예고:일반91.12.31

19 에 예고문에 의거 일반문서로 재분류(1991.6.30.)

국기국 장관 차관 1차보 2차보 구주국

PAGE 1

91.04.08 23:26

외신 2과 통제관 CH

0114

관리번호 91-2480

원 본

외 무 부

종 별 :

번 호 : SDW-0318 일 시 : 91 0408 1800

수 신 : 장관(국연)사본:주유엔대사

발 신 : 주 스웨덴 대사

제 목 : 유엔가입 관련 교섭

대:EM-0009,0010

1. 본직은 4.8 주재국 외무성 BJORN ELMER 유엔국장을 면담, 대호 각서를 수교하고 우리 입장을 상세히 설명하였음.

2. 이에대해 ELMER 국장은 한국정부의 입장이 합리적이며 국제사회에서의 위치와 역할을 감안할때 한국은 당연히 회원국이 되어야 한다는것이 스웨덴 정부의 기본 입장이라고 말함.

3. 동국장은 다만, 스웨덴 정부가 한국의 유엔가입 지지를 그동안 대외적으로 천명하지 않았던 것은 지금까지는 한국의 유엔가입이 한국의 희망사항 이었을뿐, 가입을 위한 공식절차가 취해지지 않은 단계에서 정부의 입장을 표명함은 부적절한 것으로 판단하였기 때문이 었다고 말하고 제 45 차 유엔 총회 기조연설에서도 실무진으로서는 보편성원칙 찬성이라는 간접적인 표현으로라도 정부 입장을 표명코저 시도하였으나 정치 레벨에서의 상기와 같은 판단에 의거, 최종 연설문안에서 탈락되었다고 말함. 동국장은 그러나 한국이 공식적으로 가입신청 절차를 취할 경우에는 스웨덴 정부로서도 한국의 가입을 지지하는 입장을 분명히밝히겠다고 말함. 끝

(대사 최동진-차관)

예고:91.12.31 일반고문에 의거 인반문서로 재분됨

검토필(1991. 6. 30.)

국기국 장관 차관 1차보 청와대 안기부

PAGE 1

91.04.09 08:04

외신 2과 통제관 FE

0115

관리 번호	91 -2183

외 무 부

종 별 :

번 호 : UNW-0833 일 시 : 91 0408 1830

수 신 : 장관(국연,기정)

발 신 : 주 유엔 대사

제 목 : 유엔가입추진

연:UNW-0822

1. 본직은 금 4.8.(월) 오전 NOTERDAEME 안보리 의장(벨지움 대사)을 방문,걸프전 공식휴전 결의안 채택등 안보리결의안 채택과정에서 있어서의 동대사의노력을 우선 치하한후, 제반 분주한 일정에도 불구하고 우리정부 각서를 이례적으로 신속히 배포될수 있도록 각별히 배려해준데 대하여 사의를 표명하였음.

2. 동 대사는 아측이 벨지움 대표부측에 사전 송부한 아측각서 내용을 주의깊게 읽어보았다고 하면서 기본적으로 한국정부의 종전입장을 대부분 반영한 것임에 비추어 특별히 놀라운것은 아니라는(NO SURPRISE) 반응을 표명함.

3. 또한 동대사는 지난 3.26 본직의 동대사 신임예방시 1 차적으로 협의한바 있는 아국 가입문제에 대한 안보리 상임이사국간 비공식 협의문제는 제반상황으로 보아 추진하는것이 적절하지 않은것으로 본다고 말함. 이에대해 본직은 동감을 표시하면서 이제 한국의 입장을 공식 문서로 분명히 밝혔고, 관계국에 대한지지교섭이 진행되고있으므로 그 결과가 종합되는 6 월경이나 그이후 적절한 시기에 그러한 노력이 필요한지 여부를 재차 검토해 볼수있을것으로 본다고 말하였음.

4. 동 대사와의 면담은 당초 4.5(금) 예정되었으나 걸프사태 관련 안보리회의 개최로 인해 금일 오전으로 연기된 것임을 첨언함. 끝

(대사 노창희 -국장)

예고:91.12.31 일반 검토필(1991.6.30.)

K/Belgium 가
OK(6.9)

국기국 장관 차관 1차보 청와대 안기부

PAGE 1 91.04.09 08:56

외신 2과 통제관 FE

0116

외 2 기
V

관리 번호	91 -322

외 무 부

종 별 :

번 호 : HOW-0159 일 시 : 91 0408 1900

수 신 : 장관(구일,국연) 사본: 주 EC 대사 -직송필, 최상섭 주화란대사

발 신 : 주 화란 대사대리

제 목 : EPC 아주총국장 회의

1. 주재국 외무부로부터 입수한 정보에 의하면 4.9 개최 표제회의시 아국의유엔가입문제가 토의될 예정이라 함.

2. 토의결과등 파악되는대로 추보 예정임.

(대사대리 엄근섭-국장)

예고:91.6.30.까지

구주국 구주국 국기국

PAGE 1

91.04.09 08:25

외신 2과 통제관 FE

0117

관리번호 91-2196

원 본

외 무 부

종 별 :

번 호 : UNW-0835 일 시 : 91 0408 2230

수 신 : 장관(국연,서구이)

발 신 : 주 유엔 대사

제 목 : 주유엔 룩셈브르그 대사접촉

1. 본직은 금 4.8.(월) J.FEYDER 주유엔 룩셈브르그 대사를면담, 아국의 유엔가입 문제를 설명하고, 계속적 지지를 요청한바, 동대사는 아측이 기배포한 각서를 받아보았으며 그 내용은 지금까지의 아측 주장을 잘 요약 한것으로 본다고 하면서 아국이 가입 신청서를 정식으로 제출하기전 마지막 단계에서 아국입장을 분명히 하여 두겠다는 것으로 이해가 된다고 하였음.

2. 동대사는 만약 중국이 끝까지 분명한 태도를 밝히지 않고 거부권 불행사보장이 없는경우에도 아국이 가입을 신청할것인지 문의하였는바, 본직은 아국의 가입추진 방침에 변함이 없을 것이라고 답하였음. 이에대하여 동대사는 중국대사를 만나는 기회에 중국측의 반응을 타진하여 보겠다고 하였음.

3. 본직은 EC 12 개국 모두가 아국의 입장을 적극 지지하고 있음에 비추어 ,EC 가 공동입장을 표명하게 되는경우, 중국의 태도결정에 큰영향을 미칠것으로본다고하자, 동대사는 유념하여 검토하여 보겠다하였음. 끝

(대사 노창희-국장)

예고:91.12.31에 일반문에 의거 인반문서로 재분됨

검토필(1991.6.30)

국기국	장관	차관	1차보	구주국	청와대	안기부

PAGE 1

91.04.09 13:04

외신 2과 통제관 FE

0118

관리 번호	91 - 2159

	분류번호	보존기간

발 신 전 보

번 호 : WRM-0269 910409 1306 FN 종별 :

수 신 : 주 루마니아 대사.총영사

발 신 : 장 관 (국연)

제 목 : 유엔가입추진

대 : RMW-0200

대호(4)항 귀주재국 Ene 차관의 언급관련, 우리정부는 북한과 함께 유엔에 가입하길 희망하며, 만약 북한이 가입을 원치 않아서 우리가 선가입 할 경우에도 북한의 추후가입을 환영하고 지원할 것이라는 입장을 누차 천명한 바 있는 바, 동 차관등 주재국측에서 이러한 아국입장을 ~~제대로~~ 충분히 인식할 수 있도록 잘 설명바람. 또한 귀주재국측에서 적절한 기회에 귀지주재 중국대사에게도 상기 우리의 입장을 설명해 주도록 요청바람. 끝.

예 고 19 91.12.31에 일반 예고문에 의거 인반문서로 재분류

검 토 필(1991. 6. 30.)

(국제기구조약국장 문동석)

보안통제	

앙고재	91년 4월 9일	유엔과	기안자 성명		과 장		국 장		차 관	장 관
			김승진				전결			

외신과통제

0119

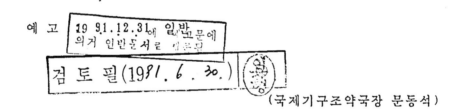

0122 가

관리 번호	91 -2211

원 본

외 무 부

종 별 :

번 호 : YGW-0304 일 시 : 91 0409 1410

수 신 : 장관(국연,동구이,기정동문)

발 신 : 주 유고 대사

제 목 : 유엔가입관련 각서전달

대:WYG-298, EM-11

연:YGW-293

대호 금 4.8 주재국 외무성측에 전달하였음을 보고함. 끝

(대사 신두병-국장)

예고:91.12.31 일반

검 토 필(1991. 6 . 30.)

국기국 차관 1차보 2차보 구주국 청와대 안기부

PAGE 1

91.04.10 06:35

외신 2과 통제관 CF

0120

관리 번호	91 —2210

원 본

외 무 부

종 별 :

번 호 : NRW-0245 일 시 : 91 0409 1700

수 신 : 장관(국연,구이,사본:주유엔대사-필)

발 신 : 주 노르웨이 대사

제 목 : 유엔가입 교섭

대:EM-9,11,13

연:NRW-159,195,196

1. 본직은 공관장회의 참석을 위한 일시귀국에 앞서 연호에 이어 3.26(화) VINDENES 주재국 외무부 사무차관,4.9(화) KOLBY 정무국장을 각각 면담하고 아국의 유엔가입교섭을 시행하였는바, 동결과 아래보고함

가.VINDENES 사무차관

본직이 유엔가입에 대한 아국입장을 대호에 따라다시 설명하고 북한의 반대로 아국이 금년에 단독가입신청을 하는경우 주재국이 이를 적극지지하여주도록 요청하였음. 이에대해 동차관은 주재국은 유엔보편성원칙을 존중하며 따라서 남북한이 유엔에 가입하는것이 당연한것으로 생각한다고 말하고 북한이 가입을반대하여 한국이단독가입신청을 하게되는경우에도 주재국은 보편성원칙에 따라행동할수밖에 없을것이라는것이 자신의생각이라고 답변하였음

나.KOLBY 국장

본직은 대호메모렌덤을 수교하고 유엔가입에대한 아국입장을설명한데 이어, 주재국이 아국의 유엔가입을 지지함은 물론 이를 공개적으로 밝혀주도록 요청하였음. 이에대해 동국장은 중국여행시(동인은 최근 아시아지역을 여행하고 금일 귀국) 신문에서 아국관계 유엔가입문제 기사를 읽었다고하면서 메모렌덤을 주의깊게 검토하여주재국의 입장을 우선세우고 주요외교문제는 스칸디나비아국가와 사전협의하는관례에 따라 이들국가와 협의하여 최종입장을 결정하게될것이라고 말하였음. 동국장은 사견임을 전제, 유엔보편성원칙에 비추어보더라도 한국의 유엔가입은 당연하다고 생각하지면 결국 중국의태도가 결정적으로 중요할것으로 본다고말하였음. 중국이 취할수있는 방법은 찬성, 기권, 반대인데 그중 어느것을

국기국 장관 차관 1차보 2차보 구주국 청와대 안기부

PAGE 1

91.04.10 06:56

외신 2과 통제관 CF

0121

택할지 자신으로서는 분명치 않다고 덧붙혔음. 본직이 대부분의 유엔회원국이 한국의 가입을 찬성하는데 유독 중국만 명분없는 반대를 하겠는가고 반문하고 중국이 우리의 UN 가입문제에 대해 합리적인 행동을 할것으로 본다고 말한바, 동국장은 중국이 북한을 어느정도 지원할 의무감을 느끼고있지 않을까 본다고 말하였음.

다. 항 이하는 NRW-0246 번으로 계속됨.

관리번호	91-2209

원 본

외 무 부

종 별 :

번 호 : NRW-0246 일 시 : 91 0409 1700

수 신 : 장관(국연,구이,사본:주유엔대표부대사-필)

발 신 : 주 노르웨이 대사

제 목 : 유엔가입교섭(NRW-0245 의 계속분)

다. 본직평가

주재국은 남북한이 유엔문제로 첨예하게 대립하고있는점, 주재국의 NON-COMMI(396)TAL 정책등을 감안, 자국입장을 명확히밝히지 않고있음. 그러나 내면적으로는 유엔가입문제가 남북한간에 협의를 통해 해결되기를 바라는 입장이나 북한의 태도를 관망한후 끝내 북한이 반대하고 한국만이 단독가입을 신청하는경우 유엔보편성원칙에 따라 아국 가입을 지지하는방향으로 방침을 정할것으로 판단됨

2. 한편 본직은 4.8(월) 당지 아이슬란드대사 BENEDIKTSSON 를 만나 대호 메모렌덤 수교와 동시 아이슬란드의 지지를 교섭하였음. 동대사는 본직 설명에 전적으로 동감을 표시하고 자신의 사견으로는 아이슬란드가 한국의 유엔가입을 지지하는데 별문제가 없을것으로 본다고 대답하였음. 동대사는 메모랜덤과 본직의 설명을 본국정부에 전달, 아국 입장이 반영되도록 최선을 다하겠다고 말하였음. 본직은 신임장 제정차 동국 출장기회에(일자 미정) 본건 교섭하고 결과 보고하겠음. 끝

(대사 김병연-국장)

예고:91.12.31 일반 고문에 의거 일반문서로 재분류됨 검토필(1991.6.30.)

국기국	장관	차관	1차보	2차보	구주국	청와대	안기부

PAGE 1

91.04.10 06:56

외신 2과 통제관 CF

0123

관리 번호	91 -2228

원 본

외 무 부

종 별 :

번 호 : CNW-0430　　　　일 시 : 91 0409 1700

수 신 : 장 관(국연,미북) 사본 : 주유엔 대사(중계필)

발 신 : 주 캐나다 대사

제 목 : 유엔가입 추진

대 : EM-09,13

1. 대호 관련 카 외무부측에 메모렌덤을 전달하고 아국 입장을 상세히 설명한바(4.9. 본직이 외무부 MCCLOSKEY 아. 태 차관보 및 WESTDAL 국제기구국장을 각각 면담, 4.8. 조창범 참사관 SVOBODA 유엔 과장 면담), 카측은 아국의 가입신청 시기, 중국.소련의 태도등에 관심을 표하면서 90.10 월 제 45 차 유엔 총회 기조연설시 클라크 외무장관의 지지발언과 91.3.27. 본직 신임장 제정시 나티신 총독의 답사내용(CNW-0379 참조)등을 환기, 카 정부의 확고한 지지 입장을 거듭 다짐하였음.

2. 또한 본직은 4.19. 제주도 한. 소 정상회담 계획등을 설명, 소련의 태도는 낙관적으로 보나 중국의 긍정적 태도 확보가 긴요하다는 점을 지적 이들의 입장 추이 파악등 카측의 측면 지원 협조 요청한바, 특히 WESTDAL 국장은 자신이 내주초 소련 및 폴랜드를 방문 금추 유엔 총회에 대비한 유엔 문제 관련 협의회를 가질 예정이며, 5 월 하순경엔 중국 방문도 검토중이라면서 여사한 기회를 활용 아측에 협조하고 그결과를 아측에 DEBRIEFING 해 주겠다고 하였음.

3. 한편 카측은 중국이 마지막 순간까지 확정적인 태도 표명을 유보할 가능성이 크다고 하면서 중국으로서는 소련이 거부권 행사를 않는 상황하에서 자신만이 유일하게 거부권을 행사함으로써 국제사회의 전반적인 새로운 분위기와 서방제국으로부터 고립되는 상황은 원치 않을 것이기 때문에 중국은 특히 소련의 태도 추이를 예의 주시하고 있는 것으로 보인다고 하고 따라서 중국의 긍정적 태도확보를 위해서는 소련의 거부권 불행사 짐을 가급적빨리 받아내어 이를 대중국 설득에 활용하는 것이 크게 도움이 될 것이라는 견해를 피력하였음. 끝

(대사 - 국장)

국기국　장관　차관　1차보　2차보　미주국　청와대　안기부

PAGE 1　　　　91.04.10　09:50

외신 2과　통제관 BW

0124

예고문 : 91.12.31. 일반

19 예고문에 의거 일반문서로 재분류

검토필(91.6.30.)

PAGE 2

0125

관리번호 91-2213

원 본

외 무 부

종 별 :

번 호 : TUW-0301 일 시 : 91 0409 1701

수 신 : 장관(국연,구이)

발 신 : 주 터 대사

제 목 : 정부각서

연:TUW-0275

대:EM-0011

본직은 연호보고와 같이 4.2. 주재국 외무성 DINCMEN 다자정무 차관보를 접촉, 아국의 U.N 가입문제에 관하여 협의, 아측입장을 상세히 설명한바 있으므로 대호 정부 MEMORANDUM 은 4.9. 본직 공한에 첨부 동차관보에 전달하였으며, 추후 재접촉, 보고위계임.

(대사 김내성-국장)

예고:91.12.31. 일반문에 의거 인반문서로 재분류됨

검토필(1991.6.30)

국기국 차관 1차보 2차보 구주국

PAGE 1

91.04.10 05:22

외신 2과 통제관 CF

0126

관리 번호	91-2230

원 본

외 무 부

종 별 :

번 호 : RMW-0205 일 시 : 91 0409 1720

수 신 : 장관(국연,동구이,사본:주유엔대사-중계필)

발 신 : 주 루마니아 대사

제 목 : 유엔가입 추진

대:EM-0009, WRM-0269

연:RMW-0200

1. 금 4.9 본직 TINCA 국제기구국장을 면담 (채참사관 배석), 대호 문서를 수교, 정부입장을 설명함.

2. 동국장은 문안이 잘된 것 같다고 언급하고, 어떤 형식으로 이문제를 진행하느냐가 매우 중요하며 CONFRONTATION 형식이 되어서는 안될 것이라는 의견을피력함.

3. 특히 연호 1-4 항 관련, 주재국 중국대사에게 기회 있는대로 아측입장을 전달하겠다고 말하고, 연호 2-3 항 유엔헌장이 남북한을 규제할수 있는 LEGAL ARRANGEMENT 역할을 할수 있다는 설명은 매우 설득력이 있으니 이측면을 부각시키는것도 효과적일 것이라는 의견을 제시하였음. 끝.

(대사 이현홍-국장)

예고:91.12.31 일반

19 에 예고문에 의거 일반문서로 재분류됨

검 토 필(1991.6.30.)

국기국 차관 1차보 2차보 구주국 청와대 안기부

PAGE 1

91.04.10 08:52

외신 2과 통제관 BN

0127

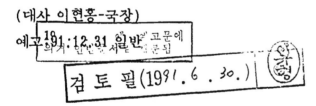

관리번호	91-2264

원 본

외 무 부

종 별 :

번 호 : UNW-0849 일 시 : 91 0409 1930

수 신 : 장관(국연,구일)

발 신 : 주 유엔 대사

제 목 : CG 그룹접촉

1. 당관 서참사관은 4.9. CG 그룹 국가의 각 담당관을 접촉 금번 각서회람 이후 아측이 취해온 조치내용(각 수도에서의 교섭결과 중간보고 내용포함)국내외언론 보도내용등을 상세히 설명하여 주고 고르바쵸프 대통령의 방한에 대하여도 알려주었으며 각 CG 국가로서도 중국에대한 노력을 일층 강화하고 또한 주요국의 관련 반응에 대하여도 이를 적극수집하여 수시로 아측에 알려줄것을 요청하였음.

2. 특히 영국(PEIRCE 담당관)에 대하여는 동국의 의견(WUN-0784) 을 감안, 아측 각서의 기본취지 및 고려사항을 재차 설명하고 동각서 수교시 중국반응을 알려준바, 동인은 자국으로서는 중국의 태도와 관련 상당한 우려(CONCERN)를 가지고 있었는바, 아측 설명을 듣고 다행으로 생각한다고 하고 자국의 전폭적인 지지와 협조를 다짐함. 끝

(대사 노창희-국장)

예고:91.12.31. 일반

검토필(1991.6.30.)

국기국 차관 1차보 2차보 구주국 청와대 안기부

PAGE 1

91.04.10 09:04

외신 2과 통제관 BW

0128

관리 번호	91 -2267

원 본

외 무 부

종 별 :

번 호 : IDW-0092 일 시 : 91 04101730

수 신 : 장관(국연,구일)

발 신 : 주 아일랜드 대사

제 목 : 외상접촉

대:WID-0052

본직은 금 4.10 오전 공관장회의 참석차 귀국인사겸 COLLINS 장관을 접촉, 대호내용을 설명하고 동외상의 제반협조에 사의를 표하는한편 계속적인 관심과 지지를 요청하였음.

(대사민형기-국장)

예고:91.12.31 일반 일반문서로 재분류(1991.6.30.)

국기국 차관 1차보 2차보 구주국

PAGE 1

91.04.11 06:41

외신 2과 통제관 DO

0129

관리 번호 91-2287

원 본

외 무 부

종 별 :

번 호 : BLW-0227 일 시 : 91 0410 1750

수 신 : 장관(국연,동구이,기정동문)사본:주 유엔대사,김좌수 주불가리아대사

발 신 : 주 불가리아 대사대리 (중계필)

제 목 : 유엔가입 실현교섭

대:EM-0011, WBL-0213

연:BLW-0202

1. 당관 방참사관은 4.10(수) 외무부 아주국 TONEV 국장을 방문, 대호 MEMORANDUM 을 수교하고 연호에 이어 아국의 유엔가입에 관한 입장을 재차 상세 설명함.

2. 방참사관은 동국장에게 연호 면담시 동국장의 언급 내용을 상기시키면서, 불가리아정부가 이미 아국의 유엔가입에 관한 입장을 지지하기로 결정한 것으로 안다고 전제하고, 아국정부는 북한의 태도변화 및 중국의 대북한 설득촉구를 위해 불가리아를 포함한 아국과 우호관계에 있는 국가가 아국의 유엔가입에 관한 입장을 대외적으로 지지하여 주기를 희망하고 있다고한 바, 동국장은 현재까지 아국입장을 대외적으로 지지한 국가가 몇개국인지를 문의함.

3. 방참사관은 작년 유엔총회시 압도적 다수의 유엔회원국가가 아국 입장을 지지한 바 있음을 상기시키록, 최근 헝가리 외무장관 방한시 아국입장지지 및 소련 외무차관의 서울개최 ESCAP 회의 참사시 아국 입장에 대한 원칙적 지지표명에 관하여도 부언함.

4. 동국장은 아국정부의 대외적 지지요청을 상부에 보고하고 유엔 및 군축국 등과도 협의하겠다고 말함.

5. 방참사관은 사견임을 전제로 금번 외무장관 방한 이전에 대외적으로 지지 발표하는 방안도 좋지 않겠느냐고한 바, 동국장은 웃으면서 방한조건은 아니겠지요 ? 라고하면서 긍정적으로 고려하는 것 같은 반응을 보였음. 끝.

(대사대리 방병채-국장)

예고:91.12.31. 일반(원본수신처) [19 에 예고문에]

91.6.30. 파기(사본수신처)

검 토 필(1991. 6. 30.)

국기국 장관 차관 1차보 2차보 구주국 청와대 안기부

PAGE 1 91.04.11 00:21

외신 2과 통제관 DO

0130

관리 번호	91 -2282

원 본

외 무 부

종 별 :

번 호 : ECW-0325 일 시 : 91 0410 1800

수 신 : 장관(국연,구일) 사본:EC 회원국주재대사(직송필),주 UN 대사(중계필)

발 신 : 주 EC 대사

제 목 : EC 아주전문가 회의결과 (유엔가입 문제)

대: WEC-0191, EM-09

1. 대호관, 당관 윤서기관은 금 4.10. EPC 사무국 FEZAS-VITAL 아주담당관 (폴부갈 외무성 파견)과 면담, 대호 유엔가입 관련 정부각서를 전달하고 작 4.9. 브랏셀에서 개최된 EPC 아주전문가 회의에서 한반도문제 토의결과를 타진한바 동 담당관은 아래와같이 제보함

0 동 회의에서 아국의 유엔가입문제가 거론된바, EC 회원국 대표들은 보편성원칙에 입각, 남북한의 유엔동시가입및 북한이 계속반대시 한국의 단독가입을 지지하는 EC 측 기본입장 재확인

0 각 회원국대표들은 아국의 유엔가입 문제에대한 주요국의 반응에 관하여 의견을 교환하였는바, 특히 지난 2 월 전기침 중국외상의 방문을 접수한 EC 회원국 (구체적인 국명을 거론치는 않았으나, 폴부갈과 스페인을 시사) 들은 중국측과의 접촉결과 (EM-0031 과 동일) 를 보고

- 북한의 단일의석 가입안이 비현실적임을 인정
- 그러나 남북한간의 대화와 협의에의한 동문제 타결 희망

0 일부 EC 회원국들은 중국측과의 접촉과정에서 남북관계의 진전이 없이는 EC 측의 대중국 태도변화 설득이 어려울것이라는 견해 피력

2. 동 담당관은 94.1-5 월 평양개최 IPU 총회에 참석할 EC 의회대표단이 여타 대표단과 공동으로 북한의 인권상황및 개방화 촉구결의안을 채택할 움직임을 보이고 있는것으로 안다면서, 동 결의안이 채택될 경우 아국의 유엔가입에 유리한 여건을 조성할수 있을것으로 본다고 언급함. 이와관련, 당관은 구주의회 사무국측과 접촉한바, 아직까지 구주의회의 IPU 대표단은 결정되지 않았으며, 동 결의안 채택움직임에 대해 상세한 내용을 알고있지 못함 (당관 판단으로는 각 EC 회원국

국기국 장관 차관 1차보 2차보 구주국 청와대 안기부

91.04.11 06:48
외신 2과 통제관 DO

0131

의회대표단의 움직임으로 사료됨)

3. 또한 동담당관은 최근 주 EC 중국대사의 JANNUZZI EPC 사무국장 면담시 배석한 기회에 자신이 아국의 유엔가입 문제에대한 중국측의 입장을 문의한바, 동대사는 중국측은 SHARED POSITION 을 견지하고 있다고 말하면서도 동입장이 명확히 무엇인지를 밝히지 않았다 함. 끝

(대사 권동만-국장)

예고: 91.12.31. 일반

검토필(1991.6.30)

PAGE 2

0132

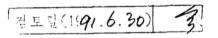

관리 번호 91-2277

원 본

외 무 부

종 별 :

번 호 : BLW-0228 일 시 : 91 0410 1810

수 신 : 장관(국연,동구이,기정동문)사본:주 유엔대사,김좌수 주불가리아대사

발 신 : 주 불가리아 대사대리 (중계필)

제 목 : 유엔가입실현 교섭

대:EM-0011(1), WBL-0213(2), WBL-0219(3)

연:BLW-0184(1),0227(2)

1. 당관 방참사관은 4.10(수) 외무부 유엔 및 군축국 SVETLOMIR BAEV 국장을 방문, 대호 MEMORANDUM 을 수교하고 연호(1)에 이어, 아국의 유엔가입에 관한 입장을 설명함.

2. 방참사관은 연호(2) TONEV 아주국장과 면담시 2 항 언급 내용을 동국장에게도 재차 설명하고, 아국정부는 불가리아와 같은 아국과 우호관계에 있는 국가가 아국의 유엔가입에 관한 입장을 대외적으로 지지하여 줄 것을 희망한다고함.

방참사관은 사견임을 전제로 VULKOV 외무장관의 방한이 확정된 상태에 있으므로, 동방한전에 동지지입장을 대외적으로 발표하는 것도 한가지 방안이 될 수 있을 것이라는 의견을 표시함.

3. 동국장은 아국정부가 상금 유엔에 공식적으로 가입신청서를 제출하지 않은 상태임을 확인하고, 연호(1) 동국장이 언급한 아국의 유엔가입에 관한 입장에 대한 지지태도를 다시 밝히면서, 아국의 가입신청서가 유엔에 공식 제출되었을시 불가리아 정부가 이를 지지함은 의심의 여지가 없다고 분명히 말하고, 동신청서 제출 직후 아측이 공식 지지요청 공한을 보내주면 이에 답하는 방식이 NORMAL 한 방법이 될 것으로 생각한다고함. 그러나 동지지 발표문제는 VULKOV 장관이 직접 결정할 수 있는 사항이므로 이를 동장관에게 보고하겠다함.

4. 방참사관이 동국장에게 최근 방한한 헝가리 외무장관과 소련 외무차관이 아국의 유엔가입에 관한 입장을 지지한 사실에 대하여도 참고로 설명한 바, 동국장은 VULKOV 장관 방한시 외무장관회담 또는 PRESS CONFERENCE 에서 동지지 입장을 밝히는 것은 별문제가 없을 것으로 본다함.

국기국	장관	차관	1차보	2차보	구주국	구주국	청와대	안기부

PAGE 1

91.04.11 02:21

외신 2과 통제관 DO

0133

5. 동국장도 TONEV 아주국장과 마찬가지로 안보리상임이사국인 소련 및 중국의 입장에 관하여 문의하여 방참사관이 대호(3)에 따라 설명한 바 있음. 끝.

(대사대리 방병채-국장)

예고:91.12.31 일반(원본수신처)

91.6.31 파기(사본수신처)

관리 번호	91 —2201

외 무 부

종 별 :

번 호 : BBW-0260 일 시 : 91 0410 1830

수 신 : 장관(구일,국연,사본:주EC대사-직송필)

발 신 : 주 벨기에 대사

제 목 : EPC 아주국장 회의

대: WBB-0143

연:BBW-0237

1. 당관 유서기관은 벨기에 NARTUS 아주국장 및 룩셈부르그 STEIMETZ 아주담당관을 통해 대호 4.9. EPC 아주국장 회의 관련 동향을 탐문한바, 동 요지 하기 보고함.

0 한반도 문제는 유엔가입 문제에 대해서만 약 10 분 정도 논의됨

0 참석자들은 한국의 유엔가입 문제에 대해 지지를 재확인하고 중국과 북한에 대해서 기회있는대로 유엔가입 문제에 대한 태도 변경을 촉구해 나갈것임을 다짐

0 일부 참석자들은 최근 중국이 북한의 단일의석 가입안을 비현실적으로 평가하는등 중국의 점진적 태도변화(EVOLUTION)는 주목되고 있으나, 남북한 합의에의한 동시 가입 주장을 견지하는것에 비추어 아직도 한국측의 인내가 필요한 것으로 보인다는 의견 개진

2. 차기 EPC 아주국장 회의는 6.19. 브랏셀 개최 예정이며, 금년 6 월 TIANZENPEI 중국 외무차관은 벨기에, 룩셈부르그, 덴마크를 방문할 예정으로 알려짐. 끝.

(대사 정우영-국장)

19 예고 : 91.12.30 일반

검토필(1991. 6. 30)

구주국 1차보 2차보 국기국

PAGE 1 91.04.11 06:16

외신 2과 통제관 CA

0135

관리 번호 91-2269

원 본

외 무 부

종 별 :

번 호 : ITW-0522 일 시 : 91 0410 1900

수 신 : 장관(국연,구일,사본:주유엔대사(중계요))

발 신 : 주 이태리 대사

제 목 : 유엔 가입추진

대 EM-11

연:ITW-0509

1. 당관 문병록 참사관은 금 4.10. 외무성 유엔 담당관 MANCINI 참사관과 면담, 대호 메모렌덤을 전달하면서 아국의 입장을 설명하고 주재국 정부의 적극적인 지지를 물론 이의 공개적인 지지 표명을 요망하였음.

2. 동인은 이태리정부가 아국의 입장을 이미 충분히 알고 있으며 남. 북한 동시 가입이든 한국 단독가입이든 동 가입을 지지한다는 것이 기본원칙이라고 언급하면서 남북한 동시 가입은 독일의 예와 같이 통일의 장애물이 될수 없으며 오히려 통일에 도움이 될것이라고 부언하였음.

3.동인은 한국의 유엔가입은 중국의 태도에 달려 있다고 보며, 전반적인 분위기로 보아 중국은 안보리에서 한국가입문제에 기권할 가능성이 높다고 전망하였음.

동인은 86 년까지의 기록을 보면 중국이 안보리에서 거부권을 행사한 것이 3회였으나 이중 1 회(59 년)는 대만의 대표시절이었으므로 2 회뿐 (72.8. 벵그라데쉬 유엔가입 반대, 72.9. PLO 테러규탄 결의반대)이라고 밝히면서 중국은 타국에 비해 거부권행사 기록이 현저히 적으며 거부권행사 회수가 증가되는 것을 원치 않으므로 한국의 유엔가입문제가 공식제기되면 기권하든가, 또는 반대의사가 있을 경우엔 동문제가 안보리에 상정되기전에 한국측에 이를 통보함으로서 거부권행사 기회를 피하게 될것이라고 자신의 견해를 언급하였음. 끝

(대사 김석규-국장)

예고:91.12.31. 일반 (재분류 1991.6.30.)

국기국 장관 차관 1차보 2차보 구주국 청와대 안기부

PAGE 1

91.04.11 05:23

외신 2과 통제관 CA

0136

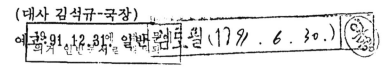

관리번호 91-2321

원 본

외 무 부

종 별 :

번 호 : GRW-0432 일 시 : 91 0411 1450

수 신 : 장관(국연,사본:주유엔대표부-중계필)

발 신 : 주 희랍 대사

제 목 : 유엔가입관련 메모렌덤 수교

대:EM-9,11

1. 본직은 4.11 11:30 외무성 RETALIS 아주국장을 면담, 메모렌덤을 수교하였으며 13:00 에는 외무성 LYBEROPOULOS 정무총국장(주한및 EC 대사 역임)을 면담하고 유엔가입관련 아국 입장을 설명하였음.

2.LYBEROPOULOS 정무 총국장은 유엔가입 문제에 관하여 한국의 입장을 지지하는것이 EC 의 입장이며 동시에 희랍의 입장이라고 말하였음.끝.

(동대사는 EC 의 EPC 회의를 담당함)

(대사 박남균-국장)

예고:91.12.31 일반고문에 의거 인반문서로 재분됨

검토필(1991.6.30)

국기국 장관 차관 1차보 2차보 구주국 정와대 안기부

PAGE 1

91.04.11 21:36

외신 2과 통제관 BS

0137

관리 번호	91-2314

원 본

외 무 부

종 별 :

번 호 : FNW-0104 일 시 : 91 0411 1630

수 신 : 장 관(국연,구이) 사본:주유엔대사-중계필

발 신 : 주 핀랜드 대사

제 목 : 유엔가입 관련 각서 수교

대:EM-0013

1. 당관 이순천 참사관은 4.11. HALINEN 외무부 유엔과장을 면담, 대호 각서를 수교하고 아국입장을 설명함.

2. 동인은 이에대하여 주재국은 유엔가입의 보편성원칙에 따라 남북한 동시가입 또는 아국만의 단독가입 신청시 이를 지지할 것이라고 말함.

3. 동인은 또한 아국만의 가입에 관한 중국의 태도, 아국 가입후에 북한이 가입 신청시 타상임이사국에 의한 거부권행사 가능성에 대하여 관심을 표명하고,걸프사태이후 유엔안보리 이사국간의 협력관계 강화도 아국의 가입분위기 조성에 유리할 것이라고 전망함.

4. 동인은 8.19-20 간 덴막에서 NORDIC 외무장관회담이 개최될 예정이며, 동 회담의 주요의제는 유엔총회 대책인 바, 아국이 동 회담 예정일전에 유엔가입을 신청할 시 이 문제가 동회담에서 협의되어 공통된 NORDIC 국가들의 입장이 발표될 수 있을 것이라고 말하였음을 참고바람. 끝.

(대사 윤억섭-국장)

예고: 91.12.31. 일반 19 에 의거 인반문서로 재분류됨 검토필(1991.6.30.)

국기국 장관 차관 1차보 2차보 구주국 청와대 안기부

PAGE 1 91.04.11 23:15

외신 2과 통제관 BS

0138

관리번호	91-2380

원 본

외 무 부

종 별 :

번 호 : POW-0232　　　　일 시 : 91 0412 1000

수 신 : 장관(국연,구이,정이,아일,기정,주유엔대사)(중계필)

발 신 : 주 폴부갈 대사

제 목 : 유엔가입 교섭

대:EM-0009

연:POW-0210

1. BRUXELLES 개최 EC 아주국장회의 참가후 4.9 귀임한 주재국 CARDOSO 아주국장은 4.10 당관 주참사관에게 4.9 회의에서의 한국유엔가입문제 토의경과를 하기 알려옴

가. 독, 영등 EC 여러나라 대표들은 현 단계에서 한국의 유엔 단독가입 신청시는 중국이 거부권을 행사할 가능성이 있는것이 아니냐는 의견을 피력함(단, 동국장은 자신의 견해로서는 중국이 거부권을 행사키 보다는 기권할 가능성이 높은것으로 생각한다함)

나. 주재국과 스페인 대표는 각각 중국 전기침 외상이 작 2 월 방문시 북한의 단일의석 가입안을 비현실적인것으로 평가했다고 보고한바 여타국 대표들은 이를 중국의 태도변화라고 하며, 놀람을 표시했다함.

다. EC 로서는(본 문제에 대한 기본입장에는 변화가 없으나) 한국측이 조금더 인내심을 갖고 기다려 보도록하는것이 좋겠다는 의견으로 집약됨

라. 또지이 문제에 관해 최근 대북한 수교교섭을 추진하고 있는 일본의 견해를 물어보기로 결정함

마. 또 EC 는 향후 북한에 대해 남북한 대화에 적극적으로 임할것을 촉구하기로 했으며, 또한 북한이 대외 무기판매를 자제토록 촉구하기로 결정했다함(대북한 접촉은 기존 수교관계가있는 주재국, 데마크 및 기타 북한측의 접촉이 있는 국가들이하기로 했다함.

2. 아측은 동 국장에게 대호 아국정부 메모렌덤의 사본을 수교하고, 그 내용에서와 같이 아국의 금년중 가입추진 입장은 이미 설정된것 이므로 앞으로 주재국의 아국

국기국	장관	차관	1차보	2차보	아주국	구주국	정문국	청와대
안기부								

PAGE 1　　　　91.04.13 07:46

외신 2과 통제관 DO

0133

가입지지 입장이 대외 표명될수 있도록 계속 노력해줄것을 요청한바, 동인은 EC 의 주요 대외정책은 회원국간 콘센셔스 도출이 긴요하다고 하면서, 이와 관련하여 계속 접촉을 갖기를 희망했음

3. 동 국장은 일본이 EC-일본간 공동선언을 금 7 월 이전 발표토록 EC 에 대해 독촉하고 있으며, 룩셈브르그도 이를 희망하고 있으나, 7 월 이전에는 어려울것으로 보이고, 화란의 의장 임기기간중 발표될것으로 본다함. 동 국장은 일본이 유엔 안보리 상임이사국 진출을 위해 노력하고 있다고도 말했기 참고로 보고함. 끝

(대사 조광제-국장)

19 의거 예고: 91.12.31 일반

검토필(1991. 6. 30)

PAGE 2

0140

외 무 부

원 본

관리 번호	91-2357

종 별 :

번 호 : CPW-0469 일 시 : 91 0412 1450

수 신 : 장관(국연,아이),사본:노재원대사, 주유엔대사(중계필)

발 신 : 주 북경 대표대리

제 목 : 루마니아 대사관 직원 접촉

1. 당지 루마니아대사관의 RADO JONESCU 1 등 서기관은 4.12 당관 정상기 서기관을 방문, 본부의 지시라고 하면서 최근 남북한 관계, 한. 중 관계 현황등에 관해 문의하여 온바 동 문의사항 및 유엔가입문제에 관한 아측 입장을 설명해 주었음.

2. 동인은 아국의 유엔가입문제에 관한 자국 정부의 정식 입장은 아직 결정되지 않았으나, 결국 아국의 입장을 지지하게 될 것이라고 언급하였음. 끝.

(대사대리 허세린-국장)

예고: 91.12.31. 일반

19 . . . 고문에 의거 인반문서로 재분류됨

검 토 필(1991. 6. 30.)

국기국 장관 차관 1차보 2차보 아주국 청와대 안기부

PAGE 1 91.04.12 16:42

외신 2과 통제관 DO

0141

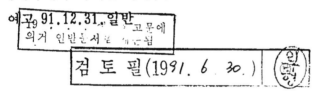

관리번호	91-2394

원 본

외 무 부

종 별 :

번 호 : PDW-0324　　　　일 시 : 91 0412 1650

수 신 : 장관(국연,동구이,사본:주폴란드대사,유엔대사-중계필)

발 신 : 주 폴란드 대사대리

제 목 : UN 가입추진

대 : EM-0009

1. 최참사관은 4.12 외무성 유엔부국장 MR.LUKASIK 와 면담, 대호 각서를 수교하면서 아국은 제 46 차 총회 개막이전에 UN 가입에 필요한 조치를 취할 예정임을 설명하고 이에대한 폴란드의 적극적 지지를 당부함.

2. 동 부국장은 동문제에 대한 한국지지 입장은 이미 수차 밝힌대로 확고하며, 북한의 태도에 관계없이 유엔헌장의 보편성 원칙에 따를것임을 확인함. 끝

(참사관 최병효-국장)

예 고 :191.12.31. 에 일반고문에 의거 일반문서로 재분류됨

검 토 필(1991.6.30.)

국기국　장관　차관　1차보　2차보　구주국　구주국　안기부

PAGE 1　　　　91.04.13　07:15

외신 2과　통제관 CH

0142

관리 번호 91 -2390

원 본

외 무 부

종 별 :

번 호 : HOW-0175 일 시 : 91 0412 1700

수 신 : 장관(국연,구일) 사본: 주유엔대사-중계필, 최상섭 주화란대사

발 신 : 주 화란 대사대리

제 목 : EC 아주전문가 회의

연: HOW-0159

당관 엄참사관은 4.12 주재국 외무부 동아과장과 접촉 7 4.9 브랏셀 개최 표제회의에서 아국문제 토의결과에 관해 문의한 바, 동 과장은 아국의 유엔가입문제가 의제로서 토의되기는 하였으나, 심도있게 토의된 것은 아니며 종래 기본입장을 재확인하는 정도로 그쳤다 함. 또한 동 과장은 대부분의 EC 회원국 대표는 아국의 유엔가입에 관한 중국의 입장이 현단계로서는 불부명한 것으로 보고 있다는 느낌을 받았다고 하였음.

(대사대리 엄근섭-국장)

예고:91.12.31 일반

검토필(1991. 6. 30)

국기국 장관 차관 1차보 2차보 구주국 구주국 청와대 안기부

PAGE 1

91.04.13 07:25

외신 2과 통제관 DO

0143

관리 번호	91-2388

원 본

외 무 부

종 별 :

번 호 : SZW-0192 일 시 : 91 0412 1800

수 신 : 장 관(국연),사본:주유엔대사-중계필)

발 신 : 주 스위스 대사

제 목 : 유엔가입 관련 정부각서 배포

대:EM-0009

1. 본직은 금 4.12. 당지 리히텐슈타인 대사 NICOLAS 공과 면담 대호 각서 전달하면서 아국 입장 설명후 지지 요청한바, 동 대사는 유엔의 보편성 원칙에 의거 아국의 가입은 당연시 된다고 언급하면서 아국의 요청사항을 본국에 전달하여 지지토록 적극 노력하겠다고 언급하였음.

2. 한편 주재국은 UN 회원국은 아니지만 리히텐슈타인과 협조를 기하고 또 특수위치에 있는 스위스로서 아국 UN 가입을 도울수 있는 유효한 방안에 관하여 본직의 공관장회의 종료 귀임후 협의(4.24. 정무국장 SIMONIN 대사및 추후 KRAFT 법률국장 면담예정)하기로 한바 참고바람.

(대사 이원호-국장)

예고:91.12.31. 일반문에 의거 일반문서로 재분류됨

검토필(1991.6.30)

국기국 장관 차관 1차보 2차보 구주국 청와대 안기부

PAGE 1 91.04.13 07:31

외신 2과 통제관 DO

0144

관리 번호	91 -2378

원 본

외 무 부

종 별 :

번 호 : POW-0233 일 시 : 91 0412 1900

수 신 : 장관(국연,구이,주유엔대사(중계필)

발 신 : 주 폴투갈 대사

제 목 : 유엔가입 관련 동정

연:POW-0232

연호 주재국 외무성 아주국장은 4.10 오후 당관 주참사관과의 추가 접촉에서, 4.10 당지 일본대사관 정무참사관이 자신을 방문시, 동 참사관은 북경으로 부터 자국이 극히 최근 입수한 정보라 하면서, 중국은 한국의 유엔가입문제 제기시, VETO 권을 행사치 않을것이라는 반응을 처음으로 보였다고 말한것으로 알려왔기 본부의 참고로 보고함. 끝

(대사조광제-국장)

예고:91.12.31 일반 고문에 의거 일반문서로 재분류됨

검토필(1991.6.30)

국기국 장관 차관 1차보 2차보 구주국 청와대 안기부

PAGE 1

91.04.13 01:17

외신 2과 통제관 BW

0145

관리 번호	91 -2396

외 무 부

종 별 :

번 호 : POW-0238 일 시 : 91 0412 1900

수 신 : 장관(구이,국연,총인,의전, 주유엔대사-중계필)

발 신 : 주 폴투갈 대사

제 목 : 신임장사본 제출

1. 본직은 금 4.12(금) 외무성 SYDER SANTIAGO 의전장 및 SILVA MARQUES 사무차관을 차례로 예방후, PINHEIRO 외상의 급작스러운 일정변경에 따라, 그대신 현 외상대리인 DUARTE IVO CRUZ 외무국무상보에게 신임장 사본을 제출하였음

2. 상기 외상대리의 질문에 따라, 본직은 최근 한반도 정세와, 남북총리회담의 중단등 그간의 남북대화 경과와 아측의 최근 대화재개 노력등에대해 설명하고, 금년중 아국이 유엔가입을 목표로 추진하고 있는 상황에 대해서도 상세 설명하면서 이미 작년 유엔총회에서의 CAVACO 수상의 기조연설에서와 같이 아국의 유엔가입을 지지해주고 있는 주재국이 앞으로 아국 가입지지를 공개적으로 표명하여 주는등 적극지지해 줄것을 요망한바, 동인은 잘 알겠다하며, 이해를 표명하였음. 끝

(대사조광제-국장)

예고: 91.12.31 일반 예고문에 의거 인반문서로 분류됨

검토필(1991.6.30)

구주국 차관 1차보 2차보 의전장 총무과 국기국 청와대 안기부

PAGE 1

91.04.13 07:53

외신 2과 통제관 BN

0146

관리 번호	91 -2390

원 본

외 무 부

종 별 :

번 호 : POW-0239 일 시 : 91 0412 1900

수 신 : 장관(국연,구이,기정, 주유엔대사-중계필)

발 신 : 주 폴무갈 대사

제 목 : 국제기구국장 접촉

대:EM-0011,0009

연:POW-0232

1. 주재국 SANTANA CARLOS 국제기구국장을 4.12 당관 주참사관이 방문하고,대호 아국정부 메모렌덤을 수교하고 그간의 배경을 설명 및 금년중 가입 실현에대한 제반 지원을 요청함

2. 동 국장은 4.10 자신이 참석한 브라셀개최, EC 국제기구관계 국장회의에서는 주로 인권문제만이 토의되었고, 그때 본국대표가 금차총회에 한국의 유엔가입문제가 제기될것으로 본다는 발언이 있었으나, 그 문제는 앞으로 유엔총회를 앞둔 국제기구국장급 회의등에서 토의하자고만 집약되었고, 더 이상 토의되지 않았다함

3. 동국장은 자신이나 주재국 정부로서는 한국의 유엔가입 신청시 지지하는데 문제가 없을것이라 하면서, 한국이 이 문제를 관철키 위해서는 특히 안보리 우방 상임이사국의 강력한 지지 및 EC 의 적극지지를 확보하는것이 긴요할것 이라고 말함

4. 아측이 EC 의 단합된 지지를 위해 주재국의 최선 노력을 당부한바, 동 국장은 EC 차원에서는 앞으로 6 월의 EC 국제기구국장회의와 정무총국장 회의, 또 그 이후 9 월의 양차원 회의가 매우 중요하다 하면서, 가능한 지원을 하겠다 말했음. 끝

(대사조광제-국장)

예고:91.12.31 일반

검토필(1991.6.30)

국기국 차관 1차보 2차보 구주국 청와대 안기부

PAGE 1

91.04.13 07:53

외신 2과 통제관 BN

0147

원 본

관리 번호	91-2438

외 무 부

종 별 : 지 급

번 호 : CPW-0505 일 시 : 91 0416 1230

수 신 : 장관(국연,아이,정이,동구이,기정)사본:노재원대사

발 신 : 주 북경대표

제 목 : 유엔관련 중국.폴란드 회의 제의

연:CPW-0504

1. 연호 면담시 BYLICA 2 등 서기관에 의하면, 중국측은 최근 유엔문제 관련 폴란드측과의 회담개최를 제의해와 5.16-19 바르샤바에서 양국 외무성간 회의를 개최키로 합의하였으며 중국측이원하는 동 회의의의 의제는 다음과 같다함.

가. 유엔안보리 개혁(REFORM OF UN SECURITY COUNCIL)

나. 유엔헌장 개정문제(자신의 생각으로는 ENEMY CLAUSE 수정 문제를 염두에 둔것 같다함)

다. 유엔 사무총장 선출문제

라. 기타 문제들

2. 중국측이 상기와 같은 중요한 의제 협의의 대상국으로 '폴'측을 선정한 이유의 질문에 대해 BYLICA 서기관은 굳이 해석하자면 1980 년대 중반 체결된 양국 외무성간 협정(어느 일방이 상대국에게 특정문제의 협의를 제의할 경우 상대국은 이에 응한다는 규정)을 들수 있겠으나, 사실 '폴'측도 중국측의 동 안건 회담 제의에 대해 놀랐다함.(폴 측이 현재 안보리 이사국의 하나인 때문인 가능성도 있는 것으로 관측됨)

3. 동회의시 남. 북한의 유엔가입 문제도 협의되겠느냐는 질문에 대해 중국측이 거론한바는 없다함.

4. 동 회담의 중국측 수석대표는 외교부 국제국장이며 폴 측은 외무성 유엔국 부국장이 될것이라 함. 끝.

(대사대리 허세린-국장)

예고:1991.12.31.예일반고문에 의거 일반문서로 재분류됨

검 토 필(1991. 6. 30.)

국기국	장관	차관	1차보	아주국	아주국	구주국	정문국	청와대
안기부								

PAGE 1

91.04.16 13:18

외신 2과 통제관 BW

0148

관리 번호 91-21454

원 본

외 무 부

종 별 :

번 호 : SPW-0276 일 시 : 91 0416 1700

수 신 : 장관(국연, 주스페인대사)

발 신 : 주 스페인 대사대리

제 목 : 유엔가입

대: WSP-0178

당관 홍공사는 4.15. 외무성 국기국 MATELLANES 유엔부국장을 면담, 대호 아국정부 각서를 수교한바, 동부국장은 한국의 유엔가입에 대한 주재국 정부의 지지입장을 거듭 밝힌후, 동가입 관련 실질적인 관건이 될 중국의 입장에 대한 의문을 표하면서 그러나 거부권 행사는 않을것이라는 견해를 보였음.

(대사대리-국기국장)

예고: 1991.12.31 까지 문에 의거 인반문서로 재분류됨

검토필(1991.6.30)

국기국 장관 차관 1차보 2차보 구주국 구주국 청와대 안기부

PAGE 1 91.04.17 05:07

외신 2과 통제관 DO

0149

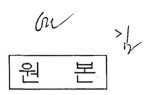

관리번호	91-718

외 무 부

종 별 :

번 호 : NZW-0120 일 시 : 91 0416 1800

수 신 : 장관(국연,아동, 사본:주유엔대사-본부중계망)

발 신 : 주 뉴질랜드대사

제 목 : 유엔가입 추진

대:EM-0009,0011

1. 당관 정참사관은 금 4.16 SMALL 외무성 유엔국장을 면담, 대호 메모랜덤을 수교하면서 아국의 입장과 주재국이 아국입장에 대한 단순한 지지에서 한걸음나가 공개적인 지지입장을 적절한 계기에 표명해 주는것이 필요함을 설명하고 이를위한 적극적인 협조를 요청하였음.

2. 동국장은 현재 유엔관련 주재국의 최대 현안문제는 안보리 비상임이사국입후보 교섭이라고 전제하고 그러나 유엔가입과 관련한 아국입장 지지에는 별문제가 없다고 말하고 공개적 지지표명 문제를 적극 검토할것을 약속하였음. 이에 정참사관이 5 월 아국특사의 당지 방문등이 공개적 지지입장 표명을 위한 좋은 계기가 될수있을것이라고 SUGGEST 한바 동국장은 이를 유념하겠다고 말하였음을 참고로 보고함.

3. 동건 계속 교섭위계임.

(대사 서경석-차관)

예고:91.12.31 일반

국기국	장관	차관	1차보	2차보	아주국	청와대	안기부

PAGE 1

91.04.16 15:34

외신 2과 통제관 CA

0150

EPC 아주국장회의 결과요약 (유엔가입문제)

(4.9. 브랏셀)

91. 4. 16.

공관보고	내 용	비 고
주 EC 대사관 (4.10)	o 회원국대표, 보편성원칙에 입각하여 남북한의 유엔동시가입 및 북한의 계속 반대시 한국의 단독가입 지지하는 EC측 기본입장 재확인 o 아국의 유엔가입문제에 대한 주요국의 반응에 대한 의견교환(특히 지난 2월 전기침 중국외상 방문시 반응) * 중국측 반응 - 북한의 단일의석 가입안의 비현실성 인정 - 그러나 남북한간의 대화와 협의에 의한 동 문제 타결 희망 o 일부 회원국은 중국측과의 접촉과정에서 남북관계의 진전 없이는 EC측의 대중국 태도변화 설득이 어려울 것이라는 견해 피력	- EPC 사무국 Fezas-Vital 아주담당관 (폴투갈 외무성 파견) 접촉
주벨지움 대사관 (4.10)	o 한반도문제는 유엔가입문제에 대해서만 논의(약 10분간) o 한국의 유엔가입 지지입장 재확인 o 중국과 북한에 대해서 기회있는대로 유엔가입 문제에 대한 태도변경 촉구키로 다짐 o 일부대표, 중국의 점진적 태도변화 (Evolution)가 주목되나, 아직도 한국측의 인내가 필요하다는 의견 개진	- Nartus 벨기에 아주국장 및 Steimetz 룩셈부르크 아주 담당관 접촉 * EPC 아주국장회의 (차기) 6.19. 개최 예정 (브랏셀) * Tianzenpei 중국 외무차관 (소련, 구주담당), 6월중 벨기에, 룩셈부르크, 덴마크 방문 예정 YOK
주화란대사관 (4.12)	o 아국의 유엔가입 문제는 심도있게 토의되지 않았고, 종래 기본입장 재확인 정도였음. o 대부분 회원국대표가 아국의 유엔가입에 관한 중국의 입장이 현단계로서는 불투명한 것으로 보는것 같은 인상임.	- 외무성 동아과장 접촉

0151

공관보고	내 용	비 고
주폴투갈 대사관 (4.12)	* EC 아주국장 회의(4.9. 브랏셀) 관련 o 독일, 영국등 여러나라 대표들이 현단계 에서는 한국의 단독가입 신청시 중국의 거부권행사 가능성 우려 언급 o 스페인, 폴투갈대표가 지난 2월 중국외상의 구주방문 결과(북한 단일의석안 비현실적 평가)보고 o EC로서는 (기본입장은 불변이나) 한국측이 조금더 인내심을 갖고 기다려 보도록 하는 것이 좋겠다는 의견으로 집약됨. o 이 문제에 대해 일본 (최근 대북한 수교 교섭 추진중)의 견해를 문의하기로 결정 o 향후 북한에 대해 남북대화에 적극 임할 것을 촉구키로 결정	- Cardoso 아주국장 (대표로 참석) 접촉
	* EC 국제기구관계 국장회의(4.10. 브랏셀) 관련 o 주로 인권문제만 토의 o 폴투갈대표가 금차 총회에 한국의 유엔가입 문제가 제기될 것이라고 발언한데 대해, - 동 문제는 앞으로 유엔총회전 EC 국제 기구국장급 회의등에서 토의하자고 결론	- S. Carlos 국제기구 국장 접촉(대표로 참석) * EC 국제기구국장회의 및 정무총국장회의 일정 (6월 및 9월)

0152

원 본

관리번호	91-2478

외 무 부

종 별 :

번 호 : UNW-0947　　일 시 : 91 0417 0930

수 신 : 장관 (국연,서구일)

발 신 : 주 유엔 대사

제 목 : 주유엔 화란대사 면담

1. 본직은 4.16(화) J.V.SHAIK 주유엔 화란대사를 방문, 아국의 유엔가입에대하여 지지입장 천명등 적극적 지원을 요청한바, 동대사는 화란은 앞으로도 계속 아국의 유엔가입을 적극 지지할것임을 분명하게 밝혔음.

2. 동대사는 중국의 태도에 관하여 관심을 표시하면서 지금까지 중국은 혼돈을 초래하는 반응 (MIXED AND CONFUSING SIGNAL)을 보여왔다고 하면서 접촉상대에 따라 다른표현을 사용하는 것으로 보였다고 말하였음.

3. 본직이 EC 12 개국의 아국가입 지지 공동입장 천명에 관하여 화란이 적극적으로 주도하여 줄것을 요망한데 대하여, 동대사는 본국정부에 건의를 하겠지만 결정은 브랏셀에서 내려질것 이라고 말하고 만약 그러한 공동입장을 천명키로결정하더라도 그시기가 아국의 정식가입 신청 이전이 될것인지 또는 이후가 될것인지 여부 검토도 브랏셀에서 결정하게 될것이라고 말하였음. 끝

(대사 노창희-국장)

예고: 91.12.31. 일반

91.12.31.에 일반문에 의거 일반문서로 재분됨

검 토 필(1991. 6. 30.)

국기국　장관　차관　1차보　2차보　구주국　청와대　안기부

PAGE 1　　91.04.18　01:16

외신 2과 통제관 CA

0153

관리 번호	91-726

외 무 부

종 별 :

번 호 : NZW-0121 일 시 : 91 0417 1800

수 신 : 장관(국연,아동,사본:주유엔대사-본부중계망)

발 신 : 주 뉴질랜드대사

제 목 : 유엔가입 추진

대:EM-0009,0011

연:NZW-0120

1. 당관 정참사관은 4.17 당지주재 AUMUA IOANE 서사모아(당관 겸임국) 고등판무관을 면담, 대호 메모랜덤을 수교하고 본국정부에 이를 전달, 서사모아 정부가 아국입장 지지는 물론 적절한 계기에 공개적으로 지지표명을 해주도록 동인의 적극적인 협조를 요청하였음.

2. 동 고등판무관은 제 45 차 유엔총회시 ALESANA 수상이 기조연설에서 아국입장에 대한 적극적 지지발언을 했음을 상기하면서 본국정부가 아측요청에 대해 적절한 조치를 취하도록 수상에게 직접 건의하겠다고 약속하였음.

(대사 서경석-차관)

예고:91.12.31 일반

국기국 장관 차관 1차보 2차보 아주국 청와대 안기부

PAGE 1 91.04.17 15:36

외신 2과 통제관 BA

0154

관리 번호	91 —2486

원 본

외 무 부

종 별 :

번 호 : HGW-0233 일 시 : 91 0417 1830

수 신 : 장관(국연,동구이,사본:한탁채 대사)

발 신 : 주 헝가리 대사대리

제 목 : 유엔가입 관련 정부각서 수교

대:EM-0009, 0011

당관 이원형 참사관은 금 4.17(수) 외무부 국제기구국 SZELEI 부국장을 방문, 공관장을 대리하여 대호 아국입장을 설명한다고 하고(메모렌덤 수교), 앞으로도 공개적으로 유엔가입 관련 우리의 입장을 지지하여 줄것을 요청한바, 동 부국장은 지난 3 월 예센스키 장관 방한시에 밝힌 헝가리의 한국 유엔가입 지지 입장에는 변함이 없다고 하고, 헝가리는 한국이 금년에 유엔에 가입하기를 희망한다고 함. 끝.

(대사대리 이원형-국장)

예고:91.12.31. 일반

19 . . . 에 예고문에 의거 일반문서로 재분류됨

검 토 필(1991. 6 . 30 .)

국기국 차관 1차보 구주국 구주국

PAGE 1

91.04.18 06:46

외신 2과 통제관 CE

0155

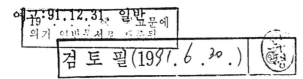

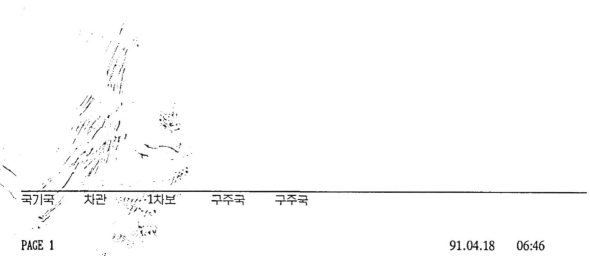

관리번호	91-2483

원 본

외 무 부

종 별 :

번 호 : DEW-0188 일 시 : 91 0417 1900

수 신 : 장관(국연, 사본:주유엔대사-중계필, 김세택대사-구이경유)

발 신 : 주 덴마크 대사대리

제 목 : 유엔가입 추진

대:EM-0011, 0013

1. 당관 추서기관은 금 4.17. 주재국 외무부 LISELOTTE SIMONSEN 아주과장을 면담, 유엔가입문제에 관한 아국 입장을 설명하면서 주재국 정부의 지지를 요청하고 대호 각서를 수교함.

2. SIMONSEN 과장은 주재국 정부가 아국의 유엔가입을 일관되게 지지해 왔음을 상기시키면서 아국의 유엔가입 노력에 마지막 장애물인 중국의 태도관찰및 그 변화유도에 협조할 것을 약속하였음. 끝.

(대사대리-국장)

예고:91.12.31 일반 문에 의거 인반문서로 재분됨

검토필(1991.6.30)

국기국 차관 1차보 2차보 구주국 청와대 안기부

PAGE 1 91.04.18 05:24

외신 2과 통제관 CE

0156

관리 번호	91-2491

	분류번호	보존기간

발 신 전 보

번 호 : WPD-0362 910417 2050 DA 종별 :

수 신 : 주 폴란드 대사. 총영사/// 대리

발 신 : 장 관 (국연)

제 목 : 유엔관련 중국.폴란드회담 제의

1. 4.16. 주북경대표부에서 현지 폴란드대사관측에 파악한 바에 의하면, 최근 중국측의 제의에 따라 "유엔문제 관련 중.폴회담 "이 5.16-19간 귀지에서 개최될 예정이고 중국측은 하기 의제에 대한 협의를 희망하고 있다 함.

- (가) 유엔안보리 개혁문제, (나) 유엔헌장 개정문제, (다) 유엔사무총장 선출문제등

2. 주북경 폴란드대사관측에 의하면 상기 회담은 양국 외무성간 협정 (80년대 중반 체결)에 따른 것이고, 중국측 외교부 국제국장 및 폴측-유엔국 부국장이 각각 수석대표를 맡을 것이라 함.

3. 공관장이 귀임하는대로 주재국 외무성측과 접촉, 지난 2월말 중국외상의 귀지방문시(2.27-3.2) 아국 유엔가입관련 주재국측 협조의 연장선상에서, 상기 양국회담시 주재국측에서 중국측이 그동안 유엔가입 문제관련 북한에 대하여 설득해온 결과는 무엇이며, 그리고 앞으로 북한측에 대한 설득가능성 여부에 대한 중국측의 판단이 무엇인지를 파악해 주고, 만약 중국측의 대북한 설득노력이 불충분 했거나, 설득가능성에 대한 판단이 부정적일 경우에는, 귀주재국측이 다시한번 중국측에 대해 보다 적극적인 대북한 설득등 남북한 유엔가입문제의 연내 해결을 위한 건설적인 역할을 다해줄 것을 요청해 주도록 적극 교섭하고 결과 보고바랍. 끝.

검 토 필(1991. 6 .30.)

예 고 : 1991.12.31 일반

19 . . . 에 예고문에 의거 일반문서로 재분류됨

(국제기구조약국장 문동석)

보안 통제	

앙 고 재	91년 4월 17일	국연 과	기안자 성 명		과 장	국 장	차 관	장 관
			김성언					

외신과통제

0157

관리 번호	91 —2493

원 본

외 무 부

종 별 :

번 호 : UNW-0960　　일 시 : 91 0417 2145

수 신 : 장관(국연,구일,기정)

발 신 : 주 유엔 대사

제 목 : 유엔가입 교섭

대:WUN-0919

당관 서참사관은 금 4.17 벨지움대표부 COOLS 참사관과 4.26 개최 CG 회의 관련사항을 협의하는 기회에 대호 1 항 일부 EC 국가의 대중국 태도 평가가 지나치게 소심(OVERLY CONSERVATIVE) 한점 및 일부 국가가 그간의 중국태도변화에 대해 정보내지 지식을 갖고 있지 못하다는 인상임을 자연스럽게 언급, 반응을 유도한바, 동인은 대호 회의 내용을 본국으로부터 상세히 통보받았다고 하고, 한대표가 회의중 흥분된 어조로 북한이 굴복(GAVE IN) 하여 동시가입에 응하기로 함으로써 문제가 해결되었다는 첩보 보고를 하였는바 이에대해 몇대표가 상황파악을 보다 신중히 해야할것이라는 주의 환기성 발언(CAUTION)을 하였으며 대호 평가는이러한 분위기속에서 나온것 이라하니 참고바람. 끝

~~(대사 노창희-국장)~~

19 의거 예고 : 91.12.31. 일반

검토필(1991.6.30)

국기국　장관　차관　1차보　2차보　구주국　청와대　안기부

PAGE 1　　91.04.18 11:08

외신 2과 통제관 BW

0158

관리 번호	91-367

외 무 부

종 별 :

번 호 : ECW-0351 일 시 : 91 0418 1530

수 신 : 장관 (구일,국연,정이,기정동문) 사본: 주 EC 대사

발 신 : 주 EC 대사대리

제 목 : 구주의회 출장보고

대: WEC-0214,0693, WECM-18

연: ECW-0333,0290,0843(90.12)

당관 강신성 공사및 김광동 참사관은 4.15-17 간 스트라스부르그 소재 구주의회 본부를 방문, 아래 구주의회 의원및 관계인사와 면담, 남북한관계 (통일문제), 아국의 UN 가입문제, 인권문제및 IPU 평양총회등 관련 아측의 UN 가입 메모란덤, 북한 인권관련 자료를 전달하고 아측입장을 상세 설명하였는바 동인들의 반응을 아래 보고함

1. JAMES FORD 사회당 그룹 부의장

0 구주의회 사회당그룹의 평양방문 계획과 관련, 동의원은 자신을 단장으로4-5 명으로 구성된 대표단이 평양방문후 판문점을 경유, 서울을 방문하는 문제에 대하여 약 1 개월전 파리주재 북한대사가 스트라스부르그를 방문, 자신에게 구두로는 문제가 없을것이라고 하였으나 이를 문서로 확인하기 위하여 2 주전에 서신을 동대사에게 발송하고 회답을 기다리고 있다함

0 북한 방문목적은 북한이 현 국제조류에 부응한 정책변화를 유도하도록 일조하는데 있으며 동시에 북한측이 EP 와 공식관계 설립을 제의해온데 대하여 그럴만한 VALUE 가 있는지 타진하기 위한것이라 함

0 남. 북한 방문은 북한측의 판문점 경유에 관한 공식입장을 받아본후에 최종 결정될 것이며 금번 북한방문이 북한개방 유도에 큰 뜻이 있으므로 판문점경유가 중요하다고 강조함

0 한국 방문시 3-4 일 체류예정이며 일정은 아측이 작성하는대로 따를 계획이나 정부 고위관리, 야당인사 면담및 HIGH-TECH 산업시찰 (반나절) 을 희망한다함

2. KENNETH COATES 인권소위 위원장

구주국 차관 1차보 2차보 구주국 국기국 정문국 안기부

PAGE 1

91.04.19 10:17

외신 2과 통제관 BW

0159

0 대호 민협측의 서신을 아직 자신이 접수한바 없으며, 여사한 청문회 개최를 요청하는 서신을 각국의 여러 단체들로 부터 수백통 접수하고 있는바 팔레스타인 난민및 KURDS 족 문제와 같이 국제적으로 명백한 인권문제가 있는 경우를 제외하고는 각 사안을 심의하여 청문회 개최여부를 결정하기 이전에 관련국과 사전 협의를 하는것이 관례이므로, 한국과 관련된 문제가 제기되는 경우 아측과 사전 협의하겠다 함

3. MICHAEL HINDLY 사회당 그룹의원

0 자신이 북한관계 보고서작성을 위하여 작년 5 월 평양방문 이후 북한측으로 부터 몇차례의 접촉시도가 있었으나 이를 거절한 이후 최근에는 접촉 움직임이 전혀 없다함

0 동인은 상기 보고서의 결론부분에서 EC 는 북한을 책임있는 국제사회의 일원으로 유도해 내도록 북한의 개방을 촉구하였다 하며, 남. 북한 통일문제에 대한 돌파구는 김일성 사후에나 가능하지 않겠느냐고 반문함

4. KARLHEINZ NEUNNEITHER 섭외 총국장

0 당초 IPU 평양총회에 사무국직원 1-2 명을 파견할 계획이었으나 내부사정으로 아무도 파견치 않기로 방침을 변경하였다 함

0 주불 북한 대표부로 부터 수시로 접촉 요청을 받고 있으나, 지난 3 월 주불 북한대사가 사전약속없이 자신을 찾아와 EP 와 공식 관계를 수립할 것을 제의해온데 대하여 EC 집행위와 협의한바, 집행위측이 북한. 집행위 관계가 선행되기이전에 EP 가 공식관계를 가질수 없다는 의견을 제시함에 따라 북한측과의 접촉을 회피하고 있다함. 끝

(대사대리 강신성-국장)

예고: 91.12.31. 까지　　　검토필(1991.6.30) 3

PAGE 2

0160

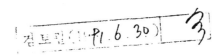

관리번호	91-363

외 무 부

종 별 :

번 호 : BLW-0261 일 시 : 91 0418 1655

수 신 : 장관(동구이,국기,국연,정일,기정동문)사본:김좌수대사

발 신 : 주 불가리아 대사대리

제 목 : 불.한친선의원협회 회장등 접촉(자료응신 제57호)

1. 당관 방참사관은 4.18(목) 주재국 국회 불.한친선의원협회 DROUMEV 회장(UDF 소속, VARNA 지역구 출신의원)과 TENEV 부회장(BSP 소속, 소피아 지역구 출신의원)을 오찬에 초청, 양국관계 증진, 특히 향후 국회교류 증진에 관하여 의견을 교환하였는바, 동의원들이 언급한 내용을 요지 다음같이 보고함.(동 오찬석상에는 당관, 최참사관과 박서기관, 불가리아 국회 IPU 불가리아위원회 사무국 PASTARMADJIEVA 국장이 동석함)

-불가리아 국회는 지난 2 월초 불.한친선협회를 구성한바 있다하며, 현재 국회내에 27 개 친선의원협회를 구성하였다함. 한편 북한과의 친선의원협회 구성은 현재로서는 고려하고 있지 않다고 부언함.

-아국 국회와 상호방문 등 실질적 교류를 하기에는 현국회가 사실상 시한부국회이고, 재정적인 문제점도 있어 어려운 상황이므로 우선 양국 국회간의 정보교류를 선행하고자 한다 하면서, 아국국회를 소개하는 자료등(국회법등)제공하여 줄 것을 요청함(아국 국회소개 관련 자료 송부 건의함).

-금번 평양개최 IPU 총회에 CHAVDAR KYURANOV 의원(IPU 불가리아위원회 부위원장(BSP 소속))과 BOGDAN ATANASSOV(UDF 소속)의원(2 명)이 참석한다하며 4.25. 당지 출발, 모스코바 경유 4.26. 평양 도착예정이라함.

2. 당관 방참사관은 동석상에서 아국의 유엔가입에 관한 입장을 상세 설명하고, 국회차원의 협조를 당부하였는바, 긍정적인 반응을 보였으며 향후 당관 김대사 귀임시 다시 만나기로 약속함(금일 가진 오찬은 불가리아 국회측이 당관과 접촉을 희망한바 있어 당관이 동 오찬을 주최함)

3. 주재국 국회가 구성한 불.한 친선의원협회 명단(9 명)은 다음같음.

-NIKOLAI IVANOV DROUMEV (UDF)(회장)

구주국	장관	차관	1차보	2차보	국기국	국기국	정문국	안기부
국회								

PAGE 1

91.04.19 00:00

외신 2과 통제관 CH

0161

-IVAN PENEV TENEV (BSP) (부회장)

-STEFAN STEFANOV ZLATEV(UDF)(간사)

-BLAGOI ALEXANDROV DECHEV(BSP)

-EMIL IVANOV YOTSOV(BSP)

-ELENKO LUBOMIROV BOZHKOV(UDF)

-NIKOLAI DIMITROV SLATINSKI(UDF)

-OGNIAN TIHOMIROV MISHEV (인권및 자유운동당)

-STOYAN BORISSOV STOYANOV(BSP). 끝.

(대사대리 방병채-국장)

예고: 91.12.31. 까지

19 91.12.31.에 일반문에 의거 일반문서로 재분류됨

검 토 필(1991.6.30.)

PAGE 2

0162

검토

관리번호	91-1159

외 무 부

종 별 :

번 호 : BBW-0288 일 시 : 91 0418 1800

수 신 : 장관(국연,구일,사본:정우영 주벨대사)

발 신 : 주 벨기에 대사대리

제 목 : 유엔가입 추진

공람		정보1과	정보2과	홍보과	문화과	의신1과	의신2과
	년월일		0				

대:WECM-0022

연:BBW-0260,0250

1. 대호, 당관 유서기관이 주재국 외무부 NARTUS 아주국장에 확인한바에 의하면, TIAN ZENPEI 중국 외교부 부부장의 주재국 방문은 6.8-12 로 추진중이라하며 벨중 양국간 정책 협의회는 없다함.

2. 한편 지난 주말 안트워프 시장 초청에의해 주재국을 방문한 ZHU RONGJI 상해 시장은 동인의 구주순방중 부수상에 임명됨에 따라, 4.12 EYSKENS 외무장관과도 면담(사전 준비없는 즉석 면담형식)이 있었다하며, 주재국측은 중국의 인권문제에 관심을 표명하였고, 동 부수상은 EYSKENS 장관의 중국 방문을 구두 초청하였다함.

3. 연호 URBAIN 통상장관이 인솔하는 벨. 중국 혼성위 대표단의 일원으로 중국 방문중인 ROELANTS 외무부 사무차관은 TIAN ZENPEI 중국 부부장과도 면담할예정이나, 아국의 유엔 가입문제를 거론할 계제는 되지않을것으로 보임.

4. 이외 주재국 각료급 인사로서는 GEENS 협력장관 및 COLLA 체신장관이 5 월 및 6 월중 중국 방문을 추진중이라함. 끝.

(대사대리 김왕회-국장)

일반문서로 재분류(1991.12.31. 일반 .)

검 토 필 (1991. 6. 30.)

검 토 필 (1992. 6. 30.)

국기국 차관 1차보 2차보 아주국 구주국 구주국 정문국 청와대
안기부

PAGE 1

91.04.19 04:47

외신 2과 통제관 BS

0163

관리 번호	91 -254k

원 본

외 무 부

종 별 :

번 호 : UNW-0963 일 시 : 91 0418 1830

수 신 : 장관(국연,서구이,기정)

발 신 : 주 유엔 대사

제 목 : 유엔가입 교섭

당관 최종무 참사관의 표제 교섭 반응 요지 아래보고함.

1. 핀랜드(4.16 NYMAN 참사관)

가. 아국의 유엔가입을 지지하며 도울수있는 일이 있으면 협조하겠음.

나. 남북한이 유엔가입 문제에 대하여 합의하는것이 가장 좋은것으로 보나 작년도 추진 보류등 그간의 아측 노력을 평가함.

다. 그러나 동인은 아측이 어떠한 대안(명년도로 연기하는등) 을 고려하고 있는지 여부및 중국측의 최근 태도등에 관심을 표명하였음.

라.(평가): 동인의 반응으로 보아 핀랜드가 적극적, 공개적으로 지지하기는어려울것으로 보였으나 가입지지 입장은 확인할수 있었음.

2. 아이슬랜드(4.18 GISLASON 참사관)

가. 전반적인 분위기가 아국의 가입에 대하여 호의적인 것으로 보며(중국이기권할것으로 전망하면서) 아이슬랜드로서는 안보리의 권고가 있으면 이를 찬성할것으로 믿음.

나. 만약 총회에서 표결이 있는경우 , 쿠바등 수개국을 제외하고 아국의 가입안을 모두 지지할것으로 봄.

다. 본국정부에 상세내용을 보고하겠으며 양국간 상주공관이 없음을 감안, 상호 CONTACT POINTS 가 되기로함.

라.(평가): 금일 접촉시 반응으로 보아 아이슬랜드는 지지하는데 어려움은 없을것으로 감지되었음.

3. 덴마크(4.22 NIELSEN 서기관)

가. 덴마크의 입장은 보편성원칙에 따라 아국의 가입을 지지한다는것을 분명히 하고있음.

국기국 장관 차관 1차보 2차보 구주국 청와대 안기부

PAGE 1 91.04.19 08:42

외신 2과 통제관 CE

0164

나. 아국가입에 관건이될 중국측의 태도에 변화징후가 있다고 보는지 문의하면서 관심을 표명함.(최참사관은 중국이 반대하지 않을것이라는 판단하에 아측이 최근 각서배포등 각국 교섭에 임하고 있으며 다수 국가가 아국가입을 지지하는 분위기가 확산되면 중국이 거부권을 행사하기 어려울 것이라고 답변하였음.)

다.(평가): 동인은 고르비의 방한, 코스타리카의 지지문서 회람등 관련사항을 잘알고 있으며 단독 신청이더라도 덴마크가 아국의 가입을 지지할것이라고 언급하는등 확실한 지지입장을 보여주었음. 끝

(대사 노창희-국장)

예고:91.12.31. 일반고문에 의거 인반문서로 재분류됨

검토필(1991.6.30)

PAGE 2

0165

ou 7i

관리 번호	91 -2567

외 무 부

종 별 :

번 호 : CZW-0328 일 시 : 91 0419 1730

수 신 : 장 관(동구이,국연)사본:선준영 주체코대사

발 신 : 주 체코 대사대리

제 목 : 외무차관 방한

4.19(금) SOUKUP 국장에게 확인한 바, PALOUS 차관 수행, HYKL 보좌관과 함께 예정대로 4.21(일) 당지 출발한다 함. 끝.

(대사대리 최승호-국장)

예고:91.12.31. 일반 (예고문에 의거 일반문서로 재분류됨)

검 토 필(1991.6.30.)

구주국 차관 1차보 2차보 구주국 국기국 청와대 안기부

PAGE 1 91.04.20 06:22

외신 2과 통제관 FI

0166

관리 번호	91-2621

원 본

외 무 부

종 별 :

번 호 : ITW-0593 일 시 : 91 0422 1735

수 신 : 장관(국연,구일,김석규이태리 대사)

발 신 : 주 이태리 대사대리

제 목 : 가입추진

대 WECM-22

연:ITW-0494(구일)

대호 주재국 외무성과 중국 외교부와의 상호 교환 방문 계획에 관하여 외무성측에 탐문한바 연호, DE MICHELIS 외상의 한.일.중국등 아주지역 방문추진계획(시기 미정이나 빠르면 5 월말 예정)외에는 계획된것이 없다함.끝

(대사대리 황부홍-국장)

예고:91.12.31. 일반

국기국 차관 1차보 구주국 구주국

PAGE 1

91.04.23 06:50

외신 2과 통제관 CE

0167

관리 번호	91-2670

원 본

외 무 부

종 별 :

번 호 : POW-0261 일 시 : 91 0423 1200

수 신 : 장관(국연)

발 신 : 주 폴부갈 대사

제 목 : 가입추진

대:WECM-0022

대호건 주재국 외무성에 4.22 확인한바, 마카오 문제를 제외하고는 금년중 중국외교부와의 추가 교환 방문계획이나 정책 협의회는 없을것이라고 함. (단 91 년 유엔총회 기간중에는 EC TROIKA 의 일원으로서 중국측과 접촉예상됨)

(대사조광제-국장)

예고:91.12.31 일반고문에 의거 일반문서로 재분류됨

검토필(1991.6.30)

국기국 장관 차관 1차보

PAGE 1

91.04.23 20:55

외신 2과 통제관 CH

0168

면 길

관리 번호	91 —2605

외 무 부

종 별 :

번 호 : BLW-0274 일 시 : 91 0423 1750

수 신 : 장관(동구이,영사,국연)사본:김좌수 주불가리아대사

발 신 : 주 불가리아 대사대리

제 목 : 외무장관 방한

연:BLW-0259(1),0271(2)

1. 당관 방참사관은 4.23(화) 외무부 아주국 TONEV 국장의 초치로 동국장을방문, VULKOV 외무장관 방한관련 협의한 바, 이를 다음 보고함.

가. 외교관등 비자면제협정 제의

- 동협정(안): 별전 참조

- AGREEMENT 라고 했지만, 외무장관 방한시 아국 관례에 따라 양해각서 또는각서 교환방식이나 공동성명을 발표할 경우 동성명에 포함시키는 방식도 좋음.

나. 동국장은 VULKOV 장관이 최근 헝가리(4.17-18)및 루마니아(4.22-23)방문 등으로 분주하여, 장관 수행 방한대표단 및 방한 스케쥴 결정이 늦어지고 있음을 미안하게 생각한다고 하고, 가능한한 VULKOV 장관이 루마니아 방문으로부터귀국하는대로 알려주겠다함.

다. 동국장은 방참사관에게 고르바쵸프 소련대통령의 방한 결과에 관하여 문의하여, 아국정부로부터 공식통보를 받지 못하였으나 공식통보있는대로 알려주겠다함. 방참사관은 우선 연호(2) 당지 일간지 보도내용을 설명한 바 있음.

2. 연호 실무대표 단장간의 양국 외무장관앞 서명 및 외교관 등 비자면제 합의제의에 관한 아측입장과 함께 고르바쵸프 방한결과 회시바람. 끝.

(대사대리 방병채-국장)

예고:91.12.31. 일반(원본수신처)

19 에 예고문에 의거 일반문서로 재분류됨

91.5.31. 파기(사본수신처)

검 토 필(1991. 6. 30.)

구주국 차관 1차보 구주국 국기국 영교국 청와대 안기부

PAGE 1 91.04.24 05:50

외신 2과 통제관 FI

0169

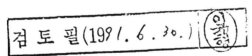

관리 번호	91-2660

원 본

외 무 부

종 별 :

번 호 : UNW-1015 일 시 : 91 0423 2000

수 신 : 장관(국연,서구일,기정)

발 신 : 주 유엔 대사

제 목 : 주유엔 터키교섭

1. 당관 최종무참사관은 금 4.22. 당지 터키대표부 AGET 참사관을 접촉한바, 동인 언급요지 아래보고함.

가. 본국의 구체적 훈령을 받지 않았더라도 터키가 아국의 가입을 지지하는것은 당연하다고 생각함.

나. 동구권의 변화등에 비추어 회원국중 아국의 가입을 반대할 국가는 극히 소수일것으로 봄.

다. 고르비의 방한등으로 아국의 가입전망이 매우 밝아졌다고봄

라. 안보리의 최근 표결 경향에 비추어 아국의 가입문제관련, 중국이 거부권을 행사하기는 어려울것으로 봄.

2. 동인은 본부근무시 아국관계 업무를 다루었다고 하면서 앞으로 관련 동향을 알려주는등 적극협조 하겠다 하였음. 끝

(대사 노창희-국장)

예고:1991.12.31 일반 재분류 검토필(1991.6.30)

1991.12.31에 일반문서로 재분류됨

국기국 장관 차관 1차보 2차보 구주국 청와대 안기부

PAGE 1

91.04.24 10:06

외신 2과 통제관 DO

0170

UN 1W

관리 번호	91-2662

원 본

외 무 부

종 별 :

번 호 : UNW-1016 일 시 : 91 0423 2000

수 신 : 장관(국연,서구일,기정)

발 신 : 주 유엔 대사

제 목 : 주유엔 그리스 교섭

1. 당관 최종무참사관은 금 4.22. 당지 그리스대표부 MOSCHOPOULOS 서기관을 접촉한바 동인 언급요지 아래보고함.

가. 그리스는 아국의 유엔가입을 지지하며 이는 EC 의 공동입장임.

나. EC 회원국이 아국의 가입을 지지하지 않는다면 놀라운 일일것임.

다. EC 회원국간 상기 입장을 협의하는 과정을 거치게 될것임.

라. 아국의 가입실현에 중요한 요소인 중국의 태도가 점차 변하고 있음을 잘알고있음.

2. 상기 접촉시, 동인은 중국이 결국 기권하게 될것으로 전망하면서 그리스가 아국의 가입을 지지하는데 아무런 문제가 없을것이라고 말하였음. 끝

(대사 노창희-국장)

예고:91.12.31 일반

1991.12.31에 예고문에 의거 일반문서로 재분류됨

검토필(1991. 6. 30)

국기국 장관 차관 1차보 2차보 구주국 청와대 안기부

PAGE 1 91.04.24 10:07

외신 2과 통제관 DO

0171

관리 번호	91 -2705

원 본

UN

외 무 부

종 별 :

번 호 : UNW-1021　　　　일 시 : 91 0424 1030

수 신 : 장관 (국연,동구이,기정)

발 신 : 주 유엔 대사

제 목 : 주유엔 체코대사 면담

1. 본직은 4.23. KUHAN 체코대사를 면담, 아국 유엔가입에 대한 지지와 계속적 협조를 요청한바, 동대사는 45 차 총회시 체코 외무장관이 기조연설에서 밝힌바와 같이 체코는 아국의 유엔가입을 지지하고 가능한 협조를 다할것 이라고 말하였음.

2. 동대사는 개인적으로 중국이 거부권을 행사하지 않을것으로 생각하나 보다 확실하게 하기 위해 중국 원로 지도자들에 대한 사전 설득이 필요할것으로 본다고 말하였음. 끝

(대사 노창희-국장)

예고:91.12.31. 일반

19 . . . 에 예고문에 의거 일반문서로 재분류됨

검 토 필(1991. 6. 30.)

국기국　차관　1차보　2차보　구주국　청와대　안기부

PAGE 1　　　　91.04.25　00:01

외신 2과 통제관 CF

0172

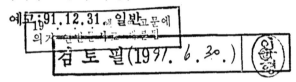

관리 번호 91-2704

외 무 부

종 별 : 지 급

번 호 : ITW-0608 일 시 : 91 0424 1500

수 신 : 장관(구일,국연, 사본:김석규 주이태리 대사)

발 신 : 주 이태리 대사대리

제 목 : 주재국 외상방한

연:ITW-0494,0593

1. 연호, 데미킬리스 외상의 5 월말 아주지역 방문 가능성을 감안, 당관 문병록 참사관은 금 4.24. 외상관방실 "훼라리" 담당비서관과 접촉, 동외상의 방한 가능 시기를 타진한 바, 외상관방실은 금주초 주한 이태리 대사에게 전화 지시하여 5.22.-23. 간의 방한희망을 아국 외무부에 제시토록하였으며, 동대사로 부터 아측의 긍정적인 반응이 있었음을 보고 받았다고 언급하였음.

2. 동인에 의하면 데미켈리스 외상은 5.19. 출국하여 5.20.-21. 중국, 5.22.-23. 한국, 5.24.-25. 일본등 3 개국을 방문하는 짧은 출장계획을 추진중이라 함.

3. 상기 방한희망일정을 주한 이태리대사관으로부터 통보받았는지 여부를 회시 하여 주시기 바람. 끝

(대사대리 황부홍-국장)

예고:1991.12.31. 일반 의거 일반문서로 재분류됨 검토필(1991.6.30.)

구주국	차관	1차보	2차보	구주국	국기국

PAGE 1

91.04.24 23:16

외신 2과 통제관 CF

0173

관리 번호	91-2702

원 본

외 무 부

종 별 :

번 호 : SZW-0207 일 시 : 91 0424 1730

수 신 : 장 관(국연,사본:주유엔대사(중계필)

발 신 : 주 스위스 대사

제 목 : 유엔가입 정부각서 배포

연: SZW-0192

대: EM-0009

1. 본직은 금 4.24. 주재국 외무성 정무 2 국장 SIMONINE 대사와 면담 유엔가입에 관한 아국입장을 설명하고 주재국이 유엔회원국은 아니나 아국의 유엔가입을 위한 가능한한 측면지원을 요청하였음.

2. 동대사는 비회원국인 주재국에 대한 아측의 통보및 배경설명등 배려에 감사를 표시하면서 주재국으로서는 아국의 입장을 충분히 이해하며 이를 자국 주유엔대사에게도 통보하겠다고 하면서, 국제 분쟁적문제에 공정한 중재자로서의 주재국이 남북한간 문제에도 유익한 역할을 할수 있도록 노력하겠다고 언급하였음. 끝

(대사 이원호-국제기구조약국장)

예고:91.12.31. 일반 문서로 재분류됨

검토필(1991.6.30)

국기국 차관 1차보 2차보 청와대 안기부 구주국

PAGE 1 91.04.25 01:56

외신 2과 통제관 BW

0174

통 화 요 록

1. 통화일시: 91.4.24(수) 17:30

2. 통화내용

주한 이태리대사:

- De Michelis 외무장관은 5.22(수)~24(금)간 방한을 희망하고 있는 바, 이에대한 한국측 입장을 문의하고자 함. De Michelis 장관은 5.19(일)~22(수)간 중국 방문 예정임. 귀국길에 동경에 1박할 가능성도 있으며 5.26(일)까지는 귀국하여야 함.

서구1과장 :

- 귀측이 제시한 기간이 여타 외빈 방한 일정과 중복됨. 상부에 보고, 우리측 입장을 알려 주겠음. 끝.

공람	서구1과	91년 월 일	담당	과장	심의관	국장	차관보	차관	장관

0175

관리 번호	91-2715

분류번호	보존기간

발 신 전 보

번 호 : WUN-1096 910425 1622 FL 종별 :

수 신 : 주 유엔 ~~루마니아~~ 대사. 총영사 (사본 : 주유엔대사, 국제기구조약국장) 루마니아

발 신 : 장 관 (국연)

제 목 : 주한 루마니아대사 면담

1. 4.25. 주한 이지도르 루마니아대사는 국제연합과장을 방문, 우리의 유엔가입문제와 관련, 논의한바 동 요지를 다음 통보함.

가. 이지도르대사는 우리의 가입문제가 안보리에서 처리된후 만약 총회에서 표결이 있게 된다면, 대략 어느정도의 찬반을 예상하느냐고 문의함. 이과장은 그러한 예측은 해본적이 없으나 개인적인 느낌을 굳이 언급한다면 우리와 수교한 국가가 139개국인 만큼 120개국 이상은 찬성할 것으로 보며, 또한 작년 총회 기조연설시 북한입장을 지지한 국가정도(10여국)가 반대할지 모른다고 말함.

나. 이지도르대사는 작년 루마니아가 우리측 요청에 따라 중국측에 이문제를 제기하였음을 상기하고, 중국도 한국입장에 대한 압도적인 국제적 지지 분위기를 인식하고 있을 것이라고 하고, 중국의 보다 확실한 입장을 도모하기 위하여는 그와 같은 분위기를 중국측에게 잘 전달해야 할 것이라고 함.

다. 또한 이과장이 동 대사의 문의에 따라 중국측의 최근 태도(동시가입 선호 및 이를 북측에 설득중, 북한의 단일의석 가입안 일축등)에 관하여 설명한바,

보안 통제	

계속...

앙 고 재	91년 4월 25일	유엔 과	기안자 성명		과 장		국 장	1차보	차 관	장 관
							출장중	전결		

외신과통제

0176

동 대사는 금후 중국측이 우리의 가입신청에 반대 한다면 그것은 중국의 진의가 아니라 북한측 입장을 그대로 받아들인 것으로(대국이 소국의 억지주장을 받아들이는 격) 보아야 할 것이라고 말함.

라. 한편, 아지도르대사가 중국측이 만약 한국측에게 금년에 신청을 한번 연기해 달라는 요청을 할 경우 우리측이 어떻게 대응할 것인가라고 문의하였기에 이과장은 우리가 북한과 함께 유엔에 들어가길 희망, 이의 실현을 위해 노력하고자 하나, 끝내 북측이 원하지 않을 경우 우리는 금년내 선가입을 실현코자 하고 있음을 강조하고, 작년도에 중국측 요청에 따라 한번 신청 연기를 한 우리에게 중국측이 다시 그와 같은 요청을 한다는 것은 상상하기 어려우며, 우리의 가입입장이 정당하고, 시기적으로 더 이상 늦출 수 없다는 당위성을 충분히 유념하고 있을 것이므로 이문제에 있어 합리적이고 현실적인 입장을 취할 것으로 본다고 언급함.

마. 이과장이 우리의 가입실현을 위해 루마니아의 적극적인 지지 표명이 요망됨을 언급하자, 동 대사는 루마니아가 우리의 유엔가입에 반대하고 있지 않다고 말함. 이에 이과장이 이문제에 관하여 중국의 긍정적인 태도 확보를 위하여는 루마니아와 같은 국가가 보다 더 확실한 지지 입장을 밝혀주는 것이 요망된다고 말한 바, 이지도르 대사는 그간 루마니아가 수차례에 걸쳐 중국측에 언급 하였음을 예를 들고, 루마니아의 보다 더 확실한 입장은 금번 특사 방문시 알게 될 것이라고 말함.

/계속...

0177

공 란

원 본

관리 번호	91 -2722

외 무 부

종 별 :

번 호 : DEW-0211 일 시 : 91 0425 1800

수 신 : 장관(국연,구이,정일,기정) 사본:김세택대사-구이경유

발 신 : 주 덴마크 대사대리

제 목 : (자료응신 제25호)

연:DEW-0189

대:WECM-0022

1. 4.25. 추서기관이 주재국 외무부 SIMONSEN 아주과장을 접촉, 전증패 중국 외교부부부장의 연호 주재국 방문일정을 확인한 바에 의하면, 전은 6.13. 부터 6.18.(또는 6.17 가능성도 있음)간 주재국 방문 예정이며 그 외에 룩셈부르그와 스위스도 방문 계획이라함.

2. 동 과장에 의하면 금번 전의 주재국 방문 목적은 천안문 사태이후 냉각상태에 있는 양국관계를 활성화하고 양국간 일반적인 정책협의를 갖기위한데 있다함.

3. 동 과장은 아측이 원하는 경우 주재국은 유엔가입을 비롯한 한반도 문제와 관련한 아국입장을 기꺼이 중국측에 대변할 용의가 있다고 말하고 아측의 거론 희망사항이 있는 경우 알려줄 것을 요청하였음.

4. 상기 중국 외교부부부장 주재국 방문과 관련한 대주재국 교섭사항 회시바람.

끝.

(대사대리-국장)

검토필(1991.6.30)

예고:91.12.31. 일반 문에 의거 인반문서로 재분류

① 이북 방문계획은 보고. 指示 예정

국기국 차관 1차보 2차보 구주국 구주국 정문국 안기부

PAGE 1 91.04.26 04:56

외신 2과 통제관 DO

0179

관리 번호	91 -2055

원 본

외 무 부

종 별 :

번 호 : UNW-1047 일 시 : 91 0425 2015

수 신 : 장관(국연,서구일,기정)

발 신 : 주 유엔 대사

제 목 : 대 아일랜드 교섭

1. 당관 최종무 참사관은 금 4.24. 당지 아일랜드 대표부 CORY 서기관을 접촉한바 표제관련, 동인반응 요지 아래보고함.

가. 아일랜드는 아국의 유엔가입을 전적으로 지지하고있음.

나. 고르바쵸프의 방한은 북한에게 상당한 충격일것이며, 북한은 유엔가입문제로 매우 곤경에 처하게 된것으로 봄.

다. 북한도 상황이 더욱 어렵게 될것임을 인식하여 결국 가입 신청을 하게 될것으로 봄.

라.EC 제국은 앞으로 아직 시간이 있다고 판단하여 공개적인 지지태도 표명결정은 추후하게 될것으로 봄.

2. 동인은 자국 HAYES 대사의 ILC 입후보건에 관심을 표명하였음을 참고로 보고함. 끝

(대사 노창희-국장)

예고:91.12.31 일반 문에 의거 인반문서로 재분됨 검토필(1991. 6. 30.)

국기국	장관	차관	1차보	2차보	구주국	청와대	안기부

PAGE 1 91.04.26 10:24

외신 2과 통제관 CA

0180

관리 번호	91 -2756

원 본

UN

외 무 부

종 별 :

번 호 : UNW-1048 일 시 : 91 0425 2015

수 신 : 장관(국연,서구이,기정)

발 신 : 주 유엔 대사

제 목 : 대 사이프러스 교섭

당관 최종무참사관은 금 4.24 P.EFTYCHIOUS 사이프러스 참사관을 접촉한바,표제관련 동인의 반응요지 아래보고함.

1. 금일 설명내용을 본부에[84f1. 금일 설명내용을 본부에 보고하겠음.

2. 사이프러스 정부의 기본정책에 비추어 보편성원칙상 아국의 유엔가입을 지지할것으로 보며 개인적인 견해로는 아국이 유엔에 가입되지 않고있는 현실은 비정상적인 것으로 봄.끝

(대사 노창희-국장)

예고:91.12.31에 일반 고문에 의거 인반문서로 재분류됨

검토필(1991.6.30.)

국기국	장관	차관	1차보	2차보	구주국	청와대	안기부

PAGE 1

91.04.26 10:25

외신 2과 통제관 CA

0181

7ℓ

면 담 요 록

1. 일 시 : 1991 년 4 월 26 일 (금요일) 11:00~11:30

2. 장 소 : 구주국장실

3. 면 담 자 : 권영민 구주국장, Dino Volpicelli 주한 이태리대사
   (배석 : 서구 1과 장태신 서기관)

4. 면담내용 :

국 장 :

o 4.24 이태리측에서 제의한 De Michelis 외무장관의 방한(5.22~24) 문제를 현재 일본 방문중인 장관께 보고드렸는 바, 장관께서는 5월중기 확정된 여타 외빈 방한계획과 중복되기는 하나 이태리와의 우호관계를 감안, 이태리측 제의대로 수락토록 지시 하셨음.

o 이상옥 장관께서는 국제적으로 명망이 높은 De Michelis 장관의 방한을 환영하며, 곧 만나뵙기를 고대하고 계심.

대 사 :

o 한국정부의 배려에 감사함. 오늘 동 내용을 본국 정부에 보고하겠음.

o 5월중 여타 외빈 방한계획을 알려주시기 바람.

국 장 :

o 5월중 불란서 수상, 벨지움 외상, 터키 수상, 불가리아 외상, 멕시코 외상, 말레지아 외상등의 방한이 계획되어 있음.

o 대통령예방, 외상회담등 일정 작성에 여유(flexibility)를 가지는 것이 좋으므로 가능하면 서울 도착 및 출발시간은 낮시간으로 하는것이 좋을것임.

공람	서구1과	91.4.26	담 당	과 장	심의관	국 장	차관보	차 관	장 관
			장태신	(서명)	(서명)	(서명)			

0182

대 사 :

o 총리 예방은 가능한지? 국립묘지 헌화를 할 수 있는지?
외무장관 공식 만찬에 대해 답례만찬을 할 수 있는지? 우리측에서
경제기획원장관, 정치인, 경제인등을 초청하는 오찬을 주최하는것에
대한 귀하의 의견은?
국토통일원 장관과의 면담도 바람직 하다고 생각하는데?
판문점 방문을 일정에 포함 시키는것도 좋을것임.

국 장 :

o 통상 대통령을 예방하는 경우 국무총리는 예방하지 않는것이 관례임.
외무장관 공식 만찬에 대한 답례 만찬은 관례에 없으며, 정치인,
경제인등을 초청하여 오찬을 주최하는 것은 좋을것임.
구체적인 방한 일정은 의전실측과 협의 하는것이 좋겠음.

o De Michelis 장관께서 방한직전 중국을 방문하시게 되어 있으므로
우리의 요청사항을 몇 말씀 드리겠음.
잘 아시다시피, 우리 정부는 금년내 남북한 유엔가입을 추진하고
있으며 북한이 반대하거나 아직 가입준비가 안되어있으면 우선
우리만이라도 가입하기를 희망하고 있음. 우리로서는 우리가 먼저
유엔에 가입하게 되면 북한도 곧이어 가입 할 것으로 믿으며 이는
한반도 긴장완화 및 화해에 큰 도움이 될 것으로 믿고있음.

o 우리의 유엔 가입을 위하여는 중국의 역할이 매우중요하므로
De Michelis 장관께서 중국 방문기회에 이러한 우리의 입장을 중국측에
잘 설명하여 주시면 우리의 유엔 가입에 많은 도움이 될 것임.

대 사 :

o 귀하가 말씀하신 한국정부의 요청을 본국정부에 보고하겠음.
De Michelis 장관께서는 한국의 유엔가입관련 입장을 잘 이해하고
있으며 또 전적으로 한국정부 입장에 동조하고 있으므로 상기
요청을 흔쾌히 들어주실 것임.

o 한국의 유엔가입 문제와 관련하여 본인은 한국정부가 유엔가입전에
북한측에 대해 유엔가입문제를 포함하여 여러가지 남북한 문제에
대한 포괄적인 제의(package offer)를 하는것이 어떨까 생각함.

북한이 한국측의 제의를 거부하면 한국으로서는 단독 유엔가입 추진을 위한 구실(excuse)을 얻게되고, 중국의 입장으로서도 한국의 유엔가입을 도와주는데 대한 부담이 덜하게 될 수 있을것임.

국 장 :

o 문제는, 우리는 유엔가입문제를 우리의 외교정책의 일부로 다루고 있는데 비해 북한측은 유엔가입문제를 통일정책의 일부로 인식하고 있어 어려움이 많음. 유엔가입문제를 남북 고위급 회담등에서 세차례 협의했지만 북한측은 이를 통일정책의 일부로 간주, 계속 거부하고 있음.

대 사 :

o 한국정부가 매우 어려운 상대와 협상하고 있다는 것을 잘 알고있음.

o 한국측 IPU 대표단이 방북하는 것으로 아는데 노대통령의 친서를 가지고 가는지?

국 장 :

o 본인으로서는 알지 못하고 있음.

o 끝으로 박동진 대통령 특사의 이태리 방문과 관련 제반협조(수상 및 외상 면담등 주선 포함)를 부탁드림.

대 사 :

o 잘 알겠음. 박동진 특사와 며칠후 오찬약속이 되어있는 바, 박특사와 협의후 가능 한 모든 협조를 재공토록 노력하겠음. 끝.

관리 번호	91-2061

원 본

K/UN

UN

외 무 부

종 별 :

번 호 : HOW-0198 일 시 : 91 0426 1800

수 신 : 장관(국연,구일) 사본: 최상섭 주화란대사

발 신 : 주 화란 대사대리

제 목 : 화.중 정책 협의회

유엔가입 거론 되도록, 동시가입 21니, 선가입 21거

대:WEUM-0022

1. 당관 엄참사관은 4.26 HOFFMAN 아주국장 보좌관과 접촉기회에 주재국측과 중국 외교부간 인사교환 및 정책협의회 개최등 계획이 있는지 문의한 바, 동 보좌관은 보안임을 당부하면서 5.8 부터 화란. 중국간 정책협의회가 개최될 예정이라고 말하고, 동 정책협의회에는 중국 외교부 유럽담당 차관보가 수석대표로 참가할 예정이라고 언급함.

2. 동 보좌관은 이어 금번 정책협의회는 지난 4.8-10 간 당지 개최 GLOBAL PANEL 에 참가한 주용기 부총리(전 상해시장)의 주재국 정부 지도자 접촉과정에서 중국측 요청을 받아 들여 이루어지는 것이며, 동 협의회에서느 동북아 정세 토의시 아국의 유엔가입문제 및 북한의 핵시설 사찰문제가 자연스럽게 거론될 것으로 예상하고 있다함.

3. 동 보좌관은 또한 아국의 유엔가입문제에 대하여느 EC 의 공동입장에 입각한 화란측 견해를 설명하고, 북한이 현실적인 입장을 취해 국제사회 책임있는 성원으로 나올 수 있도록 유도하는데 대한 필요성과 북한의 핵개발 문제에 대한 심각성이 강조될 것으로 본다고 언급하면서 중국측 반응등 있는대로 알려주겠다 함.

4. 엄참사관은 주재국의 확고한 아측입장지지와 협조에 사의를 표명하고 이와같은 주재국의 대중국교류는 중국에 대한 EC 의 제재조치가 해제된 것을 의미하는지 문의한데 대해, EC 는 국가 또는 정부수반의 중국방문과 군사분야협력을 제외하고는 사실상 대중국관계를 개선하고 있다고 언급함.

5. 전기 중국대표단의 여타 서구제국 방문 및 수석대표의 성명에 관하여는 파악되는 대로 추보함.

(대사대리 엄근섭-국장)

국기국 차관 1차보 구주국 구주국 청와대 안기부

PAGE 1 91.04.27 06:59

외신 2과 통제관 FE

0185

예고:91.6.30. 일반

PAGE 2

0186

관리번호 91-402

7W
4N

심의관

협조문용지

분류기호 문서번호	동구이 20276-703	( )	결재	담 당	과 장	국 장
시행일자	1991. 4.27.					
수 신	수신처 참조	발 신	구주국장			
제 목	한.체코 외무차관 면담결과					

Martin Palous 체코 외무차관이 유종하 외무차관 초청으로 4.22-23간 방한한 바, 양국 외무차관 면담요록을 별첨 송부하오니 업무에 참고하시기 바라며, 귀국 소관사항에 관해서는 적의 조치하여 주시기 바랍니다.

첨부 : 동 면담요록 사본 1부. 끝.

수신처 (~~예고~~) : 국제기구조약국장, 국제경제국장, 정보문화국장

검 토 필(1991. 6. 30.)

1991.12.31. 에 예고문에 의거 일반문서로 재분류됨

0187

한, 체코 외무차관 면담요록

1. 면담일시 : 1991. 4.23(화) 10:00-11:00

2. 면담장소 : 외무차관실

3. 배 석

(체코측) Soukup 아주국장, Hykl 차관수석보좌관 Dryak 주한상무관

(아 측) 선준영 주체코대사, 한태규 구주국심의관, 김종재 동구2과장

4. 면담요지

(차 관)

ㅇ 방한을 환영함. 양국관계가 계속 발전되고 있음에 만족함.

(Palous 차관)

ㅇ 초청에 감사함. 체코 정세에 관해 설명드리고자함

ㅇ 바르샤바 조약기구의 군사조직이 와해되어 안보면에서 NATO와 긴밀한 관계를 갖고자 노력중임. 그러나 현재로서는 NATO 가입을 원하는 것은 아님. 아울러, 인접국인 소련.독일등과도 안보적 측면에서 양자 조약 체결을 추진중이며 미국과도 정치·경제·군사적 관계를 강화시키고자 노력함.

ㅇ 경제면에서는 매우 어려운 문제점을 안고 있음. 전통적 해외시장이었던 COMECON 시장이 와해되고 경제개혁으로 인한 전환기적 상황으로 기업 도산등 많은 어려움이 있음.

0188

o 경제개혁을 위해 아국 정부는 외국기업의 투자를 기대함. 독일이 가장 많이 진출하고 있으나, 우리는 독일의 경제 지배를 원치 않으며 그들의 비중을 줄이고자 다른 국가들의 참여를 원하고 있음. 따라서 우리는 한국 기업의 진출을 적극 환영함. 이와 관련, 아국 정부는 귀국 정부와 투자보장협정을 조속 체결코자 하며 실무회담이 2-3회 개최되었던 만큼, 5월 개최 실무회담에서 합의되길 기대함.

o 또한 양국정부간 경제공동위도 조속 설치되길 바라며, 한국과 제3국 공동진출 및 한국 · 체코 · 제3국간 공동 3각관계 협력을 기대함. 체코가 중국 · 몽고 · 베트남과 특별한 관계에 있고, 동국가들이 개방 정책을 추진하고 있으므로 공동진출이 유망하다고 봄.

(차 관)

o 귀국의 경제개혁이 성공하기를 기원함. 현지 아국 대사관 개설 및 활동 지원에 감사하며, T/S 훈련 참관단 파견에 사의를 표함. 아울러, 우리의 UN가입 노력 지원에 대해서도 감사하며 다른 국제기구에서도 긴밀히 협력하고 있음을 기쁘게 생각함.

o 귀국의 개혁정책과 관련, 여러가지 새로운 정치.경제적 문제점이 발생하고 있음을 잘 이해함. 이러한 문제점의 치유 방법은 각 나라별로 상이한 만큼, 체코 국민들의 지혜와 노력으로 해결되리라 생각함.

o 우리는 체코가 여타 서구국가 수준으로 발전할 것을 확신함. 우리는 귀국과 긴밀한 파트너 관계를 이룩코자 하며, 양국관계의 장래는 매우 밝다고 하겠음.

o 우리 정부는 한국민의 최우선 목표인 통일을 위해 북한과 총리회담을 비롯, 각종 회담을 추진해 왔으나 아무런 성과가 없었음. 그러나 우리는 계속 인내심을 가지고 지속해 나갈 것임.

o 특히, UN가입 문제에 있어서 북한은 계속 반대하고 있으나. 북한의 반대가 우리의 가입 추진을 중단시킬 수 없을 것임.

0189

o 소련은 우리의 입장에 대하여 Yes라고 답하지 않았지만 분명히 우리의 입장을 이해하고 있음. 따라서 중국의 태도가 문제인 바, 아직까지 명확한 입장을 밝히지 않고 있음. 그러나, 중국은 북한측의 단일의석 가입안을 비현실적인 방안으로 평가하고 있는 만큼, 북한을 설득해 주기를 바라고 있음. 그러나, 중국은 아직 이문제를 남·북한간의 대화를 통하여 해결되기를 기대하는 듯함. 우리로서는 중국이 마지막 순간에 가서 우리의 입장에 반대하지 않기를 기대함. 귀하께서 중국을 방문할 시 그들에게 보다 건설적인 태도를 취하도록 설득해 주기 바람. 중국측이 우리의 UN가입에 대하여 거부권을 행사하지 않으면 북한이 우리를 따라 UN에 가입할 것으로 기대함. 이러한 사례는 과거에도 있었는 바, 한국의 인도와의 외교관계 수립에 있어서 북한이 처음에는 반대했으나 결국에는 승복한 바 있었고 한·소 수교에 대해서도 처음에는 무척 반대했으나 이제는 현실을 인정하고 있음. 따라서 중국측이 우리의 UN가입에 반대하지 않는다면 북한도 더이상 반대하지 못할 것임. UN문제가 내년으로 다시 넘어간다면 북한으로서도 상당한 외교적 부담을 갖게 될 것임. UN가입으로 북한은 일본.미국등 여타 서방 국가들과의 관계 개선을 확대할 수 있을 것이므로 결국은 한반도의 정세 안정에도 도움이 될 것임. 중국은 우리와의 관계 강화를 위한 여러분야에서 협력사업을 추진하고 있는 만큼, 중국측이 우리의 UN가입에 반대한다면 이러한 협력사업은 중단될 것이고 결국은 양국관계 전반에 좋지않은 영향을 미칠 것임. 귀하께서 중국 방문시 이러한 점을 잘 설명, 설득시켜 주기 바람.

(Palous 차관)

o 차관님의 말씀에 동감함. 북경 방문후 결과는 귀국후 선대사께 설명하겠음.

o 공산권의 위기는 항상 지도자의 계승 시기에 발생하며 이러한 관점에서 북한에도 변화가 있기를 기대함.

0190

(차 관)

o 베트남은 현재 아국과의 관계 개선을 희망하고 있는바, 아국도 원칙적으로는 원하는 바이나, ASEAN 국가 및 미국의 입장을 감안, 캄푸챠 문제 해결시 까지는 관계 정상화를 보류하고 있는 입장임. 대신 교역관계는 지속할 예정임.

(Palous 차관)

o 이제 시기적으로 보아 이 문제의 해결책도 강구해야 한다고 보며 베트남도 동 문제의 부담감에서 벗어나려 하고 있는 것으로 평가됨. 이에 관한 내용도 귀국후 선대사께 설명해 주겠음.

(차 관)

o 한·체코간 교역문제와 관련, 동 문제는 민간업계간 문제로서 우리 정부는 전반적인 지원책을 펴나가는 입장임. 아국은 동구권에서 헝가리 및 체코와의 관계를 계속 확대시켜 나가고자 함. 양국간의 협력 확대를 위해서는 법적 제도장치 강구가 필요하다고 보는 바, 투자보장협정, 이중과세방지협정, 과학기술협력협정 등 필요한 협정을 양국 정부간 조속한 시일내 체결하기를 희망함.

(Palous 차관)

o 작년에 체결된 항공협정에 의거, 프라하-서울간 직항로 개설을 기대함. 현재 프라하-북경간 직항로 개설 협의중인 바, 서울까지 연결하면 양국관계 강화에 기여할 것임.

(차 관)

o 대한항공이 서울에서 파리, 암스텔담, 런던간 직항노선을 갖고 있는 바, 북경 경유 이원권을 중국 정부와 교섭할 예정임.

(Palous 차관)

o 한·체코간 합작투자은행 설립을 제안함.

0191

o 또한 현재 체코는 군수산업을 민수로 전환시키고자 노력중인 바, 이 분야에서의 투자전망은 매우 밝음. 군수산업이 슬로바크공화국 지역에 치중되어 있는 바, 연방정부의 지원을 기대하지만 여의치 못한 만큼 이 분야의 참여를 원함. 체코는 탱크, 대포, 포탄, 대공장비등에서 우수한 제품을 생산하고 있으며 광학제품도 우수한 바, 한국 업체의 관심을 기대함.

(차 관)

o 구체적인 방안을 제시하면 검토해 보겠음. 이문제는 미국과의 사전 협의도 필요하며 법적.정치적 문제점도 검토해 보아야 하는 입장임.

(Palous 차관)

o 오케스트라 방한 공연등 문화관계 강화도 기대함.

o 또한 세계 잼버리 대회에 체코측 대표가 10명 정도 참석코자 하는 바, 재정적 어려움이 있음. 체코가 전통적으로 잼버리 대회에 계속 참가해온 만큼 한국측에서 2명만이라도 경비를 지원해 주면 감사하겠음.

(차 관)

o 동건은 검토후 결과를 알려 주겠음.

o 대통령 특사로 전 국무총리께서 귀국을 방문할 예정인 바, 좋은 성과 있기를 기대함.

(선 대사)

o Palous 차관 방한시 사증면제협정 체결을 위해서 Dienstbier 장관 서한을 휴대할 예정이었으나 아측이 절차상 시일이 소요되는 관계로 다음에 추진키로 한 바 있음.

0192

(차 관)

o 끝으로 차관께서 북경 방문시 중국측에 대하여 UN 가입에 관한 아국의 입장을 잘 설명해 주기 바람. 북한의 UN 가입은 그들에게도 매우 도움이 됨을 강조바라며, 이제 동문제의 열쇠는 중국의 손에 있음을 강조바람. 또한 우리의 입장을 대신 전달하는 방식보다는 전통적으로 중국이 체코.헝가리.폴란드등 동구국가들의 입장을 존중하고 있는 만큼 아국의 UN 가입문제에 대한 체코의 입장과 관점을 중국측에 설명하는 방식으로 설득해 주기 바람. 끝.

0193

관리 번호	91 —2804

원 본

외 무 부

종 별 :

번 호 : BBW-0303 일 시 : 91 0429 1200

수 신 : 장관(국연,사본:정우영 주벨대사)

발 신 : 주 벨기에 대사대리

제 목 : 유엔가입 추진

1. 대호 유엔 사무총장 발언관련 보도는 4.24. 자 WPI 통신의 단신 기사(불문) FULL TEXT 내용임.

2. 당관 유서기관이 동 통신사 FRINGS 국장에게 확인한바, 동인은 동 기사가 FREE LANCER 의 기고이며,4.13 자 또는 그 이전 발간된 LE COURRIER DE LA COREE 를 인용한 것으로 알고있으나, FREE LANCER 의 이름은 알려줄수 없다는 반응을 보였음. 끝.

(대사대리 김왕희-국장)

예고:91.12.31 일반 검토 필(1991. 6. 30.)

의거 일반문서로 재분류

국기국

PAGE 1

91.04.29 23:20

외신 2과 통제관 CH

0194

관리 번호 91-2819

원 본

외 무 부

UN
UN경제

종 별 :

번 호 : HOW-0199 일 시 : 91 0429 1700

수 신 : 장관(국연,구일)

발 신 : 주 화란 대사

제 목 : 화.중 정책협의회

연: HOW-0198

1. 연호와 관련, 외무부측으로 부터 입수한 정보에 의하면 표제 협의회 중국측 수석대표는 JIANG ENZHU 차관보이며, 당지에서 협의회를 마친후 동 차관보 일행은 독일을 방문할 예정으로 있다 함.

2. 표제 협의회에서는 신 국제질서, 중동정세, 1992 유럽단일시장 문제, 쏘련-EC 및 동구와의 관계, 아시아 정세(중국 국내정세, 홍콩.대만 문제, 한반도 정세, 캄보디아. 버마 정세등), 중.화관계, 군비통제 및 핵확산 방지문제등이 토의될 것이라 함.

(대사 최상섭-국장)

예고 1991.12.31.에 일반 고문에 의거 인반문서로 재분됨

검 토 필(1991.6.30.)

국기국 차관 1차보 미주국 구주국 청와대 안기부

PAGE 1

91.04.30 06:49
외신 2과 통제관 CH

0195

관리번호	91-2846

원 본

외 무 부

종 별 :

번 호 : UNW-1089　　　　　일 시 : 91 0430 1930

수 신 : 장관(국연,서구이,기정)(사본:주놀웨이대사:중계필)

발 신 : 주 유엔 대사

제 목 : 대 놀웨이 교섭

당관 최종무 참사관은 금 4.30 당지 놀웨이 대표부 SEIM 참사관을 접촉한바, 동인반응 요지 아래보고함.

1. 양국관계는 물론 유엔 보편성원칙에 비추어 놀웨이의 아국가입 적극지지는 당연한 것으로 생각함.

2. 대다수 유엔회원국도 아국의 유엔가입을 지지하고 있으나 중국때문에 가입이 아직 실현되지 못한것으로 이해하고있음.

3. 북한의 단일의석 가입주장은 일고의 가치도 없다고 생각함. 끝

(대사 노창희-국장)

예고:91.12.31 일반 검토필(1991. 6. 30.)

국기국　차관　1차보　2차보　구주국　청와대　안기부

PAGE 1　　　　91.05.01 08:43

외신 2과 통제관 BW

0196

<구주지역>

국 명	주 재 국	유 엔
체 코	o 수석 외무차관 면담(1.25) - 지지입장 불변 o 국기국장 면담(2.21) - 45차 총회내 아국의 가입 신청 예상 o 국제기구담당 외무차관 면담 (3.29) - 지지입장 불변	
아일랜드		
루마니아	o 외무장관 면담(3.14) - 남북간 합의전망이 불투명한 상황하 아측의 가입추진은 무리가 없음. o 국기국장 면담(3.22) - 사견 전제 가입지지 o 국기담당 차관(4.5) - 보편성원칙상 아무도 이의 제기 못함. o 국기국장 면담(4.9) *각서수교 - 대중협조 언급	o 주유엔대사 면담(4.2) - 가입지지에 어려움 없음. o 북경주재 한.루 1등서기관 접촉(4.12) - 정부입장은 아직 미정이나 결국 지지하게 될 것.
스 웨 덴	o 유엔과장 면담(2.19) - 조속한 가입희망 o 유엔국장 면담(4.8) * 각서수교 - 공식신청시 지지	o 주유엔대사 면담(3.27) - 현단계 가입지지에 어려움 없음.
폴 투 갈	o 대통령 비서실장 면담(2.19) - 아국입장 이해, 지지노력 다짐. o 국기국장 면담(2.29) - 아국가입 지지입장 재확인 o 국기국장 면담(3.22) - 아국가입지지	

0197

국 명	주 재 국	유 엔
	o 외무 국무상보(외상대리) 면담(4.12) - 지지 요청에 이해표명	
화 란	o 유엔과장(2.20) - 가입지지 불변 - EPC 등에서 아국요청 반영 노력	o 주유엔대사 면담(4.16) - 아국가입 적극지지 - EC 공동지지 표명은 본부에 건의 o 주유엔서기관 접촉(4.22) - 가입지지는 본국 및 EC의 입장
유 고	o 외무장관 면담(3.2) - 적극협력 약속 o 외무장관 면담(4.5) - 비동맹의장국으로 적극협조	
핀 랜 드	o 외무장관 면담(2.22) - 아국가입 성공 희망 o 정무국장(3.11) - 보편성원칙에 따라 지지 o 유엔과장 면담(4.11) *각서수교 - 보편성원칙상 동시, 단독 가입지지	o 주유엔참사관 접촉(4.16) - 가입지지, 협조약속
노르웨이	o 정무국장 면담(2.27) - 지지요청 참고하겠음. o 사무차관 면담(2.27) - 아국가입에 동감표시 o 유엔과장 면담(3.2) - 원칙적으로 지지, 남북간 타협 희망 o 외무장관 예방(3.15) - 지지요청에 이해표시 o 정무차관 면담(3.18) - 반대할 이유없으나 관례상 인접국과 협의 결정 o 아주국장 면담(3.25) - 사견상 본국정부는 보편성 원칙에 따라 지지할 것.	

0198

국 명	주 재 국	유 엔
	o 사무차관 면담(4.9) * 각서수교 - 사견상 아국가입은 당연, 최종입장은 스칸디나비아 국가와 결정	
덴 마 크	o 아주과장 면담(2.26) - 가입관련 북측 태도변화 문의 o 아주과장 면담(4.17) *각서수교 - 가입지지, 협조 약속	o 주유엔참사관 면담(4.22) - 보편성원칙상 지지
이 태 리	o 아주담당공사 면담(3.7) - IPU 참가자료 준비시 아국 요청 반영노력 o 외상면담(3.13) - 지지 확인, 대중국 설득 협조 시사 o 아주담당공사 면담(4.8) *각서수교 - 동 각서에 공감, 환영 - EPC 아시아그룹회의시 EC 지지입장 재다짐 노력 o 유엔담당참사관 면담(4.10) - 가입지지가 기본원칙	o 주유엔대사 면담(3.28) - 적극 지지에 어려움이 없음.
폴 란 드	o 유엔국장 면담(3.8) - 지지입장 확고, 협조약속 o 유엔부국장 면담(4.12) * 각서수교 - 보편성원칙상 지지입장 확고	o 주유엔대사 면담(4.4) - 계속 지원다짐
벨 지 움	o 아주국장 면담(3.28) - 벨외상 방한시 회담의제로 아국가입문제 포함 희망	o 1차보와 Dr. Suy 면담 (3.12) - 상임이사국간 콘센서스 성립위한 노력 약속 o 주유엔대사(안보리의장) 면담(4.8) - 아국각서에 no surprise 반응
오스트리아	o 외무장관 면담(3.14) - 확고한 지지 재확인	o 주유엔대사 면담(4.5) * 각서수교 - 안보리이사국으로서 지지요청에 전적인 공감

국 명	주 재 국	유 엔
불가리아	o 아죽국장 면담(3.25) - 보편성원칙에 따라 지지 - 아국의 금년 가입신청시 대다수 국가의 지지로 회원국이 될 수 있을 것임. o 아주국장 면담(4.1) - 지지입장이 자국정부의 General Idea o 아주국장 면담(4.10) *각서수교 - 공식가입 신청시 지지약속 o 불.한 친선의원협회 회장 접촉(4.18) - 국회차원 협조요청에 긍정적 반응	o 주유엔대사 면담(4.3) - 단독가입신청시 지지 언급
헝 가 리	o 국기부국장 면담(4.17) *각서수교 - 지지불변, 연내 아국가입 희망	o 주유엔대사 면담(4.2) - 어떤 형태든 가입 적극 지지
터 키	o 다자 정무차관보 면담(4.2) - 양국 우호관계상 지지는 문제없음. * 각서전달(4.9)	o 주유엔참사관 접촉(4.22) - 가입지지
룩셈브르크		o 주유엔대사 면담 - EC 공동입장 표명 요청 검토언급
아이슬랜드		o 주유엔참사관 면담(4.18) - 안보리 권고가 있으면 찬성
희 랍	o 정무총국장 면담(4.11) *각서수교 - 아국지지는 EC의 입장이며 희랍의 입장	
리히텐슈타인	o 주스위스대사 면담(4.12) *각서수교 - 보편성원칙상 적극지지	
스 페 인	o 유엔부국장 면담(4.15) * 각서수교 - 지지입장 확인	

* 카나다, 프랑스, 독일, 말타, 영국, 미국, 소련은 제외

0200

관리 번호	91-2869

원 본

외 무 부

종 별 :

번 호 : UNW-1100 일 시 : 91 0501 1900

수 신 : 장관(국연,동구이,기정)

발 신 : 주 유엔 대사

제 목 : 체코대표부 접촉

91.5.1. 체코대표부 SEPELAK 담당관은 금번 노신영 대통령특사의 동국방문 관련 본국정부로 부터 지시가 있었다고 하면서 면담을 요청해온바 당관 서참사관이 동인과 면담한 내용을 아래보고함.

1. 동인은 유엔가입 문제관련 체코는 작년 총회기조연설에서 밝힌바와같이 아국입장을 확고히 지지하며 또한 지난 4.5. 자 각서의 한국측입장이 매우 명료하고 합리적인것으로 본다고하고, 금번 특사방문 관련 준비에 참고코자 아국의 년내가입 방침에 대한 회원국 특히 주요 비동맹국의 반응, 중국의 최근태도, 이와관련 체코가 협조할수있는 방안에 관하여 아측의견 내지 조언을 구하고자 한다고함.

2. 서참사관은 체코측의 적극적 협조의향 표명에 사의를 표하고 아측의 기본입장, 최근 북한, 중.소 , 주요비동맹국등의 동향 및 태도등에 대해 상세히 설명하여 주었으며 동협조와 관련 구체적인 사항에 대하여는 본국에 보고후 재협의키로 한바 본부지시사항 회시바람. 끝

(대사 노창희-국장)

예고:91.12.31. 일반

검 토 필(1991. 6. 30.)

국기국 차관 1차보 2차보 구주국 청와대 안기부

PAGE 1

91.05.02 08:50

외신 2과 통제관 BW

0201

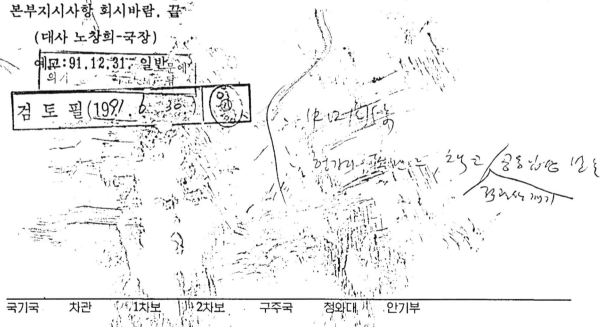

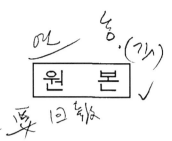

관리번호	91-2882

외 무 부

종 별 :

번 호 : HOW-0203 일 시 : 91 0502 1200

수 신 : 장관(구일,국연)

발 신 : 주 화란 대사

제 목 : 특사 파견

연: HOW-0200

HOW-0199

1. 본직은 5.1 주재국 외무부 VAN TOOREN 아주국장을 면담, 특사파견 일정 및 화란, 중국 정책협의회에 관해 협의함.

2. 본직은 우선 당지 부재 기간중 대아국 관계에 대한 관심과 제반 업무 협조에 사의를 표명하고, 특히 금번 특사 주재국 방문 성과의 극대화를 위한 협조를 당부함. 또한 화란, 중국 정책협의회와 관련, 아국의 유엔가입문제에 대한 화란의 강한 지지입장 표명과 북한이 핵안전조치를 수락토록 중국측에 적극적인 협조를 촉구하여 줄 것을 요망함.

3. 동 국장은 이에 대한 반 덴 브룩 장관은 한국 특사와의 면담에 관심을 갖고 기대하고 있다고 말하면서, 특사 방문기간중 루버스 수상의 일정이 더할 나위 없이 바쁜 사정과 특히 특사 방문건은 전적(973) 외무장관의 소관임을 설명하면서 아측의 양해를 간곡히 요청하였음. 동 국장은 한편, 특사를 위한 오찬은 WORKING LUNCHEON 으로 하여 BOT 차관이 주최토록 준비중에 있으며, 동 오찬에는 외무부 관계관등이 모두 참석예정이라면서, 동 석상에서 좋은 의견 교환이 있기를 기대한다고 언급하였음.

4. 화란, 중국 정책협의회와 관련, 동 국장은 아시아 정세 토의시 한반도 문제 거론 가능성이 있으며, 이에 관하여는 한국입장은 충분히 이해하고 있다고 말하고, 특히 한국의 유엔 가입문제에 대하여는 유엔국에서 자료를 준비, 제시할 것으로 알고 있다고 언급함.

5. 상기 주재국측 사정에 비추어 특사 수상면담 주선 가능성은 희박한 것으로 사료되는바, 본건 더이상 추진 여부 및 오찬 수락여부 회시 바람.

구주국 국기국

PAGE 1

91.05.03 06:12

외신 2과 통제관 FM

0202

(대사 최상섭-국장)

예고: 91.12.31. 일반문서로 재분류
의거 일반문서로 재분류됨

검 토 필(1991. 6.30.)

PAGE 2

0203

관리 번호	91 -2891

분류번호	보존기간

발 신 전 보

번 호 : WDE-0159 910502 1650 DN 종별 :

수 신 : 주 덴막 대사. 총영사

발 신 : 장 관 (국연)

제 목 : 유엔가입 추진

대 : DEW-0211

1. 대호, 중국의 전증패 외교부 부부장 귀지방문시 주재국에 요청할 사항은 이붕 수상의 북한방문(5.3-6) 결과를 보고 타전 예정임.

~~2. 상기관련, 주재국이 EC의 일원으로서 중국측에 대해 우리의 유엔가입 문제에 대한 직접적이고 구체적인 지지입장 표명은 항시 요망됨을 참고바람.~~ 끝.

예 고 19 1991.12.31. 에 일반에 의거 인반문서로 재분됨

(국제기구조약국장 문동석)

검토필(1991.6.30)

보안 통제	

앙 고 재	91 년 5 월 일	유엔 과	기안자 성명		과 장		국 장		차 관	장 관

외신과통제

0204

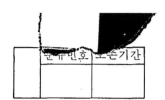

관리 번호	91-2895

	분류번호	보존기간

발 신 전 보

번 호 : WIT-0452 910502 1913 FN 종별 :

수 신 : 주 이태리 대사. 총영사

발 신 : 장 관 (국연)

제 목 : 유엔가입추진 (외상방한)

대 : ITW-0608

1. 대호, 방한에 앞서 중국을 방문(5.20-21)하는 귀주재국 외상이 중국측에게 다음사항을 전달 또는 요청토록 하고 결과 보고바람.

가. 이붕 총리의 방북결과를 문의하고, 우리의 유엔가입 문제에 대하여 이태리를 포함한 EC의 확고한 지지입장 표명 및 중국측이 남북한 동시가입이 이루어질 수 있도록 적극 노력토록 요청

나. 북한이 끝내 동시가입에 호응치 않을 경우 대다수국가가 지지하고 있는 한국의 유엔가입이 가능하도록 중국의 합리적인 태도 요청

2. 한편, 이붕 총리의 방북(5.3-6) 결과에 따라 주재국측에 별도 요청사항이 있을 가능성이 있음을 귀관의 참고로 하기바람. 끝.

예 고 : 1991. 12. 31. 일반

검토필(1991. 6. 30.)

(국제기구조약국장 문동석)

보안 통제	

앙 고 재	91년 5월 2일	과	기안자 성명		과 장		국 장		차 관	장 관		외신과통제

0205

관리 번호 91-2888

분류번호 | 보존기간

발 신 전 보

번 호 : WHO-0160 910502 1946 FN 종별 :

수 신 : 주 화란 대사.총영사 (사본 : 주유엔대사) UUW-1171

발 신 : 장 관 (국연)

제 목 : 화-중 정책협의회

대 : HOW-0198, 0199

1. 대호, 귀관에서 기 조치한 바와 같이 화.중 정책협의회시 우리의 유엔가입문제가 거론되도록 주재국측에 적극 요청하고 결과 보고 바람.

2. 특히 화.중 정책협의회시 하기사항을 화란측 입장으로서 중국측에게 강조해 주도록 요청바람.

o 화란은 남북한이 유엔에 동시가입 하기를 희망하나 북한이 끝내 이에 반대하여 부득이 한국이 유엔선가입을 신청할시 이를 지지할 것임.

o 남북한의 유엔가입은 한반도정세, 나아가서 동북아지역정세 안정에 기여는 물론 주변국의 이해와도 일치함.

o 독일과 예멘의 예에서 본 바와 같이 남북한의 유엔동시가입은 남북한간에 유엔의 테두리내에서 상호교류와 협력을 촉진하여 궁극적으로 통일에 기여할 것임.

/계속...

보안 통제	

앙 고 재	91년 5월 2일	과	기안자 성명		과 장		국 장		차 관	장 관

외신과통제

0206

o 중국도 남북한 유엔동시가입 실현을 위하여 북한을 더욱 설득함이 필요하다고 보며, 만약 북한이 계속 비타협적인 태도하에 유엔가입을 원치 않을 경우, 중국은 한국의 유엔 가입에 대하여 유엔의 보편성원칙에 따라 행동해 줄 것이 요망됨. 끝.

예 고 1991.12.31. 일반 문에 의거 인반 서 됨

검 토 필(1991. 6. 30.)

(국제기구조약국장 문동석)

0207

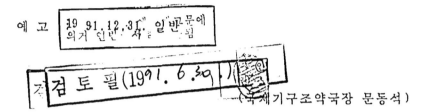

관리 번호	91 -2902

	분류번호	보존기간

발 신 전 보

번 호 : WUN-1177 910503 1437 FO 종별 :

수 신 : 주 유엔 대사. 총영사 (사본 : 주체코, 폴란드, 헝가리대사) WCZ-0250 WPO -0141 WHG -0397

발 신 : 장 관 (국연)

제 목 : 유엔가입추진 (동구권 공동입장)

대 : UNW-1100 (5.2, 체코대표부 면담)

1. 대호, 아국의 유엔가입 실현을 위해서는 중국의 태도변화 유도가 매우 긴요하며 또한 중국이 북한에게 아측과 함께 유엔에 가입토록 적극 설득하기 위한 명분 강화가 매우 중요함.

2. 따라서 체코측과의 접촉시 중국의 건설적 역할 유도에 적극 노력해 줄 것을 요청하고, 특히 금후 적절한 계기에 체코, 헝가리, 폴란드등 주요 동구제국이 보편성 원칙에 입각하여 남북한의 유엔동시가입 및 북한의 계속반대시 한국의 선가입을 지지하는 공동입장을 표명토록 요청바람. 끝

예 고 : 1991.12.31. 일반

검 토 필(1991. 6. 30.)

(국제기구조약국장 문동석)

보 안 통 제		

앙 고 재	91년 5월 3일	과	기안자 성 명		과 장		국 장		차 관	장 관
			송영완				전결			

외신과통제

0208

원 본

관리 번호	91-422

외 무 부

종 별 :

번 호 : POW-0279 일 시 : 91 0503 1500

수 신 : 장관(국연,통이,구이,사본-주유엔대사)(중계필)

발 신 : 주 폴투갈 대사

제 목 : 가입교섭

1. 당관 주참사관은 4.30 당지(194)이스라엘대사주최 리셉션에서 주재국 SANTANA CARLOS 국제기구국장과 만난계기에, 제주도 한-소 정상회담 결과와 특히 유엔가입 관련 토의내용에 대해 설명해 주었음

2. 동국장은 이 싯점에서 고르바쵸프 소련대통령의 방한은 매우 의미깊은 것으로 생각한다 하면서, 폴투갈은 한국의 가입을 지지할것이라는 입장을 다시금 말하였음

3. 동 국장은 98 년 세계박람회 유치문제 관련, 카나다(토론토)와의 경합조정이 아직 잘안되고 있다 하면서, 유치지지교섭등을 위해 주재국 대표단(세계박람회 유치 추진 위원장등)이 방한하는 문제를 추진하고 있다하였기 참고로 보고함. 끝

(대사조광제-국장)

예고:91.12.31 까지

검토필(1991.6.30)

국기국	장관	차관	1차보	2차보	구주국	통상국	청와대	안기부

PAGE 1

91.05.04 07:44

외신 2과 통제관 DO

0209

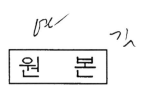

외 무 부

종 별 :

번 호 : SZW-0230 일 시 : 91 0503 1540

수 신 : 장 관(구이,국연,사본:주유엔대사-직송필)

발 신 : 주 스위스 대사

제 목 : 한국 유엔가입 신청(자료응신 9호)

주재국 5.3.자 NEUE ZURICHER ZEITUNG 지는 뉴욕발동지 특파원 인용 한국의 유엔가입 관련 이상옥 외무장관의 유엔본부기자회견(4.29)내용을 아래와 같이 보도함.

1. 이장관은 한국은 91.9. 유엔총회 개회에 앞서 금년여름 유엔가입을 신청할것이며, 중국이 동문제관련 현실적 입장을 견지, 거부권을 행사하지 않기를 희망한다고언급함.

2. 북한은 남.북한 유엔 동시가입은 한반도 분단을 고착화한다는 이유로 이를 거부하여 왔는바, 중국은 북한과의 우호관계를 고려 유보적 태도를 취하고 있음. 그러나, 과거 중국은 북한의 보이코트 요청에도 불구, 서울올림픽에 참석하였으며, 최근한.중 양국간에 영사기능을 담당하는 무역사무소를 개설하는등 태도변화를 보이고 있음. 특히, 중국은 천안문사태이후 국제적 입지향상을 위해 노력중이며, 걸프전시에도 안보리에서 거부권행사를 회피한점으로 보아 한국의 유엔가입신청시 거부권 행사문제 관련 낙관적 전망을 가능케하고 있음.

3. 이와 관련, 소련은 최근 수차에 걸쳐 한국의유엔 단독가입 수용의사를 표명하여 왔으며, 최근 고르바쵸프 대통령 방한시 유엔의 보편성 원칙을 존중한다는 입장을 밝힌바 있음. 소련의 이같은 입장은 북한의 거센 항의에도 불구하고 90.9. 한국과의 경제관계가 주요변수로 작용하고있는바, 고르바쵸프 대통령 방한시 소련은 한국으로부터 상당한 경제원조 약속을 받은바있음.

4. 한편, 회견에서 이장관은 남.북 예멘및 동.서독의 경우 유엔가입이 통일에 장애가 되지않았다는 예를 들어 북한의 주장을 반박하였음.끝

(대사 이원호-구주국장)

구주국 1차보 국기국 정문국 안기부

PAGE 1 91.05.04 01:39 DN

외신 1과 통제관

0210

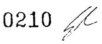

관리 번호	91-2913

원 본

외 무 부

종 별 :

번 호 : HOW-0205　　　　일 시 : 91 0503 1700

수 신 : 장관(국연,구일)

발 신 : 주 화란 대사

제 목 : 화란-중국 정책협의회

대: WHO-0160

WECM-0026

연: HOW-0198, 0199

1. 본직은 5.3 주재국 외무부 HOEKEMA 유엔국장을 면담, 5.8 개최 예정인 표제협의회와 관련하여 유엔가입문제에 대한 아국입장을 설명하고, 대호에 따라 동 회의시 화란정부의 입장으로 아국의 유엔가입 당위성 및 이에 대한 강력한 지지를 표명함으로써 중국에 대한 설득 및 압력을 가하는데 적극적인 협조가 있기를 요망하였음.

2. 동 국장은 이에 대해 이미 아주국장으로 부터 5.1 본직과의 면담내용을 통보받아 한국 입장을 잘 알고 있다고 말하고, 한국의 유엔가입에 대한 지지는 화란정부의 일관된 입장으로서 화란-중국간 정책협의회 유엔관련 부분 토의시 정식으로 동 건을 제기할 예정이며, 특히 동 회의에 앞선 반 덴 브룩 외무장관의 수석대표 면담자료에도 아국의 유엔가입문제를 포함시키고 있다고 부언하였음.

3. 또한 동 국장은 금번 협의회에서 중국측의 명백한 답변을 기대하기는 어려울 것이나 그들에게 화란정부의 강한 지지 입장을 전달하고 가능한 한 중국측 반응을 찾도록 노력하겠다고 말하고, 동 결과에 관하여는 한국 특사 방문시 충분히 협의될 수 있을 것으로 기대한다고 언급하였음.

(대사 최상섭-장관대리)

예고: 91.12.31. 일반

검 토 필(1991. 6. 30.)

국기국	장관	차관	1차보	2차보	아주국	구주국	청와대	안기부

PAGE 1　　　　91.05.04 07:26

외신 2과 통제관 BW

0211

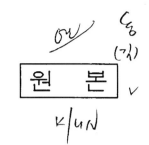

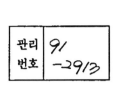

관리 번호	91-2931

원 본

외 무 부

종 별 :

번 호 : CNW-0539 일 시 : 91 0503 1800

수 신 : 장 관(국연,미북,동구일,아이,정일) 사본: 주유엔대사(중계필)

발 신 : 주 카나 다 대사

제 목 : 유엔가입문제

연 : CNW-0430

5.3.(금) 본직은 외무부 WESTDAL 국제기구 국장과 오찬을 갖고 표제 관련 의견 교환한바, 특기사항 아래 보고함.(조창범 참사관 동석)

1. WESTDAL 국장은 4 월중순 모스코바에서(고르바쵸프 방한 이틀전) 소 외무부 유엔 국장과 유엔 문제 협의회를 갖고 유엔 가입문제 관련 한국측 입장을 적극 지지함을 설명하고 소측 입장을 문의하였더니 소 유엔 국장은 소련의 한국의 유엔 가입에 대해 거부권을 행사하지 않을뿐만 아니라 이를 지지할 것이라는 입장을 표명 하더라고 함. 자신으로선 고르바쵸프 방한 계획등에 비추어 소측의 거부권 불행사 정도의 반응이 있을 것으로 기대 했으나 이를 넘어 한국의 가입을"지지"할 것이라고 언명하는 것을 보고 상당히 놀랐다고 함. 또한 소 유엔 국장은 동 협의회후 복도에 함께 걸어 나오면서 다시 자신에게 소련의 여사한 입장은 아직 비밀이라고 하면서 보안 유지를 당부하더라고 함.

2. 또한 소 유엔 국장은 중국의 태도와 관련 소련의 여사한 지지 입장이 대외적으로 발표되면 중국으로서도 혼자 고립되길 원치 않을 것으로 보며 결국 중국이 거부권을 행사치는 못할 것이라는 견해를 표명하였다고 함.

3. 아울러 WESTDAL 은 사견임을 전제로 한국의 가입을 낙관적으로 본다고 하면서 중국으로서는 금번 이붕 총리의 평양 방문시 북한측에 대해 앞으로 중국이 처하게 될 거북한 입장등을 설명, 북한을 설득할 가능성도 있으며, 이경우 북한이 스스로 입장을 바꾸어 동시 가입등 다른 대안으로 나올 가능성도 배제할 수없을 것이라고 하였음. 또한 동 국장은 북한이 태도를 바꾸어 북한이 함께 유엔 가입을 희망하게 될 경우 미국측의 반응에 대해서도 관심을 표하였음.

4. WESTDAL 은 또한 카측으로서는 아직 한국의 유엔 가입문제를 놓고 직접

국기국 장관 차관 1차보 2차보 아주국 미주국 구주국 정문국
청와대 안기부

PAGE 1 91.05.04 08:12
외신 2과 통제관 BW

0212

중국측에 대해 태도 변화를 촉구해 본적은 없으나 한국측의 구체적인 요청이 있을 경우엔 최대한 협조하겠다고 하였음.

5. 한편 WESTDAL 은 최근 유엔이 재정상의 위기를 겪고 있다고 하면서 특히최근 유엔의 평화유지(PEACEKEEPING) 역할 증대와 관련 한국이 상징적인 수준이라도 1 - 2 백만불 상당 유엔 PEACEKEEPING 활동 지원을 위한 재정적 기여(또는 트럭등 현물지원)를 하는 경우 유엔 회원국들로부터 큰 환영을 받게 될 것이며 유엔 가입문제와도 관련 홍보효과가 클 것이라고 하였음.

6. WESTDAL 은 주 유엔 카대사와 함께 5.8. 부터 약 2 주간 일본, 뉴질랜드방문예정이라고 함. 일본의 경우 그간 양국간 유엔 문제 관련 협의회 개최 계획이 합의된바 있었으나 이행되지 못하다가 금번 제 1 차 협의회가 개최되며, 뉴질랜드의 경우 카, 호주, 뉴질랜드 3 국간 년례적인 유엔 문제 협의회 참석 일환이라고 함.

7. 금일 오찬 기회 본직은 아국의 년내 유엔 가입 실현 입장, 4.26. 뉴욕 핵심 우방국 회의시 중국 태도에 관한 평가, 최근, 남. 북한 관계 동향등을 설명해주고 주재국측의 계속적인 지지 협조를 당부함. 아울러 동 국장이 거론한 유엔PEACEKEEPING 활동 관련 재정적 지원 문제는 일단 본부에 보고해 주겠다고 해 두었음. 끝

(대사 박건우 - 차관)

예고문 : 91.12.31. 일반

검토필(1991. 6.30)

PAGE 2

0213

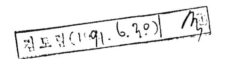

관리 번호	91 -2909

	분류번호	보존기간

발 신 전 보

번 호 : WECM-0026 910503 1801 ED 종별 :

WUN -1188

수 신 : 주 ECM 공관장 대사. 총영사 (사본: 주유엔대사)

발 신 : 장 관 (국연)

제 목 : 유엔가입추진 (EC 공동입장 표명)

1. EC 제국은 보편성원칙에 입각하여 남북한의 유엔동시가입 및 북한의 계속반대시 한국의 ~~단독~~ 선가입을 지지하는 입장임.

2. 우리의 유엔가입 실현을 위해서는 국제사회에서 강력한 영향력을 행사하고 있는 EC가 공동입장으로서 한국의 유엔가입문제가 냉전의 유산으로 계속 방치될 수 없으며, 특히 어느 일방의 ~~비타협적 태도로~~ 반대로 인하여 타국의 유엔가입에 지장을 초래해서는 안됨을 대외적으로 밝힐 경우, 중국의 태도변화 및 중국의 대북한 설득 명분 강화에 크게 기여할 것임.

3. ~~특히~~ 이와관련, 91.5.16-17. 및 6.13-14.간 EC 정무총국장 회의가 개최될 예정임을 감안, 동 계기에 우리의 유엔가입문제가 재거론되고 상기 내용의 EC 공동입장이 표명될 수 있도록 귀주재국측에 고섭하고 결과 보고바람. 끝.

19 . . . 에 예고문에 의거 일반문서로 재분류됨
예고 : 91.12.31. 일반

검토필(1991.6.30)

장관대리 외통차
(~~국제기구조약국장 문동석~~)

보안 통제	

앙 고 재	91년 5월 3일	UN 과	기안자 성명		과 장		국 장	제1차관보	차 관	장 관
			송영완						대결	

외신과통제

0214

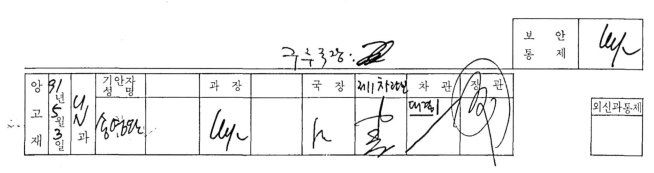

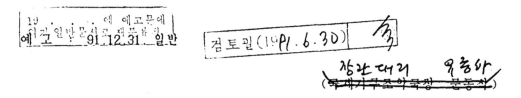

관리 번호	91 -2922

	분류번호	보존기간

발 신 전 보

번 호 : WPD-0419 910504 1419 FO 종별 :

수 신 : 주 폴란드 대사. 총영사

발 신 : 장 관 (국연)

제 목 : 유엔관련 중국.폴란드 회담

연 : WPD-0362

연호, 표제회담이 이붕 중국총리의 방북(5.3-6) 직후에 개최됨을 감안, 이붕 방북결과에 대해 특히 관심을 가지고 알아봐 줄 것을 요청바람. 끝.

예 고 : 1991.12.31에 일반문에 의거 일반문서로 재분류됨

검 토 필(1991. 6. 30.)

(국제기구조약국장 문동석)

보안 통제	

앙 고 재	91년 5월 4일	과	기안자 성명		과 장		국 장		차 관	장 관
							전결			

외신과통제

0215

관리 번호	91 -2879

원 본

외 무 부

종 별 :

번 호 : IDW-0122　　　　일 시 : 91 05061700

수 신 : 장관(국연,구일)

발 신 : 주 아일랜드 대사

제 목 : 유엔가입추진

대:WEUM-26

1. 본직은 금 5.6(월) 외무부 MURPHY 정무차관보와 접촉, 대호에따라 한국의 유엔가입을 지지하는 EC 의 공동입장을 공개적으로 표명토록 요청했던바, 동인은 한국의 입장을 이해하며 이를 지원하겠다고 약속했음

2. 동인은 동건관련 중국의 태도에 언급, EC 와 중국과의 관계가 천안문사태이래 개선되지 않고있으며, 지난번 영국 HURD 외상의방중도 관계개선에 기여치못하였다고 지적하면서 미국의 중국에대한 최혜국대우 회복여부가 미국및 서구의 대중국 영향력 행사에 관건이 될것이라고 말했음.

(대사민형기-국장)

예고:91.12.31 일반

검토필(1991.6.30)

국기국	장관	차관	1차보	2차보	구주국	청와대	안기부

PAGE 1　　　　91.05.07 06:30

외신 2과 통제관 DO

0216

관리 번호	91-2978

원 본

외 무 부

종 별 :

번 호 : UNW-1147 일 시 : 91 0506 1700

수 신 : 장관(국연,서구일) 사본:주폴부갈대사(중계필)

발 신 : 주 유엔 대사

제 목 : 대폴부갈 교섭

당관 최종무 참사관은 금 5.6. 폴부갈 대표부 TELLES 서기관을 접촉한바 표제관련 반응요지 아래보고함.

1. 폴부갈은 EC 여타 회원국의 입장과 같이 아국의 가입을 지지함.

2. 가입문제관련, 중국정부가 명백한입장을 밝히지 않고있으며 안보리 서방국가들이 중국에대한 지지 종용 교섭노력을 하고있는것으로 알고있음.

3. 안보리 이사국및 회원국다수가 아국가입을 지지하는 상황과 아국의 국제적 위상을 감안할때 중국이 거부권을 행사하기는 어려울것으로 보나 그 가능성을 완전히 배제할수도 없다고 봄.끝

(대사 노창희-국장)

예고:1991.12.31에 일반고문에 의거 일반문서로 재분류됨

검토필(1991.6.30)

국기국 장관 차관 1차보 2차보 구주국 청와대 안기부

PAGE 1

91.05.07 06:44

외신 2과 통제관 DO

0217

관리 번호	91 -2983

원 본

외 무 부

종 별 :

번 호 : SZW-0234 일 시 : 91 0506 1720

수 신 : 장 관(국연,구이,사본:주유엔대사-중계필)

발 신 : 주 스위스 대사

제 목 : 한국 유엔가입 신청관련 리히텐슈타인 반응

1. 본직은 5.3. 주재국 COTTI 대통령이 외교공관장을 위해 베푼 만찬에 참석 PRINCE NICHOLAS 주 스위스 리히텐슈타인 대사와 환담하였는바, 동인은 최근 자신이 본국 방문후 귀임하였다고 하면서 한국의 유엔가입 신청관련 자국 정부는 기꺼히 찬성 부표할것이라고 말하였음.

2. 또한, 동 대사는 사견임을 전제로 한국 유엔가입 신청시 중국은 안보리의 권고안 부표과정에서 기권할것으로 전망한다고 말하였음을 참고바람. 끝

(대사 이원호-국제기구조약국장)

예고 91.12.31 일반

19 . . 에 고문에 의거 일반문서로 재분류됨

검토필(91.6.30)

국기국 장관 차관 1차보 2차보 구주국 청와대 안기부

PAGE 1 91.05.07 06:23

외신 2과 통제관 DO

0218

관리 번호	91-2467

분류번호	보존기간

발 신 전 보

번 호 : WECM-0027 910506 1753 FL 종별 :

수 신 : 주 ECM 공관장 대사. ~~총영사~~ (사본 : 주유엔대사) WUN -1213

발 신 : 장 관 (국연)

제 목 : 유엔가입추진 (EC 공동입장 표명)

연 : WECM-0026, WUN-1188

1. 본직은 금 5.6. 한.벨기에 외상회담에서 연호관련 EC가 정무총국장 회의 또는 외상회의등 적절한 계기에 EC의 공동입장을 표명해줄 것을 요청했음.

2. 이에대해, Eyskens 벨기에 외상은 벨기에로서는 유엔가입 실현을 위한 한국의 모든 노력을 지지한다고 하면서, EC가 공동지지 입장을 공개적으로 표명하는 데 있어서 지원할 것이고, 여타 EC 회원국들에 대해서도 권유할 것이라는 반응을 보였음. 또한 동 외상은 상기 EC의 공동입장 표명문제를 박동진 특사의 EC 의장국 방문시에도 거론하는 것이 좋겠다는 의견을 제시하였음을 참고바람. 끝.

19 . . . 에 예고문에 의거 일반문서로 재분류됨

예 고 : 91.12.31. 일반

검토필(1991.6.30) 홍

(국제기구조약국장 문동석)

구주국장 : [서명]

보안 통제	[서명]

앙 고 재	91년 5월 6일	유엔과	기안자 성명		과 장		국 장		차 관	장 관
			김성진		[서명]		전결			[서명]

외신과통제

0219

관리번호 91-3007

원 본

외 무 부

종 별 :

번 호 : GEW-1012 일 시 : 91 0507 1500

수 신 : 장관(국연,구일) 사본:주유엔대사(중계필)

발 신 : 주 독 대사

제 목 : 유엔가입추진

대:WEUM-0026

1. 대호 관련 5.6. 안공사는 외무성 동아국 DR.SCHEEL 국장을 면담, 대호내용을 설명하고 주재국 정부의 지지협조를 요청함

2. 동국장은 남. 북한 UN 동시 가입분 여의치 않은 경우 한국의 단독가입은 당연한 논리적 귀결이라고 공감을 표시하고, EC 정무총국장 회의시 적극적인 지원을 하겠다고 말함. 동국장은 이어서 EPC 의장국인 룩셈부르크의 역할이 중요함을 첨언함. 끝

(대사-국장)

19 . 예고:91.12.31.일반

검토필(1991.6.30)

국기국	장관	차관	1차보	2차보	구주국	청와대	안기부

PAGE 1

91.05.08 07:12

외신 2과 통제관 DO

0220

관리 번호	91 -2995

	분류번호	보존기간

발 신 전 보

번 호 : WCN-0412 910507 1520 FN 종별 :

수 신 : 주 카나다 대사. 총영사 (사본 : 주유엔대사) WUN -1223

발 신 : 장 관 (국연)

제 목 : 유엔가입추진

대 : CNW-0539

연 : EM-0017

1. 대호, 귀주재국측에 중국 주요인사 접촉시 카나다는 아국의 유엔가입을 적극 지지하고 있음을 전달하고, 우리의 가입문제 해결을 위하여 중국이 건설적 역할을 하도록 설득하여 줄 것을 요청바람.

2. 상기 요청시 연호 논지와 함께 하기사항을 특히 강조바람.

- 카.중국관계의 오랜 역사와 카나다의 국제사회내의 영향력등을 고려할때 중국에 대한 카측의 설득노력은 중국 태도변화 유도는 물론 중국의 대북한 설득명분 강화에 크게 기여할 것임.
- 유엔의 기능과 역할재고를 위한 국제사회의 노력이 한층 강화되고 있는 현시점에서 중국이 주요강대국으로서 유엔의 보편성원칙을 더욱 존중하기 위한 노력에 동참할 것을 촉구함은 국제사회의 이해에도 부합됨.
- 아국은 카나다가 CG 구성국으로서 우리의 유엔가입 실현을 위한 노력을 가일층 강화시켜 줄 것을 기대하고 있음.

/ 계속 /

보안 통제	

앙 고 재	91 년 5 월 7 일	과	기안자 성명		과 장		국 장		차 관	장 관
							결재			

외신과통제

0221

3. 또한 이붕 총리의 방북(5.3-6)관련, 유엔가입문제에 관한 협의내용을 주중 카나다대사관을 통하여 가능한 한 파악해 줄 것을 요청바람. 끝.

예 고 : 1991.12.31. 에 예고문에 의거 일반문서로 재분류

검 토 필(1991. 6. 30.)

(국제기구조약국장 문동석)

0222

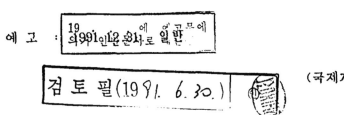

관리번호 91-3003

원 본

외 무 부

종 별 :

번 호 : RMW-0257 일 시 : 91 0507 1540

수 신 : 장관(국연,동구이,사본:주유엔대사)

발 신 : 주 루마니아 대사

제 목 : 유엔가입문제

연:RMW-0200

1. 본직은 금 5.7 ENE 차관(국제기구 전담)을 면담하고(채참사관 대동) 공관장회의참석 귀임인사와 아울러 한반도 주변정세 발전을 DEBRIEFING 하고 유엔 가입문제와 관련된 그간의 제반 발전상황을 설명하고 특히 쏘련, 중국입장에 대한 우리측 평가를 피력, 아국 유엔가입 지지를 당부함.

2. 동차관은 극히 명료하게 루마니아는 한국측 노력을 온당한 것으로 평가하며 우리의 유엔가입을 지지할 것이며 안보리에서도 채택될 것으로 본다고 언급하고 자기에게 알려진 바로도 중국이 본직이 언급한(중국은 단일의석이 비현실적이며 보편성 원칙에 따라 동시가입이 바람직하다는 견해) 취지의 입장인 것으로 이해하고 있다고 말함.

3. 한국 유엔가입문제 관련 유엔주재 양국대사간에 서로 긴밀한 연락이 있을 것으로 믿으며 가능한한 북한의 명분을 살리면서 BUSINESS LIKE 하게 추진함이(승리아니면 패배식이 아닌) 바람직하다고 부연함. 끝.

(대사 이현홍-차관)

예고:1991.12.31 일반 고문에 의거 일반문서로 재분류됨

검 토 필(1991. 6. 30.)

국기국 장관 차관 1차보 2차보 구주국 청와대 안기부

PAGE 1 91.05.08 06:26

외신 2과 통제관 FE

0223

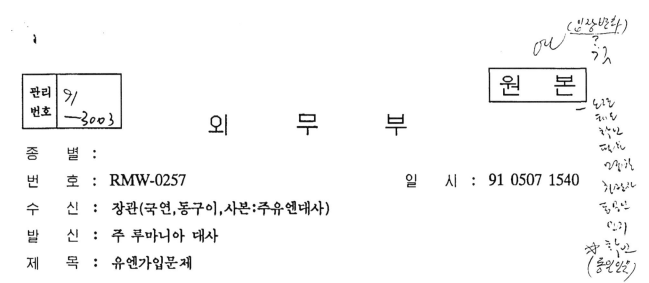

관리 번호	91 —3033

원 본

외 무 부

종 별 :

번 호 : UNW-1168 일 시 : 91 0507 1900

수 신 : 장 관(국연,서구일,기정) 사본:주스페인대사-중계필

발 신 : 주 유엔대사

제 목 : 대 스페인 교섭

대:WUN-0961

1. 당관 최종무 참사관은 금 5.7. 당지스페인 대표부 GARRIGUE 참사관(SERRANO 서기관 동석)을 면담한바, 동인 반응요지 아래보고함.

가. 스페인의 아국지지입장은 종래 기조연설등에서 명백히 한바있음.

나. 스페인은 유엔 보편성원칙에따라 아국의 가입을 지지하고있음.

다. 북한은 아국의 적극적 가입 움직임에 대하여 매우 우려하고 있는것으로보임.(동인은 1 개월전 북한대표부 담당관을 면담한바 있다함)

라. 중국의 태도가 문제인바, 중국은 안보리에서 거부권 행사를 자제하는 경향을 보여주고 있으므로 아국의 가입 노력을 좌절시키지 않을 것으로기대할 수있다고봄.그러나 현재까지의 중국입장은 불분명한 것으로 알고있음.

2. 동인은 중국과 북한의 최근 동향에 상당한 관심을 표시하였으며 비교적 신중한 태도를 보였음.

3. 최참사관은 금번 기회에 대호 MUNOZ 대사의 ILC 위원 입후보 지지입장을전달하였으며 동인은 스페인이 93-94 안보리 이사국 피선을 희망하고 있다고 함. 끝.

(대사 노창희-국장)

예고:1991.12.31.일반

예고문에 의거 일반문서로 재분류됨

검토필(1991.6.30)

국기국 장관 차관 1차보 2차보 구주국 청와대 안기부

PAGE 1

91.05.08 09:20

외신 2과 통제관 BS

0084

관리 번호	91-3046

원 본

외 무 부

종 별 :

번 호 : DEW-0235 일 시 : 91 0508 1530

수 신 : 장관(국연,구이)

발 신 : 주 덴마크 대사

제 목 : 유엔가입교섭

대:WECM-0026

1. 본직은 5.8. 주재국 외무부 정무총국장 HANS HENRIK BRUUN 대사를 면담,유엔가입문제에 대한 아국입장을 설명하고 오는 5.16-17. EPC 정무총국장 회의시 EC 가 아국 유엔가입을 지지하는 입장을 공동으로 표명할 수 있도록 주재국측의 협조를 요청함.

2. 이에대해 BRUUN 대사는 금번 정무총국장 회의시 한국 유엔가입 문제가 거론될 것이 확실하며 한국입장을 지지하는 일반적 합의(GENERAL AGREEMENT)가 이루어지도록 최선을 다하겠다고 하였음. 끝.

(대사 김세택-국장)

예고:91.12.31. 일반

검토필(1991.6.30)

국기국 장관 차관 1차보 2차보 구주국 청와대 안기부

PAGE 1

91.05.08 23:43

외신 2과 통제관 CA

0225

,0226- 71

관리 번호	91 —3045

원 본

외 무 부

종 별 :

번 호 : SDW-0402 일 시 : 91 0508 1800

수 신 : 장관(국연,구이)

발 신 : 주 스웨덴 대사

제 목 : 유엔가입 추진

대:WSD-0201, EM-0017

1. 주재국 외무성 HECKSCHER 아주국장이 5.21-24 간 서울개최 예정인 동국 동남아, 대양주 주재공관장 회의참석을 위해 5.12 당지출발,5.20 부터 5.25 까지방한예정임(도중 5.13 중국,5.14-17 간 북한,5.17-20 일본방문)

2. 본직은 이와관련 동국장과 GUDMUNDSON 한국과장을 5.8 오찬에 초대, 한. 서관계및 한반도문제에 관해 의견 교환하였으며, 특히 아국의 유엔가입 문제현황과 앞으로의 가입신청 방침에 관해 설명하고, 금번 동국장이 남. 북한과 중국을 모두 방문하는 좋은 계기를 이용, 중국외무성측에 대해 스웨덴의 남. 북한 유엔 가입 지지 방침을 표명해줌과 동시에 중국으로 하여금 이문제에 있어 국제사회의대세에 역행하는 자세를 취하지 않도록 설득해 줄것을 요청하였음.

3. 스웨덴과 중국 외무성간의 정기정책협의회는 없다고함을 첨언함.(다만, 북구제국과는 정기정책협의를 하고 있다함)끝

(대사 최동진-차관)

예고:91.12.31 일반

19 에 예고문에 의거 일반문서로 재분류됨

검토필(1991.6.30.)

국기국	장관	차관	1차보	2차보	구주국	청와대	안기부

PAGE 1 91.05.09 06:27

외신 2과 통제관 CA

0226

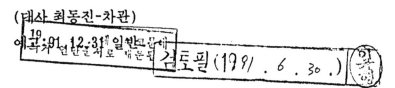

관리 번호	91 -368

원 본

외 무 부

종 별 :

번 호 : UKW-1043　　　　　일 시 : 91 0508 1900

수 신 : 장관(국연,구일)

발 신 : 주 영 대사

제 목 : 유엔 가입추진(EC 공동입장 표명)

대: WECM-0026

1. 당관 조참사관은 5.8(수) HUGH DAVIES 극동과장을 면담, 대호에 따라 EC공동입장 표명 필요성을 설명하고 영측의 적극적인 협조를 요청함

2.DAVIES 과장은 이에 대해 1 차적으로 EC 회원국의 입장을 확인하여 가능한 협조 방안을 모색해 보겠다고 말하고, 박동진 특사의 EC 전, 현, 후 3 의장국순방에 이어서도 방문국의 반응이 있을 것으로 기대한다고 말함

3.DAVIES 과장은 다만 유사한 방안이 지난 2 월 중국 외상의 폴부갈, 스페인등 순방전에도 거론된바 있으나, 한국 유엔가입에 긍정적인 효과를 거두지 못할 것이라는 의견이 있어 보류되었다고 말하면서, 중국이 대외문제에 극히 의심이 강한만큼 수세에 몰린다는 인상을 가지지 않도록 신중을 기함이 좋을 것으로 본다는 의견을 제시함

4. 이에 대해 조참사관은 아측으로서는 EC 의 국제적 영향력에 비추어 중국의 태도 변화 유도와 대북한 설득 명분 강화를 위해서 그러한 대외입장 표명이 효과적일 것으로 본다는 점을 강조함

5.DAVIES 과장은 영국의 한국 유엔가입 문제에 대한 지지는 확고하다는 점을 다시 강조하면서, EC 에 의한 대외입장 표명 방안의 추진에 관해 진전이 있는대로 알려주겠다고 함. 끝.

(대사 이홍구-국장)

검토필(1991.6.30)

19 예고: 91.12.31. 에 일반

국기국	장관	차관	1차보	2차보	구주국	청와대	안기부

PAGE 1　　　　　91.05.09 08:17

외신 2과 통제관 FI

0227

관리 번호	91-3088

원 본

외 무 부

종 별 :

번 호 : PDW-0396　　　　일 시 : 91 0508 2030

수 신 : 장관(국연, 동구이, 정이, 기정동문)

발 신 : 주 폴란드 대사

제 목 : 유엔가입 추진

대 : WPD-0414, 0419, 0432

1. 대호 이붕 중국총리의 방북관련, 5.8 최참사관은 외무성 아주부국장 KRYSTOSIK 과 면담한바, 동 부국장은 중국측은 금번 방북중 유엔문제 관련, 과거와는 달리 북한입장에 대한 지지를 표명하지 않은것으로 안다고 함. 또한 중국은 북한의 주장이 AWKWARD 하고 IMPRACTICAL 하다고 판단하고 있는 것으로 보며 유엔에서 한국가입문제가 제기될시 북한 주장에 동조하기는 어려울 것인바 방북중 구체적 내용및 그 결과는 아직 알지 못한다고함.

2. 동 부국장은 중국-북한 관계도 이미 변화하였으며 과거와 같이 북한측 입장에 대한 중국의 일방적인 지지는 없을것으로 본다고 하고 다음주 폴.중 외무부 유엔관계자 협의회시 이붕 총리 방북시의 유엔가입문제 논의 결과를 파악, 알려주겠다고 하고, 폴란드의 아국 가입지지 입장도 중국측에 다시 전달키로 함. 한편, 동 부국장은 김정일의 4 월 방중은 실현되지 않은것으로 확인되었으며 향후 방중 계획은 아는바 없다고함.

3. 5.16 폴.중 유엔관계자 협의회에는 외무성 유엔국 부국장 KOWALCZYK 이 참석 예정이나 동 부국장은 5.14 까지 휴가중이며, 외무차관 및 유엔국장도 해외 출장중인바, 5.2 최참사관은 유엔국장 대리중인 LUKASIK 부국장에게 대호 아측 입장을 설명, 협조를 요청하여 둔바 있음. 끝

(대사 김경철-국장)

예 고 : 91.12.31. 일반

1991.12.31. 에 예고문에 의거 일반문서로 재분류됨

검 토 필(1991. 6 . 30.)

국기국	장관	차관	1차보	2차보	구주국	정문국	청와대	안기부

PAGE 1　　　　91.05.09　21:15

외신 2과 통제관 CE

0228

관리번호 91-449

분류기호 문서번호	구일202- 5주	협조문용지 ( )	결재	담 당	과 장	국 장
시행일자	1991. 5. 8.					
수 신	수신처 참조	발 신	구주국장 (서명)			
제 목	벨기에 외무장관 방한 결과 후속조치					

1. Mark Eyskens 벨기에 외무장관의 91.5.5-8간 방한시 한.벨기에 외무장관 회담이 개최되었는 바, 동 회담요록을 별첨 송부하오니 업무에 참고하시기 바랍니다.

2. 아울러 벨기에측 관심사항중 귀국 소관 사항에 대한 진전사항은 수시로 당국으로 통보하여 주시기 바랍니다.

첨부: 회담요록 1부. 끝.

1991.12.31 에 예고문에 의거 일반문서로 재분류됨

수신처: 국제기구조약국장, 국제경제국장, 통상국장, 정보문화국장

검토필(1991. 6. 30.)

0229

면 담 요 록

(한 · 벨기에 외무장관 확대회담)

1. 일 시 : 1991 년 5 월 6 일 (月) 10:10 ~ 11:20

2. 면담장소 : 조약 체결실(803호)

3. 배 석 : (벨기에측) Mernier 주한 벨지움대사

Roelants 사무차관

Nartus 아주국장

Suy 장관고문

D'aes 장관비서관

Verbeke 대변인

(아 측) 정우영 주벨지움 대사

이정빈 제1차관보

권영민 구주국장

문동석 국제기구조약국장

김삼훈 통상국장

이준희 서구1과장

4. 면담내용 :

장 관 :

o 다시 한 번 방한을 진심으로 환영함. 오늘 회담은 정해진 의제에 따라 우선 국제정세에 대해 의견을 교환하고 이어서 제가 동북아정세를 설명드리겠음. 구주정세는 귀측에서 설명해 주시고 마지막으로 양자 관계에 대해 의견을 교환하고자 함. 우선 벨기에가 지난 4월 유엔 안보리 의장직을 성공리에 수행한 것을 축하드림. 동 기간중 귀측은 걸프전쟁의 휴전 결의안 채택등 걸프사태 조기해결 및 중동지역 평화에 크게 기여하였음. 우리 정부는 걸프전쟁시에 5억불에 상당하는 재정지원을 하였고 의료진과 수송단을 파견하여 국제 평화회복을 위한 국제적인 노력에 동참하였음.

0230

현금의 국제적 화해 추세에도 불구하고, 지역적 분쟁 발발 가능성이 상존하고 있는 바, 금번 걸프사태에 있어 국제적 협력으로 침략을 격퇴한 것은 대단히 고무적이며, 국제사회에서 여사한 침략 가능성이 있는 국가에 좋은 교훈이 될 것임.

벨 외 상 :

o 먼저 한국정부의 환대와 따뜻한 환영의 말씀에 감사드림. 본인은 금번이 두 번째 방한으로서 지난 82년에 첫번째 방한을 하였는 데 당시에 창원 기술원을 방문하고 그곳 교수와 학생들이 노력하는 자세에 큰 감명을 받았었음. 한국은 8년전에 비하여 경제.산업분야등 괄목할만한 발전을 이룩하였음. 걸프사태에 있어 29개국으로 구성된 연합국이 일치 단결하여 침략자를 응징한다는 단호하고도 명백한 자세로 임해 왔음. 이락은 핵개발 잠재력을 보유한 군사강국으로 동지역 평화를 위협하고 있어 이락의 팽창을 저지할 필요가 있었음. 그러나 이락 국민들이 독재자의 희생물이 되어서는 아니됨. 따라서 우리는 이락국민을 돕도록 하여야 할 것임. 걸프전쟁은 유엔헌장 제7장에 규정된 방위전쟁임을 우리는 강조할 필요가 있음. 이러한 걸프전쟁을 한.벨 양국이 지지하였으며 한국의 재정지원등과 더불어 벨기에도 5척의 배와 9척의 소해정을 동 지역에 파견하였으며 또한 전투기 18대를 터키에 파견하였고 EC의 전쟁피해국 지원에 재정지원을 하였음.

o 유엔은 개별회원국 이상으로 금번 걸프사태를 평화적으로 해결하려고 노력함으로써 걸프전이후 유엔의 역할이 증대되었는 바, 이는 매우 긍정적인 현상이라고 할 수 있음. 유엔은 이외에도 몇가지 문제 해결에 있어서 성공을 보았는데 서사하라문제 합의, 앙골라 사태해결, 살바로드 내전 종식, 캄보디아 사태해결의 진전등을 들 수 있음. 또한 싸이프러스 문제도 해결을 위해 노력하고 있는데 이 문제는 비EC회원국인 터키와 EC회원국인 그리스간의 문제로써 시급히 해결되어야 할 과제임.

중동지역에서의 이스라엘의 점령지역 문제와 관련 베이커 미국무장관의 노력을 지지함. 불행히도 이스라엘 수상은 매우 완고하여 이 제안을 거부하고 있음. EC는 내주에 이스라엘 외무장관을 초청하여 유럽에서 회의를 개최할 예정임. 이스라엘 점령지 문제는 서방세계의 신용도 (credibility)를 위해서도 조속히 해결되어야 함. 이락의 쿠웨이트 침략에 대한 철수 결의안 이행을 위해서는 국제적으로 단합된 힘을 과시하였으나 똑같이 유엔에서 채택된 이스라엘의 점령지 철수결의안 이행을 위한 노력이 없는 것은 곤란하며 아랍권으로부터 유엔의 2중적 기준 적용에 대한 비난을 받고 있음.

장 관 :

o 중동평화를 위한 EC의 건설적 역할을 기대함.

o 소련 고르바쵸프 대통령이 지난달에 제주도를 방문하여 한.소 정상회담이 이루어 진바 있음. 이에 간략히 설명드리면 지역안보 문제등 상호 관심사에 대해 매우 유익한 협의를 하였음. 고르바쵸프 대통령은 아시아 안보협력 체제에 관한 몇가지 구상을 제안하였는 데 소련은 아.태 지역에 영구적이고 건설적인 다자간 대화체제 구축이 필요하다고 생각하고 있음. 세바르드나제 전 외무장관은 1993년에 전아시아 외무장관 회의 개최를 제의한 바 있음. 이에대해 노대통령은 아시아와 유럽의 상황이 다름을 지적하고 다자대화전에 캄보디아 문제, 남북한 문제등 지역분쟁의 해결 필요성을 언급하였으며 특히 남북한 문제 해결의 중요성을 강조함.

o 또한 고르바쵸프 대통령은 선린우호 협력 조약 체결을 제의 하였음. 우리는 이에 대해 매우 신중하게 대응하여 양국 외무장관간 계속 논의하기로 합의하였음.

o 다른 한편 아.태지역은 현재 강대국간의 관계가 재조정되는 시기에 있다고 할 수 있음. 한.소 수교, 한.중간 무역대표부 상호교환 설치가 이루어졌으며 일.북한간 관계정상화 협상이 진행중에 있음. 아울러 북한은 미국과의 수교에 관심을 갖고 있으며, 현재 북경에서 양국 외교관간에 접촉이 이루어 지고 있음. 우리의 주북경 대표부는 지난 1월에, 중국의 주서울 대표부는 지난 4월에 개설되었음. 우리는 중국과의 외교관계를 수립하기 위해서는 아직 더 많은 시간이 필요하다는 것을 알고 있음. 그러나 현재 양국간의 무역량은 크게 증가되어 작년에 38억불에 달했으며 양 국민간의 상호방문도 5만7천명에 달했음. 일.북한 관계개선 문제도 북한이 IAEA와의 핵안전협정체결등 요구조건을 계속 거부하고 있기 때문에 합의에 도달하기 까지는 2년정도의 시간이 걸릴 것이라고 생각함.

o 다음은 한반도 관련 사항으로서 우리는 지난해에 3차례의 남북총리회담을 가졌으며 2월 평양에서 예정된 제4차 회담은 팀스피리트 훈련을 이유로 북한이 중단시킨 바 있음. 우리의 회담재개 촉구에 아직 북측으로부터 긍정적인 반응이 없으나 우리는 인내심을 갖고 기다리고 있음. 바로 얼마전에 끝난 IPU 총회에 우리 대표단이 참가한 바 있음. 북한은 남북대화에 있어서 이중적인 접근법을 쓰고 있는데 정치목적을 위한 정부간의 대화를 하면서 한편으로는 반체제 인사, 과격 학생들을 포함한 범민족회의라든가 모든 정당이 참가하는 정치협상등에 더 많은 관심을 보이고 있음. 북한은 아직도 우리의 상황을 오판하고 있음. 우리는 민주화 과정에서 다양한 목소리가 표출되고 있으며 며칠전부터 데모진압을 위한 경찰 개입중에 학생이 사망하는 사건이 발생하여 학생들 소요가 계속되고 있음. 이러한 상황을 북한은 우리의 약점으로 착각하고 이를 이용하려는 의도를 갖고 있음. 한국의 학생운동은 점점 과격화 되어 일반사회로부터 고립되고 있는데 이는 60년대의 일본에서도 같은 상황이었음. 민주화 과정에서 과격학생문제는 점차적으로 해결될 것임.

정부는 남북한 대화를 진지하고 참을성 있게 추진해 나갈 것임.
평양에서 개최된 IPU 총회시에는 독일과 오스트리아 대표가 북한의 인권문제를 거론하였는데 아마 북한은 이로 인해 당황하였을 것임.

벨 외 상 :

o 냉전의 종식은 아시아에도 영향을 미치고 있으나 유럽과 같은 정도는 아님. 장관께서 CSCE를 말씀하셨는데 CSCE는 작년 10월 파리에서 회담을 갖고 냉전 종식을 선언하는 파리헌장에 서명한 바 있음.
아시아와 유럽과는 상황이 다르기 때문에 CSCE를 아시아에 적용하는데에는 신중해야 한다고 생각함. CSCE 회원국에는 강대국과 바티칸이나 리히텐슈타인 같은 아주 작은 나라가 있지만 똑같은 권리를 갖고 있음.
아시아에서 CSCE가 성공하기 위해서는 지역별로 그룹화된 지역협의 체제(Regional Structure)를 강화시켜야 한다고 생각함. 그렇지 않을 경우 매우 비효율적일 것임. APEC 는 이와 같은 의미에서 매우 중요함.
두 번째로 남북통일에 관해서 독일과는 비교할 수 없는 면이 많이 있음.
독일통일은 10개월만에 이루어졌는데 본인도 베를린 장벽이 개방되는 89년 10월에 동독을 방문하여 당시 집권하고 있는 크렌츠 서기장과 회담을 가졌는데 그는 독일통일을 위하여 매우 느슨한 연방체제를 주장한 바 있음.
북한정권은 남한에의 상황을 가급적 많이 이용할려고 하고 있기 때문에 독일의 예를 남북한에 적용하기는 어려울 것임. 또한 서독의 인구가 6천만명이었고 동독의 인구는 2천만명이었으며 양국 경제력을 비교하면은 동독의 경제력은 서독의 베스트팔렌같은 큰 주 하나에도 미치지 못하는 사실에서 알 수 있듯이 서독의 동독 흡수력은 한국의 경우보다 훨씬 큼.
또한 서독 지도자들은 엄청난 통일비용을 과소평가 하였는데 지금 콜 수상이 그 댓가를 지불하고 있음. 현재 북한은 국제사회에서 마지막 고립의 보루인 바, 북한을 국제사회에 통합시키는 것이 필요하며 이를 위해 양국간의 긴밀한 정무협의를 계속 할 필요가 있음.

0234

장 관 :

o 정무협의 계속에 대해 동감임. 우리의 유엔가입 추진도 북한을 국제사회에 통합시키는 한 과정이라고 볼 수 있음. 우리는 계속 남북한의 동시 가입을 위해 노력을 계속하겠으나 북한이 계속 이에 반대할 경우 어떤 시점에 가서는 먼저 우리가 유엔에 가입을 할 것이며 또한 북한의 가입도 환영할 것임. 대사관을 통해 우리 정부의 입장을 알고 있겠지만 우리의 연내 유엔 가입을 위한 귀국정부의 협력을 기대하는 바임. 또한 EC가 적당한 시기에 한국의 유엔가입을 지지하는 공동입장을 발표할 수 있기를 바람. 우리는 진실로 유엔가입이 한반도의 평화와 안정에 기여할 것으로 믿고 있으며 이에 대한 국제사회의 지지기반도 확대되고 있다고 생각함. 유엔가입은 통일에 장애가 되지 않고 오히려 통일을 촉진시킬 수 있다고 보며 EC가 공동으로 중국을 설득하여 북한으로 하여금 우리와 함께 유엔에 가입할 수 있도록 유도하기를 희망함.

벨 외 상 :

o 한국의 유엔가입을 지지하는 우리 입장은 매우 분명함. 남북한의 동시가입은 독일의 예에서도 볼 수 있는 것처럼 통일에 장애가 되지 않음. 유럽에 특사를 파견하는 것으로 알고 있는데?

장 관 :

o 다음주에 박동진 전외무장관을 특사로 유럽에 파견예정임.

벨 외 상 :

o 우리는 한국의 입장을 적극 지지할 것임.

장 관 :

o 1992년 10월 벨기에 국왕의 방한을 환영함.

벨 외 상 :

o 환영에 감사드리며 방한시기는 10월13일경으로 예상하고 있는데 매우 중요한 방문이 될 것임.

장 관 :

o 양국 관계를 말씀드린다면 한.벨기에 관계는 아주 훌륭함. 통상관계도 꾸준히 증가되고 있는데 만족함. 또한 장관께서 말씀하신 창원훈련원의 예처럼 양국간의 긴밀한 협력관계를 유지하고 있음. 5.26-27에 한.EC 고위협의회가 서울에서 개최되는 바, 좋은 결과가 있기를 기대하고 있음. 지적소유권 문제등에 대한 관계부처간에 협의가 진행되고 있음.

벨 외 상 :

o 장관님 말씀대로 양국 관계는 아주 만족할만함. 통상규모도 벨기에측이 흑자를 보면서 꾸준히 증가되고 있음. 몇가지 분야에 대해서 말씀드리겠음. 먼저 산업협력이 강화되기를 희망하는 바, 한국의 대기업들이 벨기에의 Coordination Center 에 진출하면 특별세제혜택을 주는 제도가 있는 바, 한국기업의 진출을 환영함. 또한 벨기에측은 원자력발전소 설계나 건설분야에 많은 경험을 갖고 있는 바, 한국의 에너지 공급 분야에 참여하고 싶음. 통신분야에 대해서 말씀드린다면 우리의 Bell Telephone 사의 전화시설이 수년동안 한국에 잘 판매되고 있다가 최근에 감소되고 있음. 우리는 계속 한국시장에 진출할 수 있기를 바람. 지적소유권 문제와 관련 벨기에 의약품 업계는 대한 투자를 꺼리고 있는 바, 한국측의 긍정적 반응이 있기를 기대함. (마지막으로 다이아몬드에 관한 특소세가 매우 높은데 이의) 마지막으로 다이아몬드에 관한 특소세가 매우 높은데 이의 하향조정을 희망함.

장 관 :

o 지적소유권 문제는 이미 말씀드린바와 같이 매우 적극적인 노력을 하고 있으며 5.26-27 서울개최 한.EC 고위협의회에서 협의 예정임. 원자력 발전소 문제는 동자부에, 전화기기문제를 체신부에 통보하겠으며 다이아몬드 특소세 감면문제는 이 자리에 참석한 통상국장이 잘 기록 하였으리라고 보며 재무부에 통보하겠음.

o 4차 한.벨 혼성위가 개최될 예정으로 있는데 문화교류를 증대시킬수 있는 방안이 협의되기를 바람. 한 가지 귀측의 협조를 바랄 것이 있는데 카톨릭 루벵대의 한국학 연구에 재정지원을 계속하여 한국학 연구가 계속되기를 바람.

벨 외 상 :

o 벨기에는 한국학생에게 장학금을 제공하고 있는데 금융통화 위원인 김세원 서울대교수와 전과기처장관등이 좋은 예임. 루벵대 한국학 연구의 재정지원 문제를 긍정적인 방향으로 검토하겠음.

관리 번호	91 -3099

원 본

외 무 부

종 별 :

번 호 : ITW-0674 일 시 : 91 0509 1430

수 신 : 장관(국연,구일,사본:주유엔대사(중계필))

발 신 : 주 이태리 대사

제 목 : 유엔 가입추진(EC 공동입장 표명)

대:WECM-26

대호 표제관련 5.8. 당관 황부홍공사는 주재국 외무성 정무총국 FERRI 아주국장과 면담하였는바 요지 아래 보고함.

1. 황공사는 동국장에게 지난 4 월 EPC 아시아 그룹회의시 아국 메모렌덤 배포협조에 사의를 표하고, 대호에 의거 금번 회의 (5.16.-17 예정)시 아국의 유엔가입문제가 재거론되고 EC 공동입장이 대외적으로 표명될수 있도록 적극 협조하여 줄것을 당부하였음.

2. 이에대해 동국장은 유엔가입문제에 대한 아국입장 (메모렌덤)은 REASONABLE 한 요청으로서 이태리등 EC 제국 입장과 동일하며 이를 환영하고 있다고 언급하고 금번 EPC 아세아 그룹회의는 5.15. 개최예정이며 금번 회의 주목적은 5.30.-6.1. 간 룩셈부르크에서 개최예정인 EC-ASEAN MINISTERIAL MEETING 를 위한 준비회의 성격이라고 하며, 경우에 따라서는 그밖의 사항도 논의 될수 있다고 언급함.

3. 동국장에 의하면 아국 유엔가입문제의 관한 EC 의 대외적 공동입장 표명을 위한 최초의 좋은 기회로는 5.30.-6.1. 개최예정인 EC-ASEAN 장관급회의로 보며, 이회의에서 아국 유엔가입문제에 관한 공동입장이 표명(공동컴뮤니케등)될수있도록 적극 추진하면 좋을 것으로 생각된다고 피력하면서 이를 위해 아국이 ASEAN 제국에 대해 대외적 공동지지입장 표명을 지지하도록 교섭해야 할 것으로본다고 조언함.

4. 동국장에 의하면 작년도 아국의 유엔가입신청 보류이후, 앞으로 중공의 거부권 행사 가능성에 대한 JUSTIFICATION 은 매우 어려우므로 중공도 북한에 계속 압력을 가하고 있는 것으로 파악하고 있는 바, 아측으로서도 앞으로 유엔 가입문제를 추진시 중공및 북한이 국제적으로 그 체면을 크게 손상받지 않을수 있도록 가급적 포용성과 융통성있게 대처하여 나아감이 필요할 것으로 본다고 함. 끝

국기국 장관 차관 1차보 2차보 구주국 청와대 안기부

PAGE 1

91.05.09 23:20

외신 2과 통제관 CE

0233

(대사 김석규-국장)

19 . . 에 예고:91.12.31. 일반
의거 일반

검토필(1991.6.30)

PAGE 2

0239

원 본

관리 번호	91-3098

외 무 부

종 별 :

번 호 : ITW-0675 일 시 : 91 0509 1435

수 신 : 장관(국연,구일)

발 신 : 주 이태리 대사

제 목 : 유엔 가입추진(외상방한)

대:WIT-0452

표제관련 5.8. 당관 황부홍공사는 주재국 외무성 정무총국 FERRI 아주국장과 면담, 방중하는 주재국 외상이 중국측에 대호 아국요망사항을 전달 또는 요청하여 주도록 당부하였는 바 요지 아래 보고함.

1. 동국장은 자국외상의 방중(5.20-21) 직전에 아국 박동진특사가 주재국을방문(5.15-18)하게 되므로, 자국외상에게 대해서는 아국특사가 직접 요청함이 좋을 것으로 본다고 언급하였음.

2. 동국장은 금번 외상의 방중, 방한에 자신도 자국외상을 수행하는 바 동국장 자신으로서는 방중시 대호 아국 요망사항이 적의 전달, 타진될수 있도록 실무적으로 준비및 최선을 다하겠다고 말함.

3. 동국장에 의하면 자국외상은 현재 유럽을 비롯 범세계적으로 평화와 CONFIDENCE BUILDING 이 큰진전을 보이고 있으므로 아국문제등 주요지역 문제해결을 위하여 지대한 관심을 갖고 있으며, 작년도 유엔 총회에서 EC 의장으로서 아국문제에 관해 연설한 바와 같이 아국문제에 대해서도 깊은 관심을 갖고 있음. 따라서 금번 방중시도 아국 유엔가입 문제를 거론할 것으로 확신한다고 함. 끝

(대사 김석규-국장)

예고:91.12.31. 일반

의거 일반문서로 재분류됨 검토필(1991.6.30.)

국기국 장관 차관 1차보 2차보 구주국 청와대 안기부

PAGE 1

91.05.09 23:12

외신 2과 통제관 CE

0240

관리 번호 91-3082

	분류번호	보존기간

발 신 전 보

번 호 : WPD-0439 910509 1729 FO 종별 :

수 신 : 주 폴란드 대사. 총영사

발 신 : 장 관 (국연)

제 목 : 유엔관련 중국.폴란드 회담

연 : WPD-0362, 0419

1. 주호주대사의 Evans 호주외상 예방(5.8)시 동 외상은 최근 중국이 귀주재국을 포함한 일부 동구국가들에 대해 아국의 유엔가입에 대한 이들 국가의 입장을 타진한 바 있다고 언급하였다 함.

2. 연호 중.폴 유엔관련 회담 계기 주재국측 접촉시, 상기 중국측의 아국 유엔가입에 대한 폴측 입장 타진 관련사항도 은밀히 파악 보고바람. 끝.

예 고 : 1991.12.31. 일반에 의거 인반문서로 재분됨

(국제기구조약국장 문동석)

검 토 필(1991. 6. 30.)

보안 통제	

앙 고 재	91년 5월 9일	유엔과	기안자 성명		과 장		국 장		차 관	장 관
			김성				전결			

외신과통제

0241

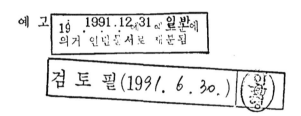

관리번호	91-3081

	분류번호	보존기간

발 신 전 보

번 호 : WYG-0384 910509 1730 FO 종별 :

수 신 : 주 유고 대사. 총영사

발 신 : 장 관 (국연)

제 목 : 유엔가입 추진

주호주대사의 Evans 호주외상 예방(5.8)시 동 외상은 최근 중국이 귀주재국을 포함한 일부 동구국가들에 대해 아국의 유엔가입에 대한 이들 국가의 입장을 타진한 바 있다고 언급하였는바, 귀주재국측과 접촉, 상기 중국측의 입장타진 관련 사항을 파악 보고바람. 끝.

예 고 : 1991.12.31. 일반문에 의거 인반문서로 재분류됨

검 토 필(1991. 6. 30.)

(국제기구조약국장 문동석)

보안통제	

앙고재	91년 5월 9일	유엔과	기안자 성명		과 장		국 장		차 관	장 관
			김				전결			

외신과통제

0242

관리 번호	91 -3137

원 본

외 무 부

종 별 :

번 호 : POW-0296 일 시 : 91 0509 1900

수 신 : 장관(국연,구이,사본-주유엔대사)

발 신 : 주 폴부갈 대사

제 목 : 유엔가입추진(EC공동입장 표명)

대:WECM-0026

1. 대호 주재국 실무국장인 아주국장 및 국제기구국장이 공히 출장중이므로, 5.9 외무성 FATIMA 아주국장대리를 당관 주참사관이 만나, 대호 3, EC 정무총국장 회의계기에 EC 의 공동입장이 표명되도록 주재국의 적극지원 역할을 요청함

2. 동인은 5 월 총국장회의는 주로 5 월말에 있을 EC-아세안 외상회의와 경제 각료회의에 대비한 입장마련에 목적이 있으므로 한국가입 문제가 제기될수 있을지 모르겠으나, 아무튼 5 월 동 회의와 불연이면, 6 월 총국장회의에서다로, EC의 아국 가입지지 공동입장 표명이 되도록 가능한 노력하겠다고 하면서, 아국의 요청내용을 상부에 보고, 지지 건의하겠다고 말함

3. 또 SILVA LEITAO 국제기구국장 대리도 방문, 상세 배경설명하고 지지 요청한바, 동인은 한국측 입장이 매우 현실적이라고 하면서, 정무총국장에게 보고,지지토록 노력하겠다고 말함.

4. 아측은 또 북한이 탁구, 당지개최 청소년축구등 스포츠 단일팀 구성과 유엔단일의석 가입 주장을 결부짓고 있는 허구성을 인식시킴.끝

(대사조광제-국장)

19 의 예고 : 91.12.31 일반

검토필(1991.6.30)

국기국 장관 차관 1차보 2차보 구주국 청와대 안기부

PAGE 1

91.05.10 23:29

외신 2과 통제관 FI

0243

관리 번호 91-3121

	분류번호	보존기간

발 신 전 보

번 호 : WIT-0489 910510 1440 FN 종별 :

수 신 : 주 이태리 대사. ~~총영사~~

발 신 : 장 관 (국연)

제 목 : 유엔가입 추진

대 : ITW-0675

연 : WIT-0452

박특사의 귀주재국 외상 면담시 [illegible] 연호 아측의 대중국 관련 협조사항을 외상에게 직접 요청하도록 조치바람. 끝.

예 고 : 1991.12.31. 일반에 의거 일반문서로 재분류됨

검토필(1991. 6. 30.) 인

(국제기구조약국장 문동석)

보안 통제	서명

앙 고 재	91년 4월 10일	유엔과	기안자 성명	김성철	과 장	서명	국 장	전결	차 관		장 관	서명

외신과통제

0244

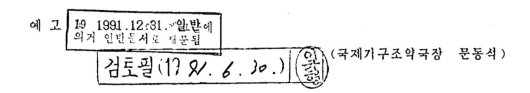

관리번호 91-443

(16(나) 문서

기 안 용 지

분류기호 문서번호	국연 2031 - 1216	(전화:)	시행상 특별취급	
보존기간	영구·준영구. 10. 5. 3. 1	장	관	
수신처 보존기간				
시행일자	1991. 5. 10.			

보조기관	국 장	전 결	협조기관		문서통제 1991. 5. 11
	과 장				
기안책임자		김성진			발송인 1991. 5. 11 외무부

경 유	주뉴욕총영사	발신명의	
수 신	주유엔대사		
참 조			
제 목	한·벨 외무장관 회담요록 송부		

연 : WUN-1213 (91.5.6)

연호 Mark Eyskens 벨기에 외무장관의 방한시 (5.5-8) 개최된 한-벨기에 외무장관 회담요록을 별첨 송부하니 참고바랍니다.

1991.12.31. 에 예고문에 의거 일반문서로 재분류

첨 부 : 표제 회담요록(유엔가입문제부분) 1부. 끝.

0245

검토필(1991. 6. 30.)

UN 72

관리 번호	91-3154

원 본

외 무 부

종 별 :

번 호 : AVW-0541　　　　　　　　일 시 : 91 0510 1730

수 신 : 장 관(국연,동구이,국기,미안,청와대외교)

발 신 : 주 오스트리아대사

제 목 : 수상 외교담당 보좌관 면담

본직은 금 5.10(금) 오후(16:00-16:30) 주재국 수상 외교담당 보좌관 NOWOTNY를 사무실로 방문하고 상호 관심사에 관하여 면담하였음.

1. 본직은 IPU 평양회의에서 오스트리아 대표단이 북한의 핵안전 문제, 인권문제등에 관하여 적극적으로 발언해 준데 대하여 사의를 표하였음.

2. 또한 본직은 아국의 유엔가입을 위해 주재국이 계속 국제여론 조성에 앞장서 줄것과 한반도의 안보에 중대한 위협이되고있는 북한의 핵개발 억제를위해 IAEA 등 국제기구를 포함한 국제무대에서 계속 대북한 압력을 행사해 줄것을 당부하였으며, 오측은 협조를 다짐하였음.

3. 오측은 아국의 유엔가입에 관련하여 중공이 어떤태도를 취하고 있는가에관심을 표현 하였으며, 북한은 그총리가 오스트리아를 방문하기를 희망하고있으나, 양국간의 채무문제등을 실무적으로 먼저 타결 지어야한다는 입장을 견지하면서 북한 총리의 방문접수를 연기시키고 있다는 취지로 말하였음.

4. 본직은 노신영특사를 위한 일정주선에 사의를 표하였으며, 오측은 EFTA 정부수반회의와 룩셈부르크 수상의 공식방문 때문에 노특사의 도착직후(5.21 오후6 시 15 분)에 수상이 만날수 밖에 없는 사정으로 이해해 달라고 말하였음.

5. 양측은 머지않은 장래에 한국대통령이 오스트리아를 방문할수 있게되고 또한 오스트리아 수상이 방한할수 있도록하여 아직 한번도 실현되지못한 양국간의 정상회담이 이루어지기를 희망하였음. 끝.

예 고: 91.12.31 일반

19 .에 예고문에 의거 일반문서로 재분류됨

검토필(1991.6.30)

국기국	장관	차관	1차보	2차보	미주국	구주국	국기국	청와대
안기부								

PAGE 1　　　　　　　　91.05.11 07:15

외신 2과 통제관 FE

0246

관리 번호 91-3183

외 무 부

종 별 : 지 급

번 호 : PDW-0412 일 시 : 91 0511 1110

수 신 : 장관(동구이, 국연)

발 신 : 주 폴란드 대사

제 목 : 수상 방한

대 : WPD-0443

1. 본직은 5.11 MAJEWSKI 외무차관을 면담, 6.20(목)-22(토)간의 비엘레츠키 수상 방한 수락을 통보함.

2. 동 차관은 아측의 방한 수락에 사의를 표하고 동 방한이 양국관계 증진에 기여할 것이라는 기대를 표명함.

3. 본직은 또한 5.16-18 간의 양국 외무성 유엔문제 실무협의회시 남북한 유엔가입 문제에 관한 중국측의 대북한 설득내용등을 파악해 주고 폴측의 아국 유엔 가입지지 입장을 중국측에 다시 표명해 줄것을 당부한바, 동 차관은 이에 협조하겠다고 함. 끝

(대사 김경철-국장)

예 고 : 91.12.31 일반 (19 에 예고문에 의거 일반문서로 재분류됨)

검 토 필(1991. 6. 30.)

구주국 장관 차관 1차보 2차보 국기국

PAGE 1

91.05.11 18:48

외신 2과 통제관 CH

0247

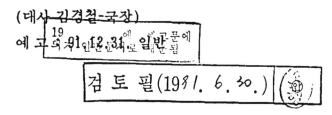

관리 번호	91 -3164

	분류번호	보존기간

발 신 전 보

번 호 : WRM-0344 910511 1207 CJ 종별 : 지 급

수 신 : 주 루마니아 대사. 총영사

발 신 : 장 관 (국연)

제 목 : 유엔가입추진

대 : RMW-0268 (특수file)

귀직은 주재국 Tinca 차관보와 지급 접촉, 미국정부는 북한의 유엔가입에 대하여 거부권을 행사하지 않을 것임을 중국 및 북한측에 이미 수차 확실히 밝힌 바 있음을 주지시키고 (북한측에게는 90.11.5. 주유엔 미국대사가 박길연 주유엔 북한대사에게 이를 분명히 밝혔음), 대호 동 차관보의 중국, 북한 방문관련 아래사항을 협조 요청하고 결과 보고바람.

1. 중국방문시, 우리의 유엔가입문제에 대한 루마니아측의 지지입장을 밝혀주고, 북한이 한국과 함께 유엔에 가입하는 것이 현 국제적 분위기에 비추어 북한측에게도 유리하며, 또한 금추 총회를 계기로 남북한이 다함께 유엔에 가입하게 되면 한반도정세 안정에도 많이 기여할 것이므로 이는 중국측도 바라는바 일것임을 지적하고, 중국이 이니시아티브를 갖고 북한을 계속 잘 설득해 줄 것을 루마니아측 입장으로 전달해 주기 바람.

/계속...

1차보:
국주32:

보안통제	

앙고재	91년 5월 11일	유엔과	기안자 성명 김성?	과 장	국 장	차 관	장 관

외신과통제

0248

2. 또한 북한방문시에는 국제적 분위기와 유엔의 최근 역할 강화 추세에 비추어 볼 때, 북한이 한국보다 늦지 않게 유엔에 가입하는 것이 북한에게도 유리할 것이고, 특히 북한이 추구하고 있는 대일수교등 대서방 관계개선 노력에도 유엔가입이 긍정적으로 작용할 것임을 루마니아측 입장으로 아울러 설명해 주기 바람. 끝.

예 고 1991.12.31. 일반문에 ... 서 ... 됨

검 토 필(1991. 6. 30.)

(국제기구조약국장 문동석)

0249

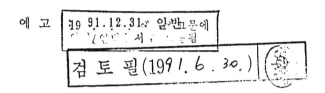

관리번호	91-3204

원 본

외 무 부

종 별 : 지 급

번 호 : DEW-0240 일 시 : 91 0513 1230

수 신 : 장관(국연)

발 신 : 주 덴마크 대사

제 목 : 유엔가입추진

대:WDE-0159

연:DEW-0241

본직은 5.16(목) 주재국 외무부 HENRIK WOHLK 차관및 MICHAEL STENBERG 아주국장을 면담 예정인바, 대호 중국외교부 부부장 주재국 방문과 관련한 대주재국 요청사항등 가급적 동 면담전까지 당관에 회시바람. 끝.

(대사 김세택-국장)

예고:91.12.31 일반

예고문에 의거 일반문서로 재분류됨

검토필(1991.6.30)

국기국 장관 차관 1차보 2차보 구주국 청와대 안기부

PAGE 1

91.05.13 21:07

외신 2과 통제관 DO

0250

관리 번호 91-3215

원 본

외 무 부

종 별 :

번 호 : NRW-0322 일 시 : 91 0513 1530

수 신 : 장관(국연,구이,정이,기정동문)

발 신 : 주 노르웨이 대사

제 목 : 면담보고

1. 본직은 5.13.COLDING 주재국 외무부정무차관보를 면담, 본부 지시에따라 아국의 유엔가입입장을 설명하고 금년 유엔총회에서 아국이 가입신청을 하는경우 주재국의 지지를 요청하였음. 이에대해 동차관보는 자신이 과거 유엔대표부에 근무할 사실을 언급, 그때부터 이미 한국문제에 대해 잘이해하고 있다고 하면서, 한국의 유엔가입은 보편성원칙에 입각하여 당연하다는 개인적 견해를 피력하였음

2. 한편 동차관보는 당지 북한대사관의 폐쇄와 관련 동폐쇄이유가 비단 경제적 이유라 하지만, 북한의 정책과 외교스타일이 서방민주국가에서 받아들이기 어려운 시대착오적인것이이 때문에 국제사회에서 점차 고립되어 가고있는 현상을 반영하는것으로 본다고 말하였음을 첨언함

(대사 김병연-국장)

예고:91.12.31 일반 검토필(1991.6.30.)

국기국 장관 차관 1차보 2차보 구주국 정문국 청와대 안기부

PAGE 1

91.05.14 00:39

외신 2과 통제관 DO

0251

WFR-0984 910513 1615 FO

WSP -0237 WGR -0168 WBB -0236 WHO -0180 WEC -0262

WUK -0891 WGE -0740 WIT -0504 WDE -0180 WPO -0178

WID -0114

0252

관리 번호	91 — 3197

	분류번호	보존기간

발 신 전 보

번 호 : WFR-0984 외 별지참조 종별 :

수 신 : 주 수신처 참조 대사[redacted] (사본 : 주영, 독, 이태리, 덴마크, 포루갈, 아일랜드, [redacted])

발 신 : 장 관 (국연)

제 목 : 유엔가입추진 (EC 공동입장 표명)

연 : WECM-0026, 27

1. 연호 EC 공동입장 표명관련, 대주재국 교섭결과 조속 보고바람.

2. 5.11까지 본부에서 파악한 각국 입장을 다음 통보하니 참고바람.

가. 벨지움 (5.6, 한.벨 외상회의시 Eyskens 외상)

o EC 공동지지 입장의 공개적 표명을 지원 예정이고, 이를 여타 EC 회원국들에 대해서도 권유할 것임.

나. 아일랜드 (5.6, Murphy 정무차관보)

o 한국의 요청 이해하며, EC 공동 지지입장 표명관련 지원하겠음.

다. 영국 (5.8, Davies 극동과장)

o EC 여타회원국 입장을 확인, 가능한 협조방안 모색할 것임.

- 지난 2월 중국외상 구주순방 직전에 여사한 방안이 EC 내에서 거론되었으나, 부정적 영향을 우려하는 일부 의견이 제기되어 보류된 바 있음.

/계속...

보안 통제	(서명)

앙 고 재	91년 5월 13일	유엔과	기안자 성명		과 장		국 장		차 관	장 관
			김성진		(서명)		전결			(서명)

외신과통제

0253

중국이 대외문제에 극히 의심이 강한만큼, 수세에 몰린다는 인상을 가지지 않도록 신중을 기함이 좋을 것으로 봄.

라. 독일 (5.8, Zeller 아주총국장 및 Scheel 동아국장)

o EC 정무총국장 회의시 동건관련 적극적으로 지원 예정임.

- EC 의장국인 룩셈부르크의 역할이 중요하다고 봄.

마. 덴마크 (5.8, Bruun 정무총국장)

o 금번 정무총국장 회의시 한국의 유엔가입문제가 거론될 것이 확실하며, 한국입장을 지지하는 일반적 합의(general agreement)가 이루어지도록 최선의 노력을 할 것임.

바. 이태리 (5.8, Ferri 아주국장)

o 금번 정무총국장회의는 EC-ASEAN 장관급 회의(5.30-6.1. 룩셈부르크)를 위한 준비회의 성격이며, 경우에 따라서 여타문제도 논의될 수 있을 것임.

- EC의 공동 지지입장 표명의 좋은 기회는 동 EC-ASEAN 장관급 회의로 보며, 동 회의에서 공동입장 표명(공동 커뮤니케등) 추진방안이 바람직한 바, ASEAN 국가에 대한 교섭을 추진하는 것이 좋을 것임.

사. 폴투갈 (5.9, Fatima 아주국장대리 및 Leitao 국제기구국장대리)

o 5월 총국장회의는 5월말 예정인 EC-ASEAN 외상회의와 경제각료회의 대비, 입장 정리 목적이므로 한국 유엔가입문제의 제기 가능성은 불확실함.

o 5월회의가 불가능하면 6월 회의에서라도 EC 공동입장 표명이 되도록 가능한 노력 예정임. 끝.

예 | 10 . . 에 예고문에 의거 일반문서로 재분류됨 | 검토필(1991.6.30)

수신처 : 주불, 스페인, 희랍, 벨지움(룩셈부르크), 화란, EC 대사

(국제기구조약국장 문동석)

0254

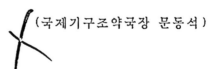

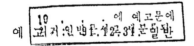

관리 번호	91 -3227

	분류번호	보존기간

발 신 전 보

번 호 : WDE-0187 910514 1554 FL 종별 : 지급

수 신 : 주 덴마크 대사. 총영사

발 신 : 장 관 (국연)

제 목 : 유엔가입추진

대 : DEW-0240, 0211

연 : WDE-0159

대호 귀직의 Wohlk 차관등 면담시, 중국외교부 부부장의 귀지 방문관련 아래사항을 협조 요청하고 결과바람.

o 중국측에 대해, 우리의 유엔가입문제에 대한 덴마크의 지지입장을 밝혀주고, 북한이 한국과 함께 유엔에 가입하는 것이 현 국제적 분위기에 비추어 북한측에게도 유리하며, 또한 금추 총회를 계기로 남북한이 다함께 유엔에 가입하게 되면 한반도정세 안정에도 많이 기여할 것이므로 이는 중국측도 바라는바 일것입을 지적하고, 중국이 이니시아티브를 갖고 북한을 계속 잘 설득해 줄 것을 덴마크측 입장으로 전달해 주기바람. 끝.

예 고 : 91.12.31. 일반

19 . . . 에 일반문에 의거 일반문서로 재분류됨

검토필(1991.6.30.)

(국제기구조약국장 문동석)

보 안 통 제	

앙 고 재	91년 5월 14일	유엔과	기안자 성 명		과 장		국 장		차 관	장 관
							전결			

외신과통제

0255

관리 번호 91-3250

원 본

외 무 부

종 별 : 지 급

번 호 : SPW-0327 일 시 : 91 0514 1630

수 신 : 장관(국연)

발 신 : 주 스페인 대사

제 목 : 유엔가입추진(EC 공동입장표명)

대: WECM-0026

대호 교섭결과, 주재국 외무성 국기국 MATELLANES 유엔담당부국장은 한국의유엔가입을 실질적으로 지지해 오고 있는 스페인으로서는 한국의 선가입에 대한 EC 의 공동입장 표명을 지지하며 스페인이 금번 EC 정무총국장 회의시 분위기조성에 노력토록 상부에 건의할것이라고 말함.

(대사-국기국장)

예고 1991.12.31 일반

검토필(1991.6.30)

국기국 차관 1차보 2차보 구주국

PAGE 1

91.05.15 05:35

외신 2과 통제관 CA

0256

관리 번호 91-3249

원 본

외 무 부

종 별 :

번 호 : ECW-0427 일 시 : 91 0514 1800

수 신 : 장관 (국연,구일) 사본: 주유엔대사본부중계필

발 신 : 주 EC 대사

제 목 : 유엔가입 추진 (EC 공동입장 표명)

대: WECM-26, WEC-0262

1. 대호관련, 본직은 금 5.14. JANNUZZI EPC 사무국장을 접촉, 5-6 월중 EPC 정무총국장 회의 계기에 우리의 유엔가입을 지지하는 EC 공동입장이 표명될수있도록 협조 요청한바, 동국장은 5.16-17 정무총국장 회의에서 한국의 유엔가입문제가 거론되도록 노력할 것이나, EC 공동입장 표명문제는 EC 회원국 외무장관들의 승인을 받아야 할것으로 보며, 따라서 금번회의에서 이에관한 최종적 결론이 도출되기는 어려울 것으로 본다고 언급함

2. 동 국장은 5.16-17 EPC 정무총국장 회의 참석후 그결과를 당관에 알려주기로 한바 동내용 입수되는대로 추보 위계임. 끝

(대사 권동만-국장)

예고: 91.12.31. 일반

검토필(1991.6.30)

국기국 구주국

PAGE 1

91.05.15 06:45

외신 2과 통제관 CA

0257

ECfile

ow 기^

✓

관리 번호	91 -3249

원 본

외 무 부

시설-K/UN 0k(5/15)것

종 별 :

번 호 : BBW-0346 일 시 : 91 0514 1800

수 신 : 장 관(국연)

발 신 : 주 벨기에 대사

제 목 : 유엔가입 추진(EC 공동입장 표명)

대:WECM-0026, WBB-0236, EM-0017

1. 당관 유서기관은 금 5.14 오전 벨기에 외무부 NARTUS 아주국장(작 5.13 귀환)과 룩셈부르그 외무부 STEINMETZ 아주담당관에게 대호 EC 의 공동 입장 표명을위한 협조를 요청한바, 동인들은 그간 동건 관련 EC 내 분위기를 다음과같이설명함.

0 동건에 대해서는 이미 몇몇 회원국으로 부터 EC 가 공동 입장을 표명하는문제를 검토하자는 제안이 있었음.

0 중국을 설득하는 방법론과 관련, 지난 2.6 정무총국장 회의를 비롯 몇차례 회원국간 진지한 협의가 있었으나, 일부 국가에서는 중국을 너무 자극하는것은 오히려 역효과를 낼수도 있으므로 EC 자체는 LOW-KEY 를 유지하는것이 좋겠다는 의견이 있었기 때문에 지금까지는 개별 국가와 중국간 양자 협의 차원에서 각기 중국의 태도 변화를 유도하는 것으로 CONSENSUS 를 이루어 왔음.

2. 이에 대해, 유서기관은 대호(EM-0017) 요지를 재차 설명하면서 아측은 TIMING 상으로 이제는 EC 의 공개적 입장 표명이 필요한 것으로 판단하고 있음을강조하고 적극적인 협조를 요청한바, 동인들은 아측의 입장을 EC 내 협의에 충실히 전달하겠다고 약속함.

3. 한편, STEINMETZ 담당관은 EPC 내에서 동건 관련 어떤 방식으로든지 (POLITICAL COMMITTEE, COREPER 등 회의 또는 회원국간 TELEX 협의등) CONSENSUS 만 이루어지면 EC 명의의 공개적 성명 발표는 가능하므로 아측이 EPC 내부의 여러 회의 일정에 지나치게 신경을 쓸 필요는 없을것이라는 조언을 하였음을 참고로 첨언함. 끝.

~~(대사 정우영-국장)~~

19 예고문에 의거 예고 : 91.12.31 일반

검토필(1991.6.30)

국기국	장관	차관	1차보	2차보	구주국	청와대	안기부

PAGE 1

91.05.15 07:35

외신 2과 통제관 BS

0258

bu

관리 번호	91 -3271

원 본

외 무 부

종 별 :

번 호 : UNW-1242 일 시 : 91 0514 1945

수 신 : 장 관(국연,서구일,기정) 사본:주이태리대사-중계필

발 신 : 주 유엔 대사

제 목 : 대 이태리 교섭

당관 최종무 참사관은 금 5.14. 당지 이태리 대표부 SCARANTINO 참사관을 면담한바, 동인발언 요지 아래보고함.

1. 이태리는 아국 적극 지지입장을 분명히하고 있음.

2. 중국의 태도관련, 중국내부에서도 아직 결정을 못하고 있는것으로 보이는바, 이는 구세대 원로층(COMRADE) 과 실용주의(PRAGMATICS)간 인식의 차이가 있기 때문이라고 생각함.

3. 북한도 중국이 어떠한 경우라도 북한입장을 지지할 것이라고는 확신하지못하고 있는것으로 보였음.

4. 지난 3 월 북한대표부 요원의 요청에 따라 동인을 면담한 감측에 의하면, 북한측은 공식적, 원칙적 입장에서 단일의석 주장을 되풀이 하였으나, 작년과달리 미묘한 변화의 조짐을 느낄수 있었으며 내심으로는 동시가입 가능성을 배제하지는 않는듯한 인상이었다고 덧붙였음. 끝.

(대사 노창희-국장)

예고:91.12.31. 일반문에 의거 일반문서로 재분류됨 | 검토필(1991. 6. 30.)

국기국	장관	차관	1차보	2차보	구주국	청와대	안기부

PAGE 1

91.05.15 10:51

외신 2과 통제관 BS

0253

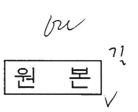

원 본

관리번호	91-3306

외 무 부

종 별 :

번 호 : GRW-0537 일 시 : 91 0516 1300

수 신 : 장관(국연)

발 신 : 주 희랍 대사

제 목 : 유엔가입추진(EC공동입장 표명)

대:WECM-26

본직은 5.16 11:30 주재국 외무성 RETALIS 아주국장을 면담하고 대호 교섭함.

RETALIS 국장은 금번 EC 정무총국장회의 토의사항에 한국의 유엔가입문제는포함되어있지 않은것으로 알고있으나 한국의 입장을 동회의 참석대표에게 설명하겠다고 하였음.

희랍대표 LYBROPOULOS 정무총국장은 91.4.11 본직과의 면담시 유엔가입문제와 관련하여 한국을 지지하는것이 희랍의 입장이라고 말한바 있음.(GRW-432 참조)

(대사 박남균-국장)

예고:91.12.31 일반

검토필(1991. 6. 30)

국기국	장관	차관	1차보	2차보	구주국	청와대	안기부

PAGE 1

91.05.16 21:37

외신 2과 통제관 BW

0260

관리 번호 91-3332

원 본

외 무 부

종 별 :

번 호 : DEW-0256 일 시 : 91 0516 1730

수 신 : 장 관(국연)

발 신 : 주 덴마크 대사

제 목 : 유엔가입추진

연:DEW-0240

대:WDE-0187

1. 본직은 금 5.16(목) 주재국 외무부 H. WOHLK 차관 및 M. STERNBERG 아주국장을 각각 면담 중국 외교부 부부장의 당지 방문시(91.6.13.-6.18.)대호 내용대로 주재국의 아국 유엔가입 지지입장을 밝히고 북한을 설득해 줄 것을 주재국 입장으로 전달하여 줄 것을 강력 요청함.

2. 이에 대해 양인은 주재국은 유엔가입과 관련한 아국입장을 적극지지하며, 이러한 지지입장과 한국측 요청을 중국측에 충분히 전개토록 하겠다고 하였음. 끝.

(대사 김세택-국장)

예고:91.12.31. 일반

19 에 예고문에 의거 일반문서로 재분류됨

검토필(1991.6.30)

국기국 장관 차관 1차보 2차보 구주국 청와대 안기부

PAGE 1

91.05.17 09:51

외신 2과 통제관 BS

0261

한,불가리아 외무장관 회담록

1. 일　　시 : 1991.5.16(목)　15:00-16:20

2. 장　　소 : 조약체결실

3. 참 석 자

아　　측(7명) : 외무부장관, 제 1차관보, 주불가리아 대사, 구주국장, 국제경제국장, 통상국장, 동구 2과장

불가리아측(8명) : 부총리겸 외무장관, 재무장관, 외무차관, 대외경제부차관, 외무장관 자문관, 주한 대사대리, 재무부 국제국장, 주한 상무참사관

4. 회담요록

〈장　관〉

o 오늘 회담은 상호 합의한 의제에 따라 국제정세 일반에 관하여 의견을 교환한뒤, 우선 한반도 정세를 아측에서 설명하고 다음에 발칸지역 정세를 귀측에서 설명후, 양자관계에 관하여 협의하는 순으로 진행코자 함.

o 아국은 국제정세면에서 최근의 전세계적인 화해와 협력의 분위기를 적극 환영하고 있는바, 걸프전에서 보이듯이 화해와 협력의 무드는 국지전을 감소시킬 수 있었음. 그러나, 아직 세계 도처에는 지역분쟁의 위협 요소가 상존하고 있는바, 이를 방지하기 위해서는 국가간의 관계를 보다 계속 발전시켜 나가야 한다고 봄.

0262

<Vulkov 외무장관>

o 이 장관의 견해와 같이 세계는 전반적으로 긍정적인 변화를 보이고 있음.

o 지난 3년간 동구에서는 커다란 변화가 있었는바, 현재 동구는 정치적으로 민주주의를 지향하고 있으며 경제적으로도 개혁이 진행중에 있음. 불가리아도 지난 12월부터 공산독재에서 다당제 정치체제로 변화하여 전체주의를 청산하고 의회 민주주의를 추구하고 있음. 외교정책면에서도 변화가 있었는바, 불가리아는 EC와 Council of Europe에 가입코자 하며 CSCE과정에도 참여, 유럽의 통합을 위해 노력하고 있음. 단기간내 이루어지지는 않겠지만 매우 능동적으로 참여하고 있음.

o 우리는 또한 실용주의적 정책에 입각하여 인근국가와 선린관계 유지를 위한 외교정책을 추진하고 있는바, 현재 그리이스와는 좋은 관계를 유지하고 있으며 터키와도 관계를 개선시키고자 노력중임. 또한 동구 여타 국가와의 우호관계 유지도 매우 당연한 것으로서 여기에는 물론 소련도 포함됨.

o 발칸지역 정세와 관련, 우리는 최근 유고 연방의 분열조짐을 매우 우려하고 있음. 본인은 Loncar 외상과 매우 긴밀한 협조관계를 유지하고 있는바, 우리로서는 유고의 자주독립성 유지를 지지하며 유고의 문제가 조속히 해결되기를 희망함. 우리는 타국의 영토문제에 간여하지 않을 것이며 마찬가지로 타국의 우리정세 간여를 원치 않음.

o 소련에서 일어나고 있는 개혁도 어떠한 일이 있드라도 평화적으로 추진되기를 희망함.

o 불가리아는 이제 구체제로 복귀하기는 불가능함. 정치적으로 다원화 되었고, 대담한 경제개혁도 3-4개월전부터 추진하고 있는바, 신체제로의 이행과정에서 많은 어려움이 발생하고 있음. 구체제가 완전히 붕괴되고

0263

그자리에 새로운 시장경제체제를 도입함에 따라 전환기적 어려움이 다대함. 불가리아의 외채는 110억불에 이르고 있는바, 이라크가 10억불의 채무를 갚지 않아 어려움이 더 큼. 그러나 우리는 장래를 낙관적으로 보고 있음. 조만간 총선을 실시할 예정이며, 지방정부, 신국회가 구성될 것이고 헌법도 새로이 제정될 것임. 현재 여러 국제금융기구에 대하여 재정 지원을 요청하고 있으며, G-24에 대한 것도 그 하나임.

o 안보체제에서도 변화가 생겼는바, 바르샤바 조약기구는 이제 소멸되었으며 따라서 우리는 새로운 안보체제 구축을 위해 노력하고 있음. CSCE과정에의 참여와 양자조약으로 우리의 안보를 확고히 하는 한편, 독일등과의 협력도 추구하고 있음.

<Kostov 재무장관>

o 불가리아의 경제사정을 설명드리고자 함. 현재 불가리아는 경제개혁 과정에 있는바, 통화분야는 비교적 성공적으로 관리하고 있으며, IMF등에서 자문관이 아국경제 개혁을 위해 노력하고 있음.

o 그러나 현재 불가리아는 경제적 침체(stagnation) 상황에 놓여 있는바, 생산성이 약 20%정도 감소했고 실업률도 크게 증가하였음. 특히 소련 및 동구시장 상실로 우리 경제는 어려운 형편에 놓여 있음.

o 현재 서방의 대동구 투자의 95%가 폴란드, 체코, 헝가리에 집중되어 있음. G-24 그룹의 불가리아에 대한 재정지원은 아직 이들 국가들이 정식 지원을 선언하고 있지 않는 관계로 어려움이 있음. 일본에 대해서는 재정지원을 요청한바, G-24 fomula내에서 지원을 고려하겠다는 반응을 보였음.

0264

o 지난 3개월간 통화정책은 성공적으로 유지되어 왔으나, 최근 재정부족 현상이 발생하고 있어 서방의 추가 지원이 절실한 실정임. 현재 파리 클럽등에서의 추가지원을 약속받았으며 EBRD등을 통한 지원 획득도 모색하고 있는바, 한국측의 지원을 희망함. 우리는 또한 한국이 5,000만불을 지원키로 약속한 것을 조속 이행해 줄것을 기대함. 불가리아는 지금 어려운 형편에 있어 한국의 지원이 절실한 실정이며, 특히, 적기에 지원해 주는 것이 무엇보다도 중요함.

<장 관>

o 불가리아의 대외정책과 경제개혁동향, 그리고 당면 어려움에 관한 여러가지 설명에 감사함.

o 양국관계 현안 논의에 앞서, 남북한 관계에 대하여 간략히 설명드리고자 함. 우리는 북한과의 관계개선을 위해 적극 노력하고 있는바, 90년도에 3차에 걸쳐 남북한 총리회담을 개최했으나 금년 2월로 예정되어 있던 제 4차 회담이 무기 연기되었음. 우리는 대화재개에 대하여 북한측으로부터 긍정적인 반응이 있기를 기대하고 있으며 남북한 관계개선을 위하여 인내심을 가지고 계속 노력할 것임.

o 우리의 유엔가입 추진에 대한 귀국의 지원에 감사함. 북한은 아직 남.북한 동시 유엔 가입을 원치 않고 있는바, 만약 북한이 계속 불응시에는 우리만이라도 우선 가입코자 함. 현재 이문제의 열쇠는 중국이 쥐고 있는바, 최근의 고르바초프 소련 대통령과의 회담에서도 확인되었듯이 중국도 아국의 유엔가입 문제에 대해 보다 현실적인 입장으로 변화하고 있는 듯함. 금년에 귀국을 비롯한 유엔회원국 대다수의 지원하에 한국이 유엔에 가입할 수 있기를 기대함.

0265

o 다음은 양자관계에 대하여 언급하고자 함.

양국간의 관계가 기본적으로 증진되고 있음에 만족함. 아직 양국간의 교역량은 미미한 수준이지만 장차 확대될 것으로 기대함. 이를 위해서 조속한 시일내 투자보장협정, 이중과세방지협정 및 무역협정을 체결하여 관계확대의 제도적 장치를 강구하길 희망함.

o 90.11 귀측에서 13개 협력사업을 제시했는바, 검토 결과, CTV 공장 건설을 위해 실무자로 구성된 타당성 조사단을 귀국에 조속 파견코자 함. 냉장고 컴프레셔 공장 건설 및 광케이블 건설사업도 검토해 나갈 예정임.

o 아울러 귀측은 1,500만불의 전대차관을 요청했는바, 현재 아국도 국제 수지 악화등으로 경제적 어려움이 있음을 이해바람.

o 한편, 귀국 총리께서 아국 총리에게 2억달러 규모의 재정차관 지원을 요청하는 서한을 송부한 것으로 보고 받은바, 앞서 설명드린바 같이, 현재 아국사정상 재정차관 제공은 어려운 형편임. 다만, 무상원조의 일환으로 귀국이 필요로 하는 컴퓨터, 팩스기등 일부기자재등을 지원할 계획에 있으며, 또한 기술협력을 위해 기술연수 초청사업에 귀국의 전문가를 수명 초청할 예정임.

o 재무장관 언급사항과 관련 아국 경제는 민간인들이 주도하고 있어 정부가 간여할 폭이 적으며 대규모의 금융지원을 해줄 능력이 없는 실정임. 그러나, 아국기업들이 불가리아의 경제개혁을 지원토록 정부측에서 적극 권장해 나가겠음.

<Kostov 재무장관>

o 아측이 최근 한국의 경제상황에 어두웠던 것 같음. 아측은 지난 수년간 한국이 성공적으로 성장을 이룩했던 만큼 경제적 지원을 기대하는 것임.

0266

o 지난 11월 아측이 제시한 13개 사업의 조속 추진을 희망하며, 불가리아가 지금 매우 어려운 상황에 놓여 있는 만큼 한국의 도움을 요청하는 것임.

<장 관>

o 앞서 말씀드린 바와 같이 지난해부터 우리나라의 국제수지가 급격히 악화되었음. 금년에도 계속 적자인 바, 이는 임금인상 및 환율인상등에 의한 한국 상품의 국제경쟁력이 떨어졌기 때문임. 현재 재정적인 여유가 없음을 이해바라며, 다만 귀측이 제시한 13개 사업은 연구, 검토하여 가능한한 지원토록 하겠음.

<통상국장>

o 한국의 경제사정과 관련, 한말씀 드리고자 함. 89년 까지는 우리의 무역수지가 흑자였으나, 작년부터 반전되어, 90년도에는 48억불의 무역적자를 기록했으며, 금년에는 1-4월 기간중에만도 67억불의 적자를 보고 있음.

<Vulkov 외무장관>

o 지난번 보내준 인도적 원조에 감사드리며, 한국측의 지원이 계속 있기를 기대함.

o 양국관계 강화를 위하여 이중과세방지협정, 투자보장협정등이 조속 타결되기를 희망하며 항공협정, 비자면제협정 체결도 기대함.

o 문화, 과학기술교육분야에 있어서 양국 연구기관 및 대학간의 교류를 희망하며, 문화협정도 체결되기를 희망함.

o 한국의 유엔가입문제에 있어서 이미 입장을 밝혔듯이 남북한 동시가입 또는 단일가입을 지지함.

o 양국간 관계를 보다 확대시키기 위하여 양국 대통령 및 수상의 교환 방문을 희망함.

0267

<장 관>

o 무역협정, 투자보장협정, 이중과세방지협정이 조속 체결되어 투자 및 교역확대 환경이 마련되기를 희망함.

o 문화협정에 관해서는 관계부처에서 검토가 끝나는대로 아측 대안을 제시토록 하겠음.

o 양국간 관계발전을 위한 고위급 인사 방문도 추진해 나가는 것이 필요하다고 생각됨.

o 참고로 아측은 EBRD에 자본출자로 참여하고 있는바, 중.동구지역 경제개발을 지원키 위한 아국의 노력을 이해키 바람.

o 끝으로 1993년도 대전 국제박람회에 귀국이 참가하기를 희망함.

<Vulkov 외무장관>

o 장관님의 요청사항에 유의, 가급적 참가토록 하겠음.

<장 관>

o 저녁 만찬시에 다시 만나 유익한 대화를 나누기 바람.

0268

관리 번호 91-3353

원 본

외 무 부

종 별 : 긴 급

번 호 : ECW-0436 일 시 : 91 0517 1600

수 신 : 장관 (국연,구일,봉이) 사본:박동진특사(주이태리경유),주벨기에대사-

발 신 : 주 EC 대사 직송필

제 목 : 대통령특사 EC 집행위 방문건의

1. BORRELL EC 집행위 한국과장은 금 5.17. 박동진특사의 유엔가입 교섭을위한 EC 회원국 순방활동에 EC 집행위가 깊은 관심을 가지고 있으며, 박특사가 브랏셀을 방문하는 기회에 EC 집행위로서도 면담을 가지기를 희망하며, 이와관련 5.22(수) 12:30 EC 집행위 본부에서 BANGEMANN 부위원장 (DELORS 위원장및 ANDRIESSEN 부위원장은 방일관계로 부재) 과 특사와의 면담을 제의하면서 아측입장을 시급 알려줄것을 요청하여 옴

2. 현재 EC 집행위는 EPC 각급회의에 참여하고 있으며, 특히 EPC TROIKA체제의 일원으로 주요 국제문제에서 EC 정치협력에 개입하고 있고, EC 측이 특사와의 면담을 강하게 희망하고 있는 점을 감안, 상기일정 포함을 검토하여 주실것을 건의함

3. 동건관련 본부입장 지급 회시바람. 끝

(대사 권동만-차관)

예고: 91.12.31 일반

검토필(1991.6.30)

국기국 차관 1차보 2차보 구주국 통상국 상황실

PAGE 1

91.05.18 01:16

외신 2과 통제관 CE

0269

관리번호 91-3359

분류번호	보존기간

발 신 전 보

번 호 : WEC-0279 910518 1220 DH 종별 :

수 신 : 주 EC 대사 . 총영사 (사본 : 박동진 특사, 주 이태리대사 경유)

발 신 : 장 관 (구일)

제 목 : 대통령 특사 EC 집행위 방문

대 : ECW-0435

1. 대호 면담목적이 경제 관계에 대한 언급일 경우에는 ANDRIESSEN 부위원장이 5.26-28 방한 한.EC 고위협의회가 개최되므로 그때가서 논의할 수 있으며, 더우기 박특사가 동 면담에 대해 준비가 되어 있지 않음을 설명 바라며 면담 목적이 한반도, 남북한 문제, 유엔가입문제등 정치관계일 경우에는 이를 수락하되 동 면담은 EPC 사무국장(JANNUZI)이 참석하는 형식이 되도록 조치바라며 구체 일정 등 박특사와 협의바람.

2. 업무에 참고코자 하니 EC 정치협력에 있어서의 EC 집행위의 역할(UN문제등 포함)상세 파악 추후 보고바람. 끝.

(구주국장 권영민)

예고 : 1991. 12. 31. 일반

검토필(1991.6.30)

앙고재	91년 5월 18일	서구1과	기안자	과 장	국 장	차 관	장 관
			김영희		전결		

보안통제	외신과통제

0270

1 북한반응

관리번호 91-3423

외 무 부

종 별 :

번 호 : SPW-0341　　　　일 시 : 91 0520 1730

수 신 : 장관(구이 유엔 정이 기정 국방부)

발 신 : 주 스페인 대사

제 목 : WTO 북한상주대표 동태

1. 외무성 RODRIGUEZ-SPITERI 아주국장이 5.20. 본직면담시 제보해온바에 의하면, 동국장은 북한 WTO 상주대표 유창운을 동인요청에 따라 5.17. 사무실에서 접견한바, 유는 남북한 단일의석 유엔가입문제를 제기, 주재국 지지를 요청하기에 한반도를 상징적으로 대표하는 한국이 수많은 우방을 포함, 전세계 대다수국가의 지지를 받아 유엔에 가입코자하는 차제에 논리에 맞지않고 비현실적인 남북한 단일의석 가입안을 계속 고집하여 북한이 얻을수있는것이 과연 무엇인가고 반문하고, 순리에 따라 동시가입함이 좋을것으로 본다고 말하였던바 유창운은 크게 당황하면서 별다른 대응을 못하였다고함.

2. 동국장은 이어서 유창운에게 지난번에도 꼭같은 명제로 의견교환을 했음을 상기시킨후, 사안에 관한 북한의 새로운 입장이나, 새로운 정책이 있는경우외에는 더이상 면담 신청을 말아달라고 말했다고함.

3. 한편 SPITERI 국장은 본직에게 북한측에 대한 개방및 현실직시 촉구를 위하여는 북한인들을 만나서 있는 그대로 설명함으로써 북한이 스페인의 대한반도 정책에 어떤 환상을 갖지않도록 하는것이 필요하다는 의견을 개진하였음.

(대사-국장)

예고 : ~~1991.12.31 일반~~

19 . . . 에 예고문에 의거 인반문서로 재분류

검토필(1991.6.30)

구주국　차관　1차보　2차보　국기국　정문국　안기부　국방부

PAGE 1　　　　91.05.21 07:02

외신 2과 통제관 CA

0271

관리 번호	91 -3432

원 본

외 무 부

종 별 :

번 호 : UNW-1296 일 시 : 91 0520 1930

수 신 : 장관(국연)

발 신 : 주 유엔 대사

제 목 : 대 사이프러스 교섭

1. 당관 최종무참사관은 금 5.28 당지 사이프러스 대표부 P.EFTYCHIOU 참사관을 접촉, 표제건 진전사항을 문의한바, 동인은 아직 본부로부터 회신을 받지 못하였다하고 그간 자국의 외무장관이 해외여행중이었다고 덧붙였음.

2. 동인 접촉시 반응으로보아 사이프러스는 아국의 유엔가입문제에 대하여 아직 특별한 입장을 가지고 있지 않은 것으로 감촉되었음.

(대사 노창희-국장)

예고: 91.12.31. 일반 문에 의거 일반문서로 재분류됨

검토필(1991.6.30)

국기국 장관 차관 1차보 2차보 청와대 안기부

PAGE 1

91.05.21 09:26

외신 2과 통제관 BW

0272

관리 번호 91-3436

외 무 부

종 별 :

번 호 : DEW-0260 일 시 : 91 0521 1700

수 신 : 장관(구이,국연)

발 신 : 주 덴마크 대사

제 목 : 의회 외무위원장 예방

1. 본직은 금 5.21. 주재국의회 외무위원장 ARNE MELCHIOR 의원(중도 민주당)을 신임 예방하고 양국간 우호협력관계 및 한반도 정세등을 논의하는 한편 특히 금년중 아국의 유엔 가입노력을 설명함.

2. MELCHIOR 위원장은 남북한 관계에 대한 본직의 설명에 깊은 관심을 표시하면서 아국의 유엔가입은 당연히 이루어져야 한다고 언급함. 동 위원장은 자신이 지난 제 85차 IPU 평양총회에 참석, 폐쇄적인 북한사회의 실상을 직접 보고 싶었으나 바쁜 국내일정으로 참석치 못한바 있다고 말함. 끝.

(대사 김세택-국장)

예고: 91.12.31 일반 문에 의거 인반문서로 재분됨

검토필(1991.6.30)

구주국 차관 1차보 2차보 국기국 청와대 안기부

PAGE 1

91.05.22 05:32

외신 2과 통제관 BS

0273

관리 번호	91 -3467

원 본

외 무 부

종 별 :

번 호 : UNW-1319 일 시 : 91 0521 1945

수 신 : 장관(국연,서구일)

발 신 : 주 유엔 대사

제 목 : 대룩셈브르크 교섭

당관 최종무 참사관은 금 5.20 당지 룩셈브르크 대표부 BALTES 서기관을 면담한바, 동인의 발언요지 아래보고함.

1. 아국의 유엔가입을 지지하는것이 EC 12 개국의 공동입장임.

2. 지난주 EC 정무총국장 회의에서의 아국가입문제 협의여부에 대하여는 본부로 부터 알려온바 없음.

3. 아국이 정식 가입 신청을 하기전에 EC 12 개국이 아국가입 지지 공동입장을 표명하는 방안을 신중히 검토하고 있는 것으로 알고있으며 가능할 것으로 생각함.

4. 지난 2 월 북한대사와 자국대사가 면담하였는바, 북한측은 당시에 분명한 입장을 가지고 있지 않은 것으로 보였으며 여러가지 가능성을 조심스럽게 탐색하는 듯한 태도였음. 끝

(대사 노창희-국장)

예고:91.12.31. 일반

검토필(1991.6.30)

국기국 장관 차관 1차보 2차보 구주국 청와대 안기부

PAGE 1 91.05.22 09:14

외신 2과 통제관 FE

0274

관리번호 91-3488

H/AN 지원 OK 김

분류기호 문서번호	동구이20276-041	협조문용지 ( )	결재	담당	과장	국장
시행일자	1991.5.22					
수 신	수신처 참조	발 신	구주국장 (서명)			
제 목	한.불가리아 외무장관 회담 결과 후속조치					

91.5.16 개최된 한.불가리아 양국 외무장관 회담의 양자관계 주요 협의사항을 별첨 통보하오니 필요한 조치를 취하여 주시기 바랍니다. 끝.

예 고 : 1991.12.31 일반문서로 재분류 (일반문서로 재분류됨)

수신처 : 국제기구조약국장, 국제경제국장, 통상국장, 정보문화국장, 영사교민국장

검 토 필(1991. 6. 30.)

0275

1505-8일(1) 190㎜×268㎜(인쇄용지 2급 60g/㎡)
85. 9. 9 승인 "내가아낀 종이 한장 늘어나는 나라살림" 가 40-41 1989. 11. 14

한.불가리아 외무장관 회담시 양자관계 협의사항

구분	협의내용요지	조치사항	담당국
고위인사 상호 방문	<양측 공동 합의> o 대통령, 수상등 고위인사 상호 방문 추진에 의견 일치		구주국
아국의 유엔가입 추진	<아 측> o 불가리아의 지원에 감사 o 계속 지원 요청 <불가리아측> o 남북한 동시가입 또는 한국의 단일가입 지지	o 유엔대책 참고	국제기구조약국
장기재정차관 제공	<불가리아측> o 개혁에 따른 경제난 가중 o 재정부족 현상에 따른 한국측의 지원 요청 o 5,000만불 지원 약속 조속 이행 기대 <아 측> o 국제수지 악화등으로 어려움이 있음을 이해토록 요청	o Popov 수상의 아국 총리앞 서한을 통해 요청한 2억불의 장기재정차관 요청건에 관한 아국입장 정립	국제경제국
13개 경협사업 추진	<불가리아측> o 작년도에 제시한 경협사업 조속 추진 희망 <아 측> o CTV 공장 건설 타당성 조사단 조속 파견 예정 o 냉장고 콤프레셔 공장 및 광케이블 건설사업도 향후 검토 예정 o 전대차관 1,500만불 제공은 아측 사정상 어려움	o 조사단 파견	국제경제국

0276

구 분	협 의 내 용 요 지	조 치 사 항	담 당 국
무상원조.연수생 초청사업	<아 측> o 금년도중 컴퓨터, 팩스기등 기자재 지원 계획 o 기술연수생 초청 계획 <불가리아측> o 인도적 원조에 감사, 계속 지원 기대	o 금년도 계획 예정대로 추진	국제경제국
협정 체결 추진	<양측 공동사항> o 이중과세방지협정, 투자보장협정, 무역협정, 문화협정, 항공협정, 비자면제협정등 정부간 협정 조속 체결 ※ 이중과세방지협정 : 5.17 가서명 ※ 문화협정 : 아측 대안조속 제시 예정 언급	o 협정체결 실무교섭 강화	국제경제국 통 상 국 정보문화국 영사교민국
대전 EXPO 참가 요청	<아 측> o 93년 대전국제박람회에 불가리아 참가 요청 <불가리아측> o 아측 요청사항을 유의, 가급적 참가 노력	o 참가 유치활동에 참고	통 상 국

0277

관리 번호	91-3571

	분류번호	보존기간

발 신 전 보

번 호 : WYG-0412 910523 1519 FO 종별 :

수 신 : 주 유고 대사. 총영사

발 신 : 장 관 (국연)

제 목 : 유엔가입추진

연 : WYG-0384

연호 중국측의 아국 유엔가입에 대한 유고측 입장타진 관련사항 조속 파악 보고바람. 끝.

예 고 : 19 1991.12.31. 일반 에 의거 인반문서로 재분류

검 토 필(1991. 6. 30.)

(국제기구조약국장 문동석)

보 안 통 제	

앙 고 재	91년 5월 23일	유엔과	기안자 성 명		과 장		국 장		차 관	장 관

외신과통제

0278

관리 번호	91 -38473

분류번호	보존기간

발 신 전 보

번 호 : WPD-0485 910523 1520 FO 종별 :

수 신 : 주 폴란드 대사. 총영사

발 신 : 장 관 (국연)

제 목 : 유엔가입추진(중.폴 회담)

대 : PDW-0396

연 : WPD-0362, 0419, 0439

연호 유엔관련 중.폴 회담(5.16) 결과 및 중국측의 아국 유엔가입에 대한 폴측입장 타진 관련사항 (된 가능한 한) 조속 파악 보고바람. 끝.

예 고 : 1991.12.31. 일반

검 토 필(1991.6.30.)

(국제기구조약국장 문동석)

보안 통제	

앙 고 재	91년 5월 23일	유엔과	기안자 성명		과 장		국 장		차 관	장 관
			김성권		(서명)		전결			(서명)

외신과통제

북한발표 이후

0279

관리 번호	91 -3520

외 무 부

종 별 :

번 호 : SPW-0347 일 시 : 91 0523 1700

수 신 : 장관(구이,국연)

발 신 : 주 스페인 대사

제 목 : 외무성 신임정무차관 면담

1. 본직은 5.22., 18:00 시 주재국 외무성 FRANCISCO VICCAY Y ORTIS DE URBINA 신임정무차관을 예방, 축의를 표한바, 동차관은 격의없는 우의와 긴밀한 상호협조를 희망한다고 말했음.

2. 동차관은 ORDONEZ 외상의 방한시기 조정 관련하여 아측입장을 양해한다고말하였음. 동차관은 이어 약 1 개월전 당지 중국대사의 예방을 받고, 한국은 북한이 동시가입에 끝내 불응하는 경우 금년중 단독 유엔가입을 추진할것으로 보이는바, 이경우 중국은 거부권을 행사할것인지 여부를 문의하였던바, 중국대사는정부입장을 모르므로 확인해보겠다고 말한지 3 일후 재차 방문하여 외교부에 문의했던바 "남북한이 협의를 통해 해결함이 바람직하다"고 말했다고 본직에게 밝히면서 자신은 중국이 거부권행사여부에 대하여 언급을 않은 사실에 유의하면서 본건을 지켜보겠다고 말하였음.

3. 동차관은 직전 주유엔대사 역임으로 아국의 유엔가입에 특별한 관심을 갖고 있었음.

(대사-국기국장)

예고: 1991.12.31 일반

검토필(1991.6.30)

구주국 차관 1차보 2차보 국기국

PAGE 1

91.05.24 06:49

외신 2과 통제관 CH

0280

관리 번호 91-3529

원 본

외 무 부

종 별 :

번 호 : PDW-0445　　　　일 시 : 91 0523 1750

수 신 : 장관(국연,동구이)

발 신 : 주 폴란드 대사

제 목 : 유엔가입 추진

대 : WPD-0485

주재국 외무성 아주부국장 KRYSTOSIK 은 5.23 대호 폴.중 유엔실무회담시 아국의 유엔가입 문제에 관해 논의된 내용을 최참사관에게 아래와 같이 설명함.

1. 폴측은 한국의 유엔가입을 적극 지지한다는 입장을 밝히고 남북한의 유엔가입이 북한의 주장과는 달리 오히려 남북대화 및 통일에 기여할 것이라고 주장함.

2. 중국측은 이에 관해 공식 입장 표명을 통해 중국은 거부권행사를 피하길원한다 하고 이문제가 연기된다면 가장 좋겠으나 남북한간에 합의되는 어떠한 해결책에도 동의할 것임을 언급함.

3. 중국측은 이붕 총리 방북시 북한의 주장이 비현실적임을 지적하고 융통성을 발휘하도록 권고하였음을 비공식적으로 언급하였으며, 한국 단독가입안 제출시 이에 거부권 행사할 것인지를 문의한바, 답변을 회피하였음. 끝

(대사 김경철-국장)

예 고 : 91.12.31. 일반 고문에 의거 일반문서로 재분류됨

검 토 필(1991. 6. 30.)

국기국	장관	차관	1차보	2차보	구주국	청와대	안기부

PAGE 1　　　　91.05.24 06:04

외신 2과 통제관 FI

0281

관리번호	91-3521

원 본

외 무 부

종 별 : 지 급

번 호 : YGW-0410 일 시 : 91 0523 1820

수 신 : 장관(국연,동구이)

발 신 : 주 유고 대사

제 목 : 유엔가입 추진

대:WYG-412

연:YGW-396

1. 대호건 본직이 금 5.23(목) LONCAR 외상에게 문의한바 본건관련 중국측이 주재국의 입장을 타진한적이 없다고 말하였음

2. LONCAR 외상은 신임중국대사가 내주중 자신을 예방할 예정으로 있는바, 동방문시 본건을 제기할 경우 추후 본직에게 이를 알려주겠다고 말하였음

3. LONCAR 외상은 또한 자신이 금년 7 월중 중국과 인도를 방문할 예정으로있다고 언급하였는바(연호 YGW-396 참조) 동방문기간을 전후하여 아국을 방문할수 있는지 문의한바 중국, 인도방문이 확정되는경우 구체적으로 본직과 협의하겠다는 입장을 보였음. 끝

(대사 신두병-국장)

예고:91.12.31 일반 예고문에 의거 일반문서로 재분류

검 토 필(1991. 6. 30.)

국기국 차관 1차보 2차보 구주국

PAGE 1

91.05.24 05:43

외신 2과 통제관 CH

0282

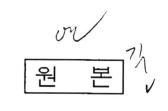

관리번호 91-3489

韓· 伊太利 外務長官 會談 結果

1991. 5. 23.

外 務 部

91. 5. 22(수) 17:10～18:30間 開催된 韓· 伊太利 外務長官 會談 結果를 아래와 같이 報告 드립니다.

1. 大統領 閣下 訪伊 招請

- 伊側, 韓· 伊間의 政治協力 强化를 위해 大統領 禮訪時 안드레오띠 首相의 大統領閣下 伊太利 訪問 招請 親書 傳達 豫定임을 說明

2. 我國의 유엔가입 問題

o 伊太利側, 中國 訪問結果 說明

- 中國側은 南北韓이 對話를 促進하여 合意에 이를것을 强調
- 韓國 單獨加入에 대하여는 中國側, 명백한 立場 不表明
- 伊側, 美國의 最惠國 待遇등 好意的인 對中國 立場이 我國의 유엔가입 問題에 대한 中國側의 肯定的인 立場을 도출할 수 있는 重要 要素라고 評價

3. 韓· EC關係 强化

o 韓· EC 政治協力 强化 努力 必要性 强調

- 兩側은 當分間 韓· EC 議長國 外務長官 會談을 定例化하고 向後 韓· EC Troika 會談으로의 發展 努力이 必要 하다는데 認識 一致

0283

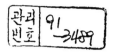

4. 韓· 伊 外務長官 會談 定例化

- 伊側, 韓· 伊 外務長官 會談을 로마와 서울에서 定期的 (年 1회 등)으로 開催 할 것을 提議 하였으며 我側은 原則的으로 이에 同意

5. 亞太 安保協力 體制

- 我側은 南北韓 問題, 캄보디아 問題, 日· 蘇 問題 등 地域的 紛爭의 解決이 우선되어야 함을 言及
- 伊側은 유럽의 경우 歐洲安保協力會議(CSCE)를 推進하여 統獨問題 등 地域的 紛爭 解決을 促進하였음을 言及하고 아시아에서도 安保協力體制 推進이 오히려 地域問題 解決에 바람직 하다는 見解 披瀝

6. 歐洲 單一安保體制 構築 展望

o 伊側, 앞으로 歐洲는 EC 統合 및 擴大等 單一經濟圈 形成, 中· 東歐協力體制 强化, 蘇聯과 歐洲 各國과의 友好 協力條約 締結등을 통한 歐洲 單一安保體制 構築 豫想

7. 防産 協力

o 伊側, 我國과의 防産協力에 政治的 重要性 賦與등 强한 希望 表明

8. 分析 및 評價

o 我國의 유엔가입 努力 및 韓· EC政治協力 强化를 위한 伊太利의 積極的 役割 및 支持 確保

o 韓· 伊太利間 定例的 外務長官會談 推進함으로 兩國間 政治協力 强化를 위한 基盤 마련

o 伊側의 地域別 安保協力體制構築에 대한 見解 參酌 必要. 끝.

예고 19 91. 12. 31. 일반 문서로 재분류

0284

관리 번호	91 -3570

	분류번호	보존기간

발 신 전 보

번 호 : WUN-1458 910524 1420 FL 종별 :

수 신 : 주 국련 ~~불가리아~~ 대사 . ~~총영사~~

발 신 : 장 관 (국연)

제 목 : 한.불가리아 외무장관회담 결과(유엔가입)

한.불가리아 외무장관회담(5.16)에서 본직은 유엔가입 관련, 남.북한 동시가입을 희망하나, 북한이 끝내 불응시 선가입 방침임을 설명하고 이에대한 불측의 지원을 요청한 바, ~~주재국~~ Vulkov 외상은 기존입장에 따라 남북한 동시가입 또는 한국의 단독가입을 지지한다고 언급했음을 참고바람. 끝.

(국제기구조약국장 문동석)

예고 1991.12.31.일반.고문에 의거 인반문서로 재분류됨

검 토 필(1991. 6. 30.)

보안 통제	(서명)

앙 고 재	91년 5월 24일	유엔과	기안자 성명		과 장		국 장		차 관	장 관
			김성철		(서명)		전결			(서명)

외신과통제

0285

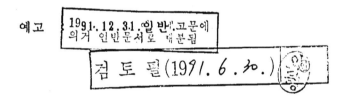

관리번호	91-3565

원 본

외 무 부

종 별 :

번 호 : POW-0344 일 시 : 91 0524 1900

수 신 : 장관(국연,구일,구이,정홍,사본-주유엔대사) 중계필

발 신 : 주 폴투갈 대사

제 목 : 유엔가입추진(EC공동입장 표명추진)

대:WECM-0026

연:POW-0296

1. 당관 주참사관은 5.24(금) 주재국 외무성 CARDOSO 아주국장을 접촉하고 대호건 진전경과를 문의한바, 동인은 하기사항을 알려옴

가.5.16-17 의 EC 정무총국장회의를 앞둔 EC 회원국간 의견조정과정 및 동 총국장회의에서 EC 의 아국가입 지지 공동입장 표명문제가 협의된바, 한국만의 가입 신청시에도 EC 가 이를 지지한다는 기본입장은 재확인되었으나, 대외적 공동입장 표명문제는 콘센세스가 이루어지지않아 더 검토키로 되었음(동인은 CONFIDENTIAL 로 해달라고 하면서 주재국과 프랑스는 공동 대외입장 표명을 지지했으나, 일부국가들의 반대가 있었다고 말함)

나.91.5.30 로 예정된 EC-아세안 외상회의에서 한국의 유엔가입 문제가 토의될 가능성이 있으며, 5.27 부터 EC 아주국장회의가 열려, 동 외상회의 대책을 협의케될것임. 자신으로서는 한국가입 지지에 유리한 의견교환이 되도록 노력하겠음

다. 그 다음의 EC 아주국장회의는 6.19 로 되어있음

2. 동 국장에게 최근 이붕 중국수상 방북, ROCARD 불 수상 방한, 벨지움, 이태리 외상 방한등 유관동정을 간략히 언급한바, 동인은 금년중에는 한국의 가입 문제가 해결될것으로전망한다고 말함

3. 대 EC 6 월 정무총국장회의는 6.13-14 간으로 되어 있으나, 상기 1. 다 항과 같이 6 월 EC 아주국장회의는 6.19 이라하므로 사전 정확한 일정을 재확인 대처하는것이 좋을것으로 사료됨

4. 기타 동인에게 최근 아국 국내정세 진전, 당지 남북축구단일팀 도착등에대해 설명해 주었음. 끝

국기국	장관	차관	1차보	2차보	구주국	구주국	정문국	청와대
안기부								

PAGE 1 91.05.25 06:23

외신 2과 통제관 FE

0286

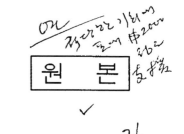

(대사조광제-국장)

19 의예고문:91.12.31.일반 (예고문에 의거 일반문서로 재분류)

검토필(1991.6.30)

PAGE 2

0287

관리 번호	91 - 3581

외 무 부

종 별 :

번 호 : IDW-0146 일 시 : 91 05242340

수 신 : 장 관(구일,동구이,국연)

발 신 : 주 아일랜드 대사

제 목 : 국회의장방문

연:IDW-0145

1. 연호 박준규 의장 도착시 DOHERTY 상원의장및 TREACY 하원의장이 국회관계관을 대동 공항 출영 하였으며 하원의장 주최만찬에는 상원의장을 비롯 IRISH PARLIAMENTARY ASSOCIATION 집행위 간부및 각 정당대표들이 참석하였음.

2. 박준규국회의장 일행은 예정대로 5.23 TREACY 하원의장예방 및 동의장 주최만찬에 참석하고 5.24 에는 COLLINS 외상주최 오찬(수상 국회 일정상)및 HAUGHEY 수상을 예방하였음. 한편 최운지및 류승번의원은 5.24 오후 주재국야당 지도자들과의 간담회도 가졌음.

3. 박의장은 수상면담시 대통령각하의 친서를전달하고 아국의 UN 가입을비롯한 제반협조에 사의를 표하면서 앞으로도 계속 지원해줄것을 요청하였음. (외상과의 면담시도 동일한 사의표시와 함께 지원을 요청하였음) 이에대해 수상 및 외상은 아일랜드정부로서는 UN 의 보편성원칙과 양국간 우호관계에 비추어 한국의UN 가입은 계속전폭 지지할것을 약속하였음. 특히 박의장이 영국 HURD 외상과의본건에관한 면담내용을 설명하고 EC 전체의 적극지지표시에있어 아일랜드가 앞장서서노력해 줄것을요청한데 대해 COLLINS 외상은 이를약속했으며 또한중국이 동건에있어 거부권을 행사치 않을것이라는 정보를갖고 있다고 말했음.

4. 또한박의장이 친서내용의 HAUGHEY 수상방한초청을 설명, 권유한데대해 동수상은 사의를 표하고 적절한시기에 방한할 의향을 표시하였음.

5. 또한 수상 및 외상은 한.애 양국간 실질협력관계를 강조하면서 특히 아국기업의 주재국진출희망과 이에대한 우리정부의 협조를 요청하였음. 끝

(대사민형기-장관)

예고: 91.12.31 일반 (1991. 6. 30.)

19 에 의거 일반문서로 재분류됨

구주국 장관 차관 1차보 2차보 구주국 국기국 청와대 안기부

PAGE 1

91.05.25 10:30

외신 2과 통제관 BN

0288

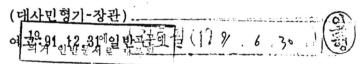

관리 번호	91 -3579

원 본

외 무 부

종 별 :

번 호 : IDW-0147 일 시 : 91 05242340

수 신 : 장 관(국연,구일,동구이)

발 신 : 주 아일랜드 대사

제 목 : 국회의장방문

연:IDW-0146

1.COLLINS 외상은 금 5.24 박준규의장 일행을위한 동장관주최 오찬중 본직과의 면담기회에 5.16-17 브랏셀에서 개최된 EPC 회의시 한국의 UN 가입문제와관련 중국의 거부권행사 저지방안이 토의되었다고 언급하였음.

2. COLLINS 장관은 동회의에서 영국이 다소 소극적인 입장을 표시했다고 설명하면서 이것은 영국이 중국과의 관계를 고려하기 때문일 것으로 본다고 말했음.끝.

(대사민형기-국장)

예고:91.12.31 일반

예고문에 의거 인반문서로 재분류 (1991.6.30.)

국기국	장관	차관	1차보	2차보	구주국	구주국	청와대	안기부

PAGE 1

91.05.25 08:26

외신 2과 통제관 BS

0289

관리 91
번호 -3856

협 조 문 용 지

분류기호 문서번호	동구이 10221-994	( )	결재	담 당	과 장	국 장
시행일자	1991. 6.25.					
수 신	수신처 참조	발 신	구주국장			
제 목	폴란드 총리 방한 결과 후속조치					

폴란드 총리 방한 기간중(91.6.20-22) 양측간에 협의된 회담 결과를 별첨 통보하오니 해당 부처와 협조, 필요한 조치를 취하여 주시기 바랍니다.

첨 부 : 한·폴란드 총리 회담결과 조치사항, 외무장관·폴외무차관 면담 결과 조치사항 각 1부. 끝.

예 고 : 1991.12.31.일반 예고문에 의거 일반문서로 재분류됨

수신처 : 외교정책실장, 의전장, 미주국장, 국제기구조약국장, 국제경제국장, 통상국장, 문화협력국장, 영사교민국장

검 토 필(1991.6.30.)

0290

한.폴란드 총리회담 주요 결과 조치사항

주요 의제	양국 총리회담 요지	조치 사항	담당국
1. 유엔 가입 문제	o 폴측, 아국의 유엔가입 적극 지지입장 재확인	유엔 대책 참고	국제기구조약국
2. 북한의 핵안전협정 체결 문제	o 폴측, 북한의 협정 체결시까지 계속 노력 표명	IAEA 관련 대책 참고	"
3. 중감위 활동 지속	o 중감위 존속을 위한 아국입장 지지 및 적극 협조 입장 표명	관계국과의 협의에 참고	미주국, 정책기획실
4. 교역확대 균형	o 아측, 양국간 교역품목 개발 및 조정으로 확대균형 희망 o 폴측도 교역확대 희망	대폴란드 교역정책에 반영	통상국
5. 대전박람회 참가	o 아측, 93년 대전 EXPO 참가 요청 (폴측의 구체적인 답변없었음)	업무 참고	통상국
6. 경제협력	o 폴측, 폴란드 통신사업 현대화를 위해 EDCF 자금 사용을 요청한 바, 아측은 원칙적으로 긍정적 입장 표명	삼성측과 협의, 검토 및 추진	국제경제국
	o 수교시 약속한 4억불 credit 사용에 관한 상세 설명 요청	동자금의 성격 및 사용방법등에 관한 자료 작성, 폴측에 설명요	국제경제국
	o 폴측, 아국의 경제개발 경험 전수 및 폴란드와 제 3국(EC 및 소련) 공동 진출 강력 희망	아국의 대폴란드 경협정책에 적극 반영	국제경제국
7. 문화.학술 협력	o 아측, 문화협정 체결 제의 o 폴측, 폴란드에 한국문화원 설립 요청	아측 초안 제시 및 문화원 설립에 관한 아국 입장 검토	문화협력국
8. 양국 국민 교류 확대 지원	o 폴측, 일반여권 소지자 사증면제협정 체결 요청 o 아측, 외교관 및 관용여권 소지자 사증면제협정 우선 체결 희망 - 폴측 희망 긍정 검토 답변	아측 입장 정리, 폴측에 제시요 (필요시, 관계부처 회의 소집요)	영사교민국

0291

외무장관.폴 외무차관 면담결과 조치사항

주요 의제	면담 요지	조치 사항	담당국
1. 대소관계	(폴측) ㅇ소련과의 선린협정 체결문제가 주요현안인바, 한국도 소련과 선린우호조약 체결문제가 있는 만큼, 앞으로 상호 협의해 나가길 희망 (아측) ㅇ소련측 draft 대기중임을 언급		구주국, 국제기구조약국
2. 중감위 문제	아측과 폴측은 중감위 유지 입장 일치, 계속적 협의 대처키로 합.	관계국과 협의에 참고	미주국, 정책기획실
3. 유엔가입 문제	(아측) ㅇ7월말-8월초 유엔가입서 공식 제출 예정 언급 (폴측) ㅇ한국의 유엔가입 적극 지지	유엔대책 참고	국제기구조약국
4. 한.폴 고위인사 교류	(폴측) ㅇ내년초 바웬사대통령 방한 추진 가능 ㅇ금년중 폴 외무장관 방한 희망 (아측) ㅇ외교경로를 통해 교섭키를 희망	추후 추진 검토	구주국, 의전실
5. 경제.과학 기술협력	(폴측) ㅇ경제과학기술협정 체결 필요 강조 (아측) ㅇ아측안 제출 예정 언급	아측안 폴란드측에 제시요	국제경제국
6. 문 화	(폴측) ㅇ문화관계협정체결 필요 (아측) ㅇ아측안 제출 예정 언급	아측안 폴란드측에 제시요	문화협력국
7. 인적교류	(폴측) ㅇ일반여권 사증면제협정 체결 필요 강조	아측 입장 조속 정리, 폴란드측에 제시요	영사교민국

0292

한.폴란드 양국 총리간 확대회담 요록

점 토 필(1991. 6. 30.)

91. 6. 21

1991.12.31. 에 예고문에 의거 인반문서로 재분류됨

구 주 국

0293

한.폴란드 양국 총리간 확대 회담요록

1. 일　시: 91.6.21(금) 10:00-11:20

2. 장　소: 국무총리 대회의실

3. 배석자:

(아　측) : 유종하 외무차관, 박용도 상공차관, 김경철 주폴란드대사, 강용식 총리 비서실장, 심대평 총리실 행조실장, 김인호 기획원 대조실장, 권영민 외무부 구주국장, 이종무 외무부 국제경제국장

(폴란드측) : 마카르치크 외무 수석차관, 크라코프스키 주한대사, 오콘스키 대외경제부 차관, 가이크 산업부 차관, 피보바르 내각사무처 총국장, 보이코프스키 총리 비서실장, 대리워 주한 1등 서기관

4. 사용언어: (아측) 한국어-영어
(폴측) 영어

5. 주요면담요지

(총　리)

ㅇ 비엘레츠키총리의 방한을 환영함. 총리의 방한은 89.11 양국간 수교이래 폴란드 최초의 고위인사 방한인 만큼, 오늘 회담이 양국간의 관계증진에 크게 기여하기를 희망함.

ㅇ 회담은 동북아 및 한반도 정세와 구주정세에 관해 의견 교환후, 양자관계를 논의하는 방식으로 진행코자함.

(폴 총리)

ㅇ 초청에 감사드림. 양국관계개선을 위해 멀리서 왔는바, 본인으로서도 금번 방한이 장기적으로 한.폴 관계강화에 기여하게 되길 기대함.

0294

(총 리)

○ 오늘날의 세계는 2차 대전후 40여년간 지속되어온 냉전체제가 붕괴되고, 새로운 질서를 형성해가는 전환기를 맞고 있음.

○ 아국 정부는 귀국이 89년 이래 추진해온 평화적 혁명을 높이 평가하고 있음.

○ 동북아에서도 구주에서 보다는 느린 속도이지만 탈냉전의 움직임이 진행중에 있는 바, 최근 한.소 수교, 한.중 관계개선등으로 정세 변화의 조짐을 보이고 있음. 그러나, 북한과 중국이 아직 개혁을 진지하게 추진하고 있지 않고, 동북아지역에서의 강대국간 이해관계가 교차하고 있어, 유럽과 같은 냉전의 종식에는 이르지 못하고 있음.

○ 아국은 동북아 냉전종식이 세계 평화를 가져온다는 인식하에 남북한 관계 개선을 추진중에 있는바, 상호 체제 인정 바탕위에서 신뢰를 구축하는 것이 급선무라고 생각하고 적극 노력중임.

○ 90.9이래 남북한 총리회담이 3차례 개최되었으나 북한의 일방적 중단으로 재개되지 못하고 있음. 특히, 600만 실향민의 재상봉을 위해 인도주의적 견지에서 적십자 회담을 추진해왔으나, 큰 진전을 보지 못하고 있음. 최근 남북한 단일 축구팀등 체육팀을 구성, 국제대회에 참가하고 있음. 비단, 체육분야 뿐만 아니라 예술, 문화분야에도 접촉이 있는 것은 좋은 현상인바, 이는 금년 가을 남북한 동시 유엔가입 기대와 함께 남북한 관계발전에 크게 기여할 것으로 기대됨. 이점에서 지금까지 폴란드측에서 보여준 지원에 감사함.

(폴 총리)

○ 상세한 한반도 정세 설명에 감사함. 사실상 폴란드의 평화적 혁명은 80년 여름부터 시작되었음. 81년말이후 부터는 계엄령으로 지하에서 활동해왔음. 89년 원탁회의 결과, 35%에 달하는 하원의원 선거 실시 합의로 "35% 민주 주의"가 확보되었음. 그러나, 상원에서는 solidarity가 100석 가운데 99석을 차지하였음. 89.9 폴란드에서는 신정부가 구성되었고 독일에서는 베르린 장벽이 제거되는등 기타 동구국가들도 민주화 혁명이 가속화 되었음.

0295

o 현재 동구는 전체주의에서 민주주의로, 중앙통제경제에서 시장경제체제로 변화중에 있으나, 상당한 어려움을 겪고 있음. 투마니아에는 공산당이 변신, 집권하고 있는바, 새로운 자유선거가 필요함. 폴란드는 체코, 헝가리와 협력하에 안보,문화,경제, 정치등 모든 분야에서 관계강화를 추진하고 있으며 EC에도 공동으로 가입코자 노력하고 있음.

o 폴란드는 금세기말전까지 EC에 가입코자 추진중이며, 이미 준회원국 획득을 위해 적극 노력중임. EC는 폴란드에 있어서 정치적 측면에서 뿐만 아니라 경제적면에서도 중요한바, 최근 EC측이 농산물, 섬유, 철강등 수입을 규제하고 있어, 현재 우리는 보다 용이한 EC시장 접근을 위해 노력중임.

o 아울러 폴란드는 양자관계를 중요시하고 있음.

- 독일과는 지난 월요일 우호친선조약을, 불란서와는 지난 4월 연대협정을 체결하였고, 영국과도 공동협력선언을 발표한 바 있음.
- EC 가입은 폴란드의 안보와도 관련이 있는바, 폴란드는 유럽안보체제 구축에도 적극 노력중임. NATO가 동구국가의 안전을 보장해 주고, 민주화를 지원해주길 기대함.
- 소련과도 관계를 계속 유지하는 동시에 발트 3국을 비롯한 구성공화국과도 개별조약을 체결, 관계를 증진시킬 예정임.
- 현재는 변혁기로서 약간의 희생은 감수해야 할 것으로 생각되며, 소련에 의해 제한된 주권을 완전히 회복하고, 경제개혁을 완성하는데는 10여년이 걸릴 것으로 생각함.
- 미국과 관계도 중요시하고 있는 바, 미국은 우리의 민주화를 격려해 주었고, 70년대 이래 쌓였던 부채도 탕감해 주는데 앞장을 서고 있음.

o 국제기구 관련, 폴란드는 2일전 개최된 CSCE 외상회의에도 적극 참가한바, CSCE는 새로운 유럽을 건설하기 위한 구조물임.

0296

(총 리)

o 구주지역 정세 설명에 감사함. 우리 정부는 폴란드의 평화로운 개혁 정책을 전폭 지지하고 있는바, 폴란드가 과도기적인 어려움을 극복, 소기의 성과를 거두기를 기대함. 바웬사 대통령을 비롯한 비엘레츠키 총리등 폴란드 신지도층의 각별한 지도력은 유럽의 질서와 세계 평화 유지에 크게 기여할 것으로 생각됨.

o 89.11 수교이래 양자관계가 제반분야에서 착실하게 발전하여 온것을 기쁘게 생각함. 특히 오늘 오후에 이중과세방지협정도 체결되게 되어 있으므로 양국관계 발전이 더욱 가속화될 것으로 기대됨. 아울러, 금번 총리의 방한을 계기로 앞으로 양국간 고위인사의 교환방문이 확대되기를 기대하며, 특히 민간부분의 교류확대를 원함.

o 북한의 핵안전 협정 체결 촉구와 관련, 지난 6월 비엔나 개최 IAEA 이사회에서 귀국 출신의 젤라즈니 의장이 적극 협조해준데 사의를 표하며, 북한측이 조속한 시일내 협정을 체결, 실질적인 성과가 있도록 계속 지원을 당부함.

(외무차관)

o 최근 북한측에서 중감위 해체를 시사한바, 최근 폴란드 중심의 관계국 4개국 회의 결과, 중감위 체제는 휴전협정 유지를 위해 필요하고 일방적인 중단은 곤란하다는 입장을 결정한데 대해 감사함.

(폴 외무차관)

o 중감위는 1953년 휴전조약에 의거 설치되었고 현재까지 그 효력이 지속 되고 있음. 최근 정세의 변화로 북한이 심리적으로 위축되어 있는 것 같은바, 우리로서는 한반도에서 중립국의 위치가 오늘날 더욱 더 중요해지고 있다고 보고 있으므로 중감위의 존속을 희망하고 있음.

0297

(폴 총리)

o 아국은 중감위 활동을 매우 중요시하고 있으며, 현지 아국대사로 하여금 아국입장을 북한측에 전달토록 지시한바 있음. 북한측이 최근 중감위 구성원에 대해 어려움을 주고 있음을 알고 있는바, 북한이 하루빨리 태도를 바꾸어 그러한 불편이 해소되기를 희망함.

(총 리)

o 다음은 양국간 통상.경협문제에 관해 협의코자 함. 우선 한.폴 양국간의 무역량이 작년도에는 전년 대비 176%가 증가했으며 금년도에도 그 추세가 계속되고 있어 양국간 교역량이 더욱 확대될 것으로 기대됨. 양국간의 교역은 아직 초기단계로서 상호 교역 품목이 충분히 개발되지 않은 만큼, 상호 품목 조정을 계속하면 더욱 큰 진전이 있을 것으로 생각됨. 아국은 확대균형을 무역정책의 기본으로 삼고 있는바, 폴측에서도 이를 위해 상품 소개활동을 보다 강화해 나가길 기대함. 이자리를 빌어, 93년도 개최 예정인 "대전 EXPO"에 귀국이 참가해 주기를 희망함.

o 양국간의 경협관계 강화를 위한 아국은 폴란드의 시장경제체제로의 이행을 적극 도울 것임. 현재 양국간에는 소규모의 민간인 투자가 이루어지고 있는바, 아국 정부로서는 이러한 합작투자를 적극 지원할 것임.

o 양국간 문화.학술분야에서도 교류확대가 필요하며, 이를 위해 한.폴 양국간 문화협정 체결을 제의함.

(폴 총리)

o 한국 정부측이 양국간 정치.경제.문화등 제반분야에서 관계발전을 위해 노력하고 있음에 감사함.

o 한국 문화원을 바르샤바에 설치하기를 희망하는바, 이는 양국간 문화관계 발전 뿐만 아니라 경제.과학분야에서의 협력 강화의 좋은 배경이 될 것으로 봄.

0298

o 한국과의 교역량 증가는 다이나믹한 한국의 경제성장이 보여주듯이 매년 엄청난 증가 추세를 보이고 있음. 현재 진행중에 있는 유럽 통합추세를 감안할시, 한국 대기업의 폴란드 진출은 한국에도 도움이 되며, 우리로서도 환영하는 바임. 유럽의 무역장벽은 더욱 높아질 것으로 보이는 바, 폴란드는 한국의 경제개발 경험과 폴란드의 노동력을 결합, 유럽내 제 3국에 공동진출할 것을 희망함.

o 아국은 현재 EC 가입을 추진중에 있으며, 소련과도 경제관계를 유지하고 있고, 중구의 Pentalgonale에도 금년 7월 가입하게 됨에 따라 이것이 Hexagonale로 될 것이며, 또한 유럽의 모든 지역기구에 소속되어 있음을 감안할시, 공동 진출의 좋은 파트너가 될 것임.

o 아국은 최근 삼성측과 체결한 바 있는 전화설비 근대화사업 계약과 관련 귀국의 경협자금 5천만불이 사용될 수 있기를 희망함. 이는 양국간 협조 관계 강화의 실질적인 징표가 될 것으로 기대됨.

o 아울러 귀국이 약속한 credit 4억불 지원문제에 관해서 자세한 설명이 있기를 희망함.

(총 리)

o 귀국의 전화사업 현대화를 위해 사용코자 하는 EDCF 자금 5천만불에 대해서는 추후 구체적으로 검토해 보겠음. 4억불 신용 제공건에 관해서는 내일 경제기획원장관과 만날시 상세히 협의하길 희망함.

(폴 총리)

o 아국은 귀국의 credit 제공보다 귀국이 그간 경제개발에서 축적한 기술과 경험을 활용하는데 더 큰 관심이 있는바, 이러한 측면에서 양국관계가 보다 확대되어 나가기를 기대함.

o 한편 아국은 귀국과 "일반인 비자면제협정"을 조속 체결하기를 희망함.

(총 리)

o 사증면제협정 체결 문제는 현재 교섭중에 있는 "관용 및 외교관여권 비자 면제협정"을 먼저 체결할 것을 희망함. 부족한 것은 오늘 저녁 만찬에 더 협의하기를 희망하고 이만 회담을 종결코자 함.

0299

외무장관-"마카르치크" 폴란드 외무차관 면담요록

검 토 필(1991.6.30.) 9

1991.12.31. 에 예고문에
의거 일반문서로 재분류됨

91. 6. 21

구 주 국

0300

외무장관-"마카르치크" 폴란드 외무차관 면담요록

1. 일 시 : 91.6.21(금) 15:00-15:25

2. 장 소 : 장관 접견실

3. 배석자

(아측) 구주국장, 동구 2과장

(폴측) Krakowski 주한 대사, Derylo 주한 1등서기관

4. 면담요지

(장 관)

o 총리를 수행, 방한한 것을 환영함.

(폴 차관)

o 86년도에 국제법회의 참가차 방한한 바 있으며, 당시 회의는 가장 성공적인 회의였음. 88년도에 35명의 한국 국제법 인사가 바르샤바를 방한, 처음으로 한국이 폴란드에 소개된 바 있음. 외무장관께서도 한번 폴란드를 방문하시기를 기대함.

(장 관)

o 양국간 정치.경제등 제반분야가 계속 강화되길 기대함. 폴란드의 대소련 관계는 어떤지 ?

(폴 차관)

o 소련과 현재 3가지 매우 어려운 문제를 협상중에 있음. 첫번째는 폴란드 주둔 소련군 철수문제로서 헝가리에서는 이미 소련군 철수가

0301

완료되었으나, 아직 폴란드와는 어떤 합의에 이르지 못하고 있음.
둘째는 약 40만명의 구동독 주둔 소련군 철수문제와 관련, 폴란드 통과 문제가 있음. 또하나는 소련측과 새로운 입장에서 선린협정을 체결하는 문제인바, 소련측은 어떠한 형태로던 소련에 적대적인 동맹에 가입치 않는다는 조항을 넣을 것을 주장하고 있어 아직 양측간 합의에 이르지 못하고 있음.

(장 관)

o 지난 4월 고르바초프 소련 대통령 방한시에 소련측에서 선린우호조약 체결을 제의해온 바, 우리는 현재 소련측의 draft를 기다리는 중에 있음.

(차 관)

o 동문제는 우리와도 상호 의견교환하는 것이 도움이 될 것임.
o 폴란드는 현재 EC가입을 추진중에 있는바, 우선은 준회원국으로 가입코자 적극 교섭중에 있음.

(장 관)

o 지난번 이태리 외상 방한시와 덴마크 수상 방한시 EC측에서 동구의 EC가입에 대해 매우 호의적으로 검토하고 있다는 설명을 들은바 있음.
o 참고로 덴마크 수상 방한기간중에 스웨덴이 7.1부로 EC가입을 결정하여, 스웨덴 수상이 국제전화로 방한중에 있는 덴마크 수상에게 연락한바 있음.

(차 관)

o 우리는 스웨덴을 포함한 Baltic 연안국가와의 관계강화를 추구하고 있음.

(장 관)

o 한.폴란드 양국관계는 이제 수교한지 얼마되지 않으므로 앞으로 확대해 나가야 할 여지가 많다고 생각됨.

(차 관)

o 양국간 문화관계협정과 과학기술협력협정 체결이 필요하며, 특히 사증면제협정 체결 문제가 중요함. 이것은 인도주의적인 문제로서 한.폴간

0302

사증면제협정 체결은 폴란드의 인접국과의 관계에 좋은 영향을 미칠 것임.
양국간 외교관.관용여권 사증면제협정 체결을 교섭중에 있으나, 동여권 소지자는 제한적이므로 일반인 사증면제협정 체결이 필요함.

(장 관)

o 우리의 유엔가입 정책 및 최근 북한측의 중감위 해체 요구등에 대하여 폴란드측이 우리의 입장을 지지해주어 감사함.
o 외무차관간 면담에서 상세한 협의가 있기를 기대함.

(차 관)

o 중감위 관련, 아국은 현재 북한측 태도 때문에 우리측 Staff을 교체할 수 없는 실정에 있음.

(장 관)

o 중국측의 태도는 어떠한지 ?

(차 관)

o 중국은 현재 약간 reluctant한 것 같음.

(장 관)

o 아국은 7월중 유엔가입안을 국회에 상정, 동의를 받은후 7월말 내지 8월초 가입서를 공식 제출할 예정인 바, 북한도 비슷한 시기에 제출할 것으로 보임.

(차 관)

o 한국의 유엔가입문제와 관련해서는 어떠한 지원도 아끼지 않을 것임.
o 유엔 관련, 신임 Secretary General 선출문제에 관심이 고조되고 있음. 특히, 걸프전에서의 UN역할이 크게 작용한 이래 더욱 그러함. 이번에는 아프리카 지역 출신이 맡을 term 이라고 하는바, 문제는 영어, 불어에 능통해야 할 것이므로 이점에서 다소 complicated한 점이 있음.

0303

이집트의 "부루로스 갈리" 외무담당 국무상의 출마가 거론되고 있음.

(주한 대사)

o 바웬사 대통령의 방한을 추진코자 하는바, 10월중 폴란드 의회선거가 실시되면 내년초쯤 가능할 것으로 기대됨.

o 스쿠비세프스키 외무장관도 이장관님의 초청장을 받아놓고 있으므로 금년중 방한이 가능하지 않겠는지요 ?

(장 관)

o 동문제는 상호 외교채널을 통해 교섭해 나가기를 희망함.

o 문화협정 및 과학기술협력협정은 아측에서 draft를 제안하겠으니, 귀측에서 검토후, 서로 교섭해 나가기를 원함.

0304

노태우
대한민국
대통령각하,

1991. 6. 24.

각 하,

본인은 각하의 특사인 이원경씨가 뉴질랜드를 방문하여 각하를 대신하여 본인에게 설명코자 한다는 1991.5.10자 각하의 서한을 수령하였음을 알려드립니다.

본인은 돈 맥키논 외무무역장관과 함께 이원경 특사를 맞이하여 유엔가입 문제 및 남.북한의 화해와 통일에 관련된 문제들을 협의한 데 대해 매우 기쁘게 생각합니다.

각하께서도 아시다시피, 본인은 귀 특사와의 협의후 뉴질랜드가 대한민국의 유엔가입을 계속 지지한다는 점을 공개적으로 표명하였습니다. 북한이 현실을 수용하고 별도 유엔가입을 신청하겠다는 의사를 표시한 만큼, 유엔가입이 조기에 실현되어 대한민국이 유엔의 책임있는 구성원으로서 정당한 위치를 차지하기를 기대하는 바입니다.

이 기회를 빌어 우리 양국 및 양국 국민들간에 많은 분야에서 관계가 급속히 발전하고 있는데 만족을 표명합니다. 이러한 추세가 지난 수년동안 이룩된 양국간 우호관계를 더욱 고양시킬 것이라는 각하의 확신에 본인도 공감합니다.

따뜻한 안부를 전하면서,

제 임 스 볼 저
뉴 질 랜 드 수상

0305

PRIME MINISTER

24 June 1991

His Excellency
President Roh Tae Woo
President of the Republic of Korea
Seoul
REPUBLIC OF KOREA

Dear President Roh

I have the honour to acknowledge receipt of your letter of 10 May 1991 concerning the visit of your Special Envoy, Mr Lee Won Kyung, to brief me on your behalf on the issue of the Republic of Korea's membership of the United Nations.

I was very pleased to receive Mr Lee and, along with the Minister of External Relations and Trade, Hon Don McKinnon, to discuss with him United Nations membership and other matters related to the process of Korean reconciliation and reunification. As you will know, following our discussions I stated publicly that New Zealand would continue to support United Nations membership for the Republic of Korea.

Now that North Korea has accepted realities and has signified its intention to apply for separate membership of the United Nations, I look forward to early realisation of this issue so that the Republic of Korea can assume its rightful place as a responsible member of the United Nations.

PARLIAMENT BUILDINGS, WELLINGTON, NEW ZEALAND. 0306

May I also take this opportunity to express my satisfaction over the rapid development of relations between our two countries and peoples in many fields. I share your confidence that this trend will continue to enhance our bonds of friendship forged over the years.

With warmest personal regards,

Yours sincerely

Rt Hon J B Bolger
Prime Minister

0307

관리번호	90-1146

원 본

외 무 부

종 별 :

번 호 : CZW-0103 일 시 : 90-0820-1830

수 신 : 장관(동구이,국연,경일,통이,정일)

발 신 : 주 체코 대사

제 목 : 외무차관 면담

구주국			
담 당	과 장	심의관	국 장
지시사항			

대:WHG-0581(국연 2031-1012)

1. 본직은 8.17(금) 주재국 외무성 ZDENKO PIREK 차관(경제, 국제기구, 국제법, 영사. 문화담당)을 면담하고, UN 문제, 한. 체코간의 경제. 통상협력 등에 관해 의견교환한 바, 동 차관 반응 다음 보고함(최승호 참사관, BARINKA 한국담당관 배석)

가. 유엔문제(아측의 금추 유엔대책이 미정인 상황을 전제로 의견 교환)

1)체코는 보편주의 지지입장 확고하며, 한국을 위한 어떤 이니시아티브를 취할 용의도 있음. 한국이 가입을 신청하면 하시라도 지지할 것임.

2)북한이 한국의 유엔가입 저지를 체코측에 요청하고 있는데 이는 수락 곤란하며, 체코는 유엔가입이 오히려 통일에 도움이 됨을 강조하였음.

3)체코로서는 한국, 북한의 유엔가입과 통일문제는 별개로 보고 있음. 자격있는 국가가 유엔 가입을 신청하면 당연히 받아 주는 것이 유엔의 원칙임. 통일은 남북한간에 해결될 문제임.

4)북한은 특히 중국에 대해 거부권 행사를 요청하고 있는데 성공하지 못할 것임. 쏘련의 거부권 행사는 현재로서는 생각할 수 없으며, 중국의 거부권 행사도 개연성이 희박함(HIGHLY IMPROBABLE).

5)체코 외상은 금추 유엔 총회 벽두에 유엔 출장 예정임.

나. 외무장관 방한 문제

1)지난 3 월 최호중 장관 방문후 이번에 체코외무장관이 방한하면 양국관계를 한단계 높은 차원으로 올리는데 기여할 것임.

2)한국은 민주화와 경제발전을 동시에 성취시킨 나라이므로 체코로서는 배울 점이 많음.

3)현재 진행중인 장관의 일정을 아래임.

구주국 장관 차관 1차보 2차보 국기국 경제국 통상국 정문국
청와대 안기부

PAGE 1 90.08.21 05:22

외신 2과 통제관 DO

0308

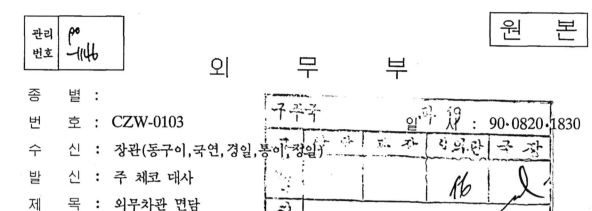

-10.25-28 한국

-10.28-31 태국

-10.31-11.2 인도

다. 경제협력

1)체코는 한국을 전략적 경제협력대상국의 하나로 간주하며, 곧 경제각료의 방한도 추진할 것임. Eur

2)체코는 EFTA 와 공동위를 설치했고(90.6 월), 금추부터 EC 와의 ASSOCIATION 관계 교섭 예정이며, 10 년내에 EC 정회원국이 되는 것이 목표임. 한국도 체코와 협력하여 EC 와 EFTA 에 진출확대하는 것이 유익하며, 미국도 이점에 관심이 큼.

3)체코의 IMF/IBRD 가입이 9 월초에 완료 예정임.

4)한국.체코.리비아간의 3 각 결제(DEBLOCKATION)의 해결이 지연되고 있는데 필요하면 양국정부가 개입, 조속 타결 시도 희망함.

2. 주재국 정부는 유엔 보편성 원칙을 확고히 지지하고, 한국은 유엔 가입 자격이 충분하여 하시라도 신청하면 이를 지지할 입장에 있는 점을 감안하고, 또 체코 정부 스스로가 한국 또는 북한의 유엔가입과 통일문제는 별개로 보고 있는 점을 고려할때, 차후 대호처럼 남북대화에서의 유엔문제 토의진전과 보편주의에 의한 아국의 유엔가입 타당성을 연계시키는 입장을 주재국측에 제시하는 것은 유익하지 않을 것으로 사료됨을 보고함. 끝

(대사선준영-장관)

예고:90.12.31 일반

0309

외고문서 비밀해제: 남북한 유엔 가입 2

남북한 유엔 가입 지지 교섭 1: 구주

초판인쇄 2024년 03월 15일
초판발행 2024년 03월 15일

지은이 한국학술정보(주)
펴낸이 채종준
펴낸곳 한국학술정보(주)
주 소 경기도 파주시 회동길 230(문발동)
전 화 031-908-3181(대표)
팩 스 031-908-3189
홈페이지 http://ebook.kstudy.com
E-mail 출판사업부 publish@kstudy.com
등 록 제일산-115호(2000. 6. 19)

ISBN 979-11-6983-943-3 94340
979-11-6983-945-7 94340 (set)

책에 대한 더 나은 생각, 끊임없는 고민, 독자를 생각하는 마음으로 보다 좋은 책을 만들어갑니다.